KB042338

세계지리노트

세계지리노트

초판 1쇄 인쇄일 2015년 7월 13일
초판 1쇄 발행일 2015년 7월 20일

지은이 한주엽
펴낸이 양옥매
디자인 최원용
교 정 조준경

펴낸곳 도서출판 책과나무
출판등록 제2012-000376
주소 서울특별시 마포구 월드컵북로 44길 37 천지빌딩 3층
대표전화 02.372.1537 **팩스** 02.372.1538
이메일 booknamu2007@naver.com
홈페이지 www.booknamu.com
ISBN 979-11-5776-061-9(93980)

이 도서의 국립중앙도서관 출판시도서목록(CIP)은 서지정보유통지원 시스템 홈페이지(http://seoji.nl.go.kr)와 국가자료공동목록시스템(http://www.nl.go.kr/kolisnet)에서 이용하실 수 있습니다.
(CIP제어번호 : CIP2015018730)

*저작권법에 의해 보호를 받는 저작물이므로 저자와 출판사의 동의 없이 내용의 일부를 인용하거나 발췌하는 것을 금합니다.

*파손된 책은 구입처에서 교환해 드립니다.

나와 우리의 세계화 세계지리 노트

한주엽 지음

책과나무

C·O·N·T·E·N·T·S

머리말

노트?

우리가 사는 세계는 이야깃거리가 무궁무진하다. 세상일은 모든 사람과 연관이 있으며 다양한 사람들과의 대화를 통해 다양한 세상일을 즐기게 된다. 세상일에는 엄연히 사람들이 정한 규칙과 질서가 존재하며 이에 대한 깨달음은 이 세상을 좀 더 풍요롭게 살 수 있는 계기가 된다.

학창시절 세계지리 시간에 반 아이들과 함께 토론을 나누며 친구로서 좀 더 가까워졌던 시간을 기억할 것이다. 『세계지리 노트』는 이와 같은 취지로 만들어진 것이라 할 수 있다. 세계지리에서 중요하다고 생각되는 개념들과 관념들을 학생들이 이해 가능한 범위 내에서 조직하여, 학생 스스로에게 생각의 틀을 심어주고 추후에 자신의 말과 글로 재탄생할 수 있도록 구성하려고 노력했다.

세계지리는 즐겁게 협동하며 배우기에 최적인 과목이다. 우리가 사는 이 드넓은 세계를 새로운 관점에서 볼 수 있는 것은 물론, 우리가 지금까지 살아온 삶에 대한 편협한 시각을 바꿀 수 있는 좋은 기회를 제공해준다.

우선 『세계지리 노트』가 어떤 흥미로운 점들을 바탕으로 쓰였는지 한 번 알아보도록 하자.

1. 지금(至今) 세계에 대하여 어떤 관념(觀念)이 있다면, 어떤 경로(經路)를 통하여 그렇게 생각하게 되었는가?
2. 세상일에 관심(關心)이 있다면, 관심을 두는 이유(理由)는 무엇인가?
3. 세계지역에 대한 자신의 생각이 실제(實際)와 근접하는가? 세상일에 대해 자신의 생각과 반대되는 의견에 대하여 어떻게 대처하는가?

『세계지리 노트』는 저자가 대학교 때부터 생각했던 것을 큰 개념들로 재조직한 것이다. 여기서 큰 개념들이란 공간인식범위, 공간 및 공간이동, 공간질서, 세계화, 국제질서, 지구 전체공간과 지구모형, 약속체계(독도법 실습), 세계 자연환경과 문명, 자료기술과 객관적 지표, 기록과 데이터베이스, 경쟁력, 실력, 수준 및 기준, 지역화(地域化), 문명론적 시각 등이며, 이들 개념 순서대로 책의 장들이 구성된다. 세상과 대화하는데 필요한 주요개념들을 나열한 것이라 할 수 있다. 그 밖에도 세계지리 관련 이슈에 대한 논술 연습, 세계 각 지역을 문명론적 시각에서 소개한 뒤 세계지역의 주요이슈에 대한 질문 등이 있다. 특정 주제나 개념에 대해서는 반복기술을 해놓아 이해를 도왔다. 보시다시피 『세계지리 노트』의 내용은 한마디로 독특하다고 말할 수 있다. 이는 저자가 우리 문명과 정체성에 대한 오랜 반성적 활동에 의한 것으로써, 학문 세계의 첫발을 디딘 대학생들이 세계를 바라보는 관점과 가치관에 있어 진정한 반성의 시간을 가지고 앞으로 세계에 나아가서도 품격 있고 당당한 삶을 영위할 수 있는 수단을 가지기를 바라는 데서 비롯되었기 때문이다. 그래서 이 책은 일종의 자기노트(note)이기도 하다. 본문에는 스마트 기기(器機)를 사용하여 자료를 찾아 백지도에 그려보는 예도 있고 인터넷 자료를 찾아보고 정리해보는 과제도 등장한다. 이처럼 학생들이 자기 스스로 세계지리를 구성할 수 있는 연습의 시간을 가져보기 바라며 이 『세계지리 노트』를 경험하고 나서 자신만의 세계지리 노트와 자신만의 세계지리 이야기를 체계적으로 만들 수 있길 기대한다.

세상일을 다 알 수는 없는 노릇이다. 인류는 이제껏 대화(對話)라는 방식으로 해결책을 마련해 왔다. 세상일을 전문분야로 세분하여 각 분야마다 전문가들을 형성하고 그 전문가들과 대화하는 방식을 통한다. 더 효과적인 방식은 세계 지역 사람들과 대화하는 방식이다. 이 방식은 현실적으로 불가능하다. 그러나 세계 지역 사람들을 직접 대면하기 전에 그들과 대화하는 법을 미리 알 필요가 있다. 그런 면에서 세계지리는 대화하는 방식을 연습하는 것이라 할 수 있는 것이다.

대화는 모든 사람의 진심(盡心)에 바탕을 둔다. 진심은 상대방의 말을 끝까지 경청하고 허심탄회하게 자신의 마음을 털어놓을 때야 비로소 드러나기 마련이다. 먼저 다가가는 걸 두려워할 필요는 없다. 세상을 살아가는 사람들은 대부분 따뜻한 마음을 가지고 있다. 지금 당장 나부터 시작하면 되는 것이다.

대화 속에는 사람이 분출할 수 있는 모든 즐거움과 행복요소가 들어 있다. 이 책을 통해 그 대화법을 많이 배우고 연마(研磨)하자.

2015년 4월 19일

한주엽 (韓周燁)

개념공간형성

概念空間形成

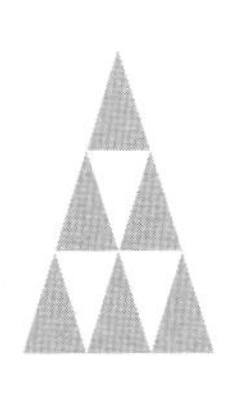

머릿속 가상공간과 실제공간 간에 '공간'이라는 개념을 통해 상호 비교할 수 있다

10분 전 어디에서 무엇을 했는가? 전 세계 사람들은 10분 전에 어디서 무엇을 하였을까? 인류가 10분 전으로 되돌아갈 수 있다면 어떤 일이 벌어질까? 분명한 것은 세계 어디에서 그런 사실이 있었다는 것이다.

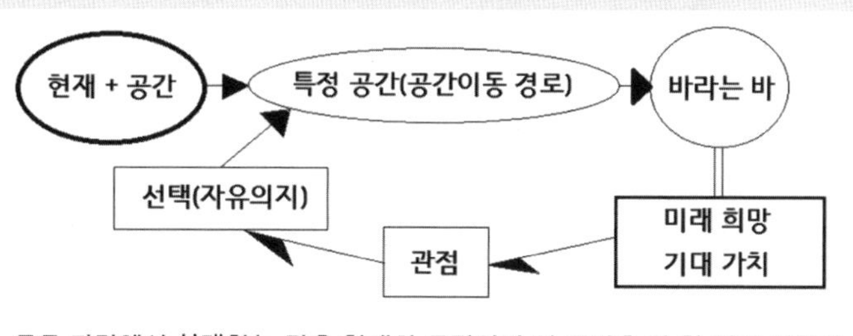

〈그림1〉 공간 사용의 모식도

우리가 바라는 바를 이루는 것은 단 한 번뿐인 현재의 공간에서 그 일을 할 때이며 그래야 의미를 갖게 된다. 미래를 향한 내 바람은 현재 공간에서 즐겁게 일할 때 자연스레 이루어진다. 일생 동안 사람에게 따르는 두 가지 개념이 있다. 바로 장소(場所)와 시간(時間)이다. 즉, 사람은 언제나 어딘가에서 얼마간 존재한다는 것이다.

사람은 또한 의식(意識)을 한다. 뭔가를 의식한다는 것은 그것에 주의하고 집중하는 것이다. 의식적으로 무엇을 하고자 한다면 그것은 의도(意圖)가 된다. 세계지리 수업시간에 맞춰야 한다는 생각에 의식이 집중되면, 수업 10분 전 어디서 무엇을 했는지에 대해 잊어버릴 수 있다. 이처럼 어떤 일에 집중하는 것은 세상을 보는 관점과도 직결된다. 삶의 순간순간마다 우리는 실제공간의 현상을 있는 그대로 본다기보다 자기중심적으로 생각하는 경향이 있다. 이는 무엇에 집중하는 데 있어 자유로운 선택을 할 수 있는 자유의지가 사람에게 있기 때문일 것이다. 자유의지는 현재의 공간에서 자기 스스로 판단하고 결정하여 실행하는 모든 면에 작용한다. 세상 모든 사람들이 그렇게 살고 있다.

우리는 세계를 삶의 공간으로 둔다. 그에 비해 한없이 미세(微細)한 존재이긴 하지만 사람도 하나의 공간이며 세계 공간의 일원이라고 볼 수 있다. 이때 공간은 세계를 성립시키는 기본형식이다. 세계공간은 실재하며 개인의 머릿속 공간도 존재한다. 이를 관념공간, 관념세계 혹은 가상공간이라 일컫는다. 실제공간의 현상과 가상공간의 현상은 어떻게 인식하느냐에 따라 차이가 생긴다. 아래처럼 실제공간과 가상공간을 '공간'을 매개로 상호 연관해 볼 수 있다.

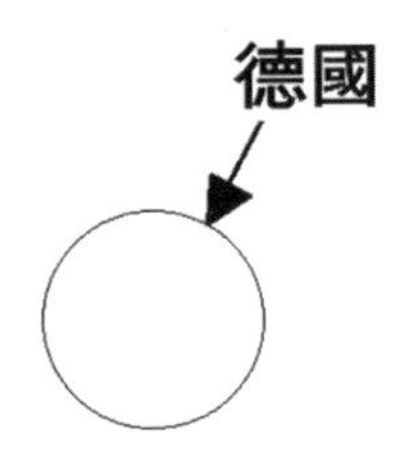

〈그림2〉 머릿속 덕국 공간 형성

'덕국'이라는 말을 들으면(화살표), 머릿속 관념 공간에 덕국 개념공간(동그라미)이 생긴다.

세상의 모든 일은 세계공간에서 일어난다. 우리의 생각도 마찬가지다. 이는 세계지리의 가장 기본이 되는 법칙이다. 세상 모든 일은 이 세계 공간에서 발생한다!

사람은 공간을 사용한다. 사용되는 사물에 이름이 붙여지듯이 사용되는 공간에 지명(地名)이 붙여진다. 그리고 각종 표지(標識)를 사용하여 공간의 이름을 표현한다. 표지가 없어도 특정 장소마다 이름이 있다. 이름을 통하여 우리는 여러 공간들을 구별(區別)한다. 땅의 이름은 사람의 머릿속에서 하나의 개념공간으로 자리 잡는다. 덕국(德國), 지나(支那), 아라사(俄羅斯), 호주(濠洲), 불란서(佛蘭西), 오지리(墺地利), 이태리(伊太利), 화란(和蘭), 서반아(西班牙) 등을 들으면, 우리 머릿속에 각 국가의 이름 공간이 생긴다. 우리는 머릿속에 지구의 한 공간(空間)이라는 배경을 만들고 그 속에서 세상이야기를 다룬다. 또한 머릿속 공간은 이해범위(理解範圍, purview)이기도 하다. 이해범위는 시계(視界) 혹은 시야(視野)의 범위를 정한다. 다른 사람과의 대화(對話)는 자신이 구축한 개념공간의 범위와 이야기를 확장시키며 이야기가 머릿속에서 펼쳐지면 펼쳐질수록 그만큼 더 많은 개념공간이 필요하다.

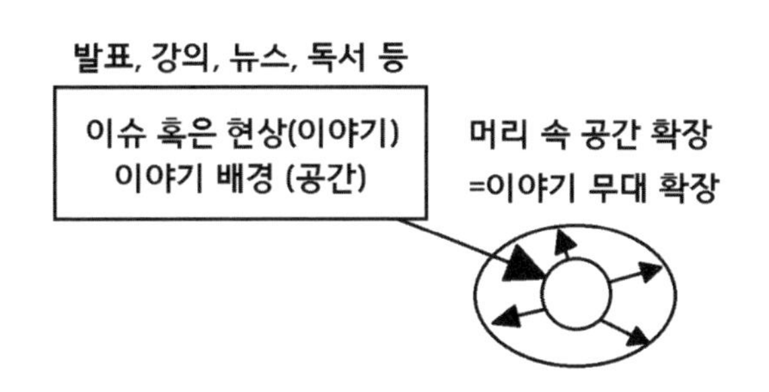

〈그림3〉 머릿속 공간과 이야기의 확장

세상사(世上事)에 대한 논의는 공간개념을 바탕으로 한다. 추상적 개념들에도 부분과 전체라는 포괄관계(包括關係)가 있으며 이들도 공간개념의 일종이라 할 수 있다. 인간의 모든 생각은 공간적(空間的)이며 우리 삶의 양태(樣態) 자체가 공간적이다. 세계 지역은 실제공간이기에 우리 머릿속의 개념공간으로 쉽게 변환되며, 이 개념공간 속에서 세상이야기가 쉽게 전개된다. 이때 중시(重視)되는 것은 머릿속 개념공간의 확장이 실제공간과 부합(符合)하는가? 라는 반성(反省) 활동에 있다. 머릿속의 공간은 이야기의 사실 및 논리관계의 바탕이 되는데 이 가상공간이 실제공간과 닮을수록 이야기의 진실성이 보장된다.

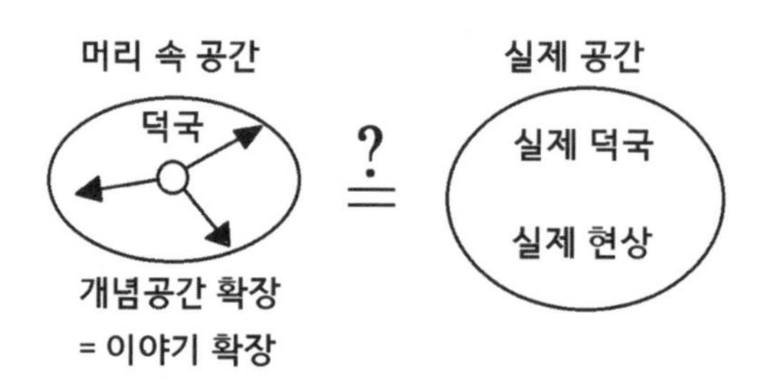

〈그림4〉 가상세계 대 실제세계
머릿속 가상공간과 실제공간 간에 '공간'이라는 개념을 통해 상호 비교할 수 있다.

머릿속의 개념공간 및 이야기가 실제 세계 및 현상과 일치(一致)할 수는 없다. 이는 실제 세계는 넓고 크다는 사실과 함께, 우리가 인식하는 것은 우리 머릿속 개념공간 안에 제한되기 때문이다. 즉, 머릿속 개념공간의 범위가 공간인식범위인 것이다. 이 머릿속 공간인식범위와 실제 공간의 범위가 비슷하길 우리는 원한다. 그것은 세상의 돌아가는 이치(理致)가 우리 생활을 지배하는 힘을 가지고 있으며, 세상일을 사실대로 혹은 객관적으로 볼수록 우리가 바라는 바를 이룰 가능성이 높아지기 때문이다.

지구촌시대(地球村時代)에는 많은 사람들이 다른 지역으로 이동해 살아가고 있다. 새로 이주해 온 사람들이 극소수였던 과거에는 지역주민들의 공간에 대한 해석을 이주해 온 사람들에게 적용했다. 그러나 오늘날 대도시를 보면 원주민(原住民)들보다 이주한 사람들이 더 많은 추세다. 문화충격, 문명충돌은 전 지구적 현상이 되었다. 그렇지만 인간의 삶이 공동체적(共同體的) 삶이라는 점에는 변함이 없다.

대도시는 다양한 공간 경험이 발현된다. 문제는 어떤 식으로 다양한 공간 경험을 공동체적 자산(資產)으로 만드는가에 있다. 현실적으로는 공간에 부여된 원래의 질서와 의미를 새로 이주한 사람들이 먼저 받아들이게 된다. 이주한 사람들은 원래의 공간질서와 의미를 완전히 바꿀 수 없다. 단지 새로운 가능성을 부가(附加)할 뿐이다. 이는 공간인식범위의 확장 방향이 올바르냐는 문제의식으로도 볼 수 있다. 즉, 개념공간과 이야기가 확장될 때 실제 지역과 현상과의 비교(比較) 및 검증(檢證) 과정에 관한 것이다. 세계는 존재하며, 약간의 수고로움을 동원하면 누구나 머릿속의 개념공간과 그 속의 이야기를 실제와 비교 검증할 수 있다.

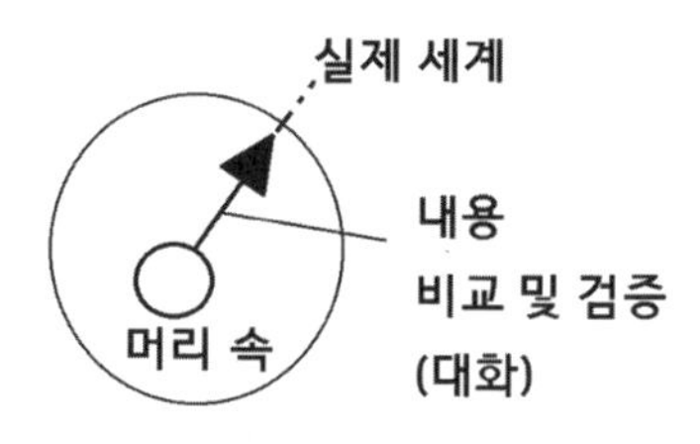

〈그림5〉 대화: 실제와 비교

머릿속 생각과 실제 세계를 비교 검증하는 실질적 형태는 바로 대화(對話)다. 여기서 대화는 이야기가 전달되는 모든 양식을 의미한다. 대화는 세상이야기를 공유하고 즐기는 행위이며 즐기는 대화는 사실(事實)에 근거한다. 다시 말해 사실에 근거한 대화를 해야 진정한 소통(疏通)이 이루어진다는 의미다. 이때 사실관계는 대화 쌍방(雙方) 간의 공유된 공간이 실제공간과 닮을 때 보장된다. 세상을 살아가는데 자기 자신만 즐겁다는 것은 별 의미가 없어 보인다. 즐거움을 나눌수록 더 많은 즐거움이 생기며 더 큰 의미가 생긴다. 그리고 이 모든 과정에서 진실이 작용한다. 진실한 대화는 실제 공간을 바탕으로 하며 대화를 통하여 삶이 더욱 풍요로워진다.

세계 각국의 사람들은 그들이 처한 자연환경, 역사적 경험, 사회환경 등으로 인해 그들 고유의 관점을 가지고 있다. 똑같은 사물이라 할지라도 보는 관점에 따라 달리 보이는 것이다. 이렇듯 세계 각지에서 살아가는 사람들과 만나 대화를 나눈다는 것은 매우 중요하며 그들이 가진 삶의 관점을 배우고 즐거운 대화법을 익히는데 많은 도움이 될 것이다. 실제 세계는 물리적 실제공간인 지구환경 세계가 있으며 인간 정신 속의 개념으로 사회공간, 문화공간 등이 존재한다. 이들 모든 공간들은 실제 세계를 형성하고 있다.

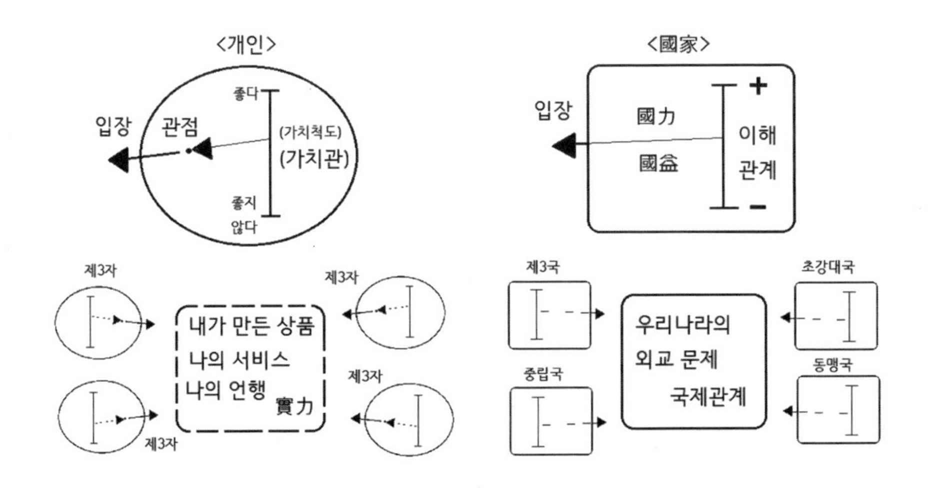

〈그림6〉 다양한 입장에서 나오는 객관적 시각

〈그림7〉 왜 관점인가?

점(點)은 상하좌우 모든 방향을 볼 수 있다. 무한차원 머릿속 공간 어디에도 왔다 갔다 할 수 있다. 누구나 다 할 수 있다. 그래서 관점(觀點)이다.

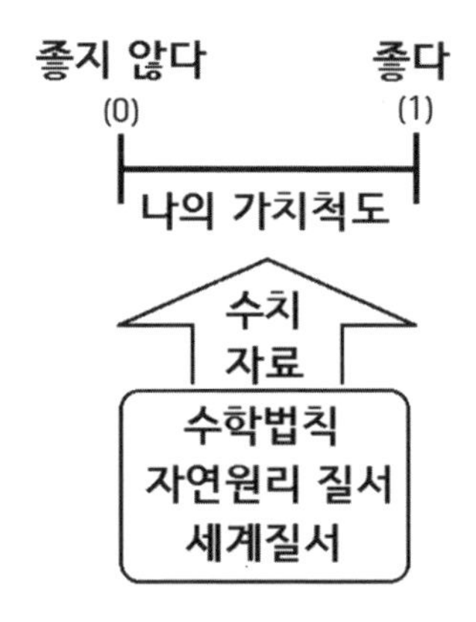

〈그림8〉 가치척도
수치자료에 근거할수록 수학법칙, 자연 원리와 질서, 세계 질서에 바탕을 두게 된다.

대화를 할 때 자신의 생각과 관점을 제삼자(第三者)의 입장에서 관찰할 수 있으면 좀 더 객관적(客觀的)이게 된다. 객관적일수록 자기 자신과의 진정한 대화도 가능하게 되며 자신의 대화 수준과 실력을 알 수 있게 된다. 또한 대화를 즐기게 되며 대화의 내실(內實)을 다질 수도 있게 된다. 그러나 남의 입장을 파악하는 데는 많은 훈련이 필요하다.

나의 입장은 중요하다. 문제는 나의 입장을 제삼자가 지지(支持)해 줄 수 있는가에 있다. 우리나라의 입장은 중요하다. 더 중요한 것은 우리나라의 입장이 살벌한 국제무대(國際舞臺)에서 관철(貫徹)되게 하는 데 있다. 우리나라의 국력(國力)과 국익(國益)을 제3국의 입장에서 냉정(冷靜)하게 평가할 때야 비로소 우리나라의 입장이 관철되는 방법이 생긴다. 우리나라의 입장을 객관적으로 보면서 철저(徹底)한 손익계산(損益計算) 하에 움직인다면 우리의 국익을 이루는 일은 그리 어렵지 않을 것이다.

입장(立場)이라 함은 사물을 보거나 평가하는 시각 즉, 세상을 보는 견지(見地)를 말한다. 입장과 견지는 공간개념이라 할 수 있으며 세계 공간질서와 공간원리를 반영한다. 관점(觀點)은 사건과 현상을 바라보는 입장이며 가치관을 반영한다. 지식의 습득, 가공, 분석 및 종합, 판단의 모든 과정에서 우리의 관점이 관여(關與)하게 되는데 최초의 관점은 대부분 편향된 단(單) 시각으로부터 획득된다. 이 관점은 머릿속 가치관의 한 부분에서 나온 것이다. 가치관의 적용은 가치척도(價值尺度)를 통해서 이루어지며 이 가치척도가 수치자료에 근거할수록 우리는 좀 더 보편적인 자연의 원리와 수학 질서를 바탕으로 객관적 관점을 가질 수 있게 된다. 가치척도의 한 점이 바로 '관점'이며 겉으로 표현되었을 때는 '입장'이 된다.

우리가 부단히 실제 세계와 비교 검증하고자 하는 것은 하나의 사물을 보더라도 여러 각도의 관점에서 볼 줄 알기 위해서다. 여러 각도에서 본다는 건 여러 각도로 공간인식범위의 확장이 다양한 방향으로 펼쳐진 후에야 가능하며 다양한 세상일, 다양한 가치관을 가진 사람들의 여러 특성을 고려한다는 뜻이다. 만약 대화를 통하여 다양한 사람들이 가진 다양한 가치관을 알게 된다면 점차 객관적이고 보편적인 가치관과 가치척도를 가지려 할 것이다. 이를테면 학문(學問)을 하게 된다.

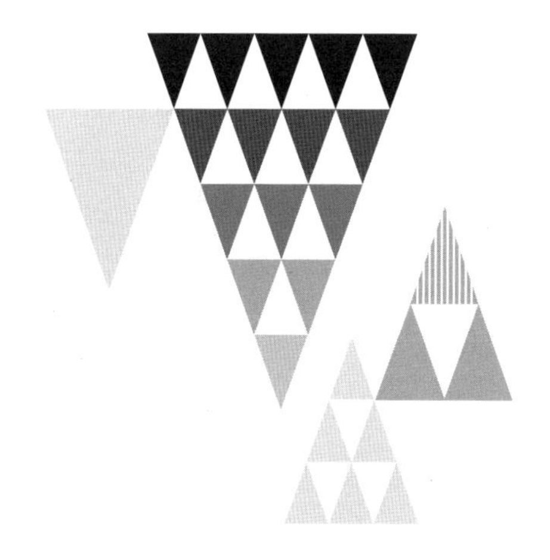

공간인식범위

空間認識範圍

모든 대화에서 가장 중요한 점은
상대방이 말하는 이야기의 내용
을 제대로 파악하는 것이다

〈그림9〉 부산(釜山) 산복도로(山腹道路) 갈맷길에서 바라본
북항 경관(景觀), 2014년 6월 29일

부산항은 국제항(國際港)이다. 그런데 일찍이 부산항의 가치를 볼 줄 알고 경위(涇渭)가 밝았던 사람들은 우리 선조(先祖)들이 아니었다. 이들은 왜인(倭人)들과 국익(國益)를 위해 전 세계 국가의 지리적 조건을 객관적으로 평가하였던 서양인(西洋人)들이었다.

우리는 이제 세계적 시야에서 객관적으로 부산항의 가치를 바라볼 때가 되었다. 위의 사진만 보고 부산항이 가지는 국제적 가치에 대하여 논할 수 있겠는가? 이 질문은 쉽게 풀릴 것 같지만 실제로 해보면 생각만큼 녹록(碌碌)지 않다. 예를 들어 우리나라 전체 항구의 국제무역량에 대해 조사하다가 부산항에 대하여 관심이 생겼다고 해보자. 관심이 집중되면 부산항의 무역품목, 무역규모, 무역대상국 등을 조사하게 되며 우리나라 산업과의 연계, 세계 각국과의 무역활동에 대한 공간적 연결관계를 알고자 할 것이다. 이쯤에서 알게 되는 사실 하나는 모든 공간은 연결되어 있지만 우리가 관심을 가지지 않는다면 공간이 서로 연결되어 있다는 것을 모를 수 있다는 점이다. 다시 본론으로 들어가 우리는 이제 충분히 부산항에 관해 관심을 가지게 되었고 부산항의 국제적 연결성에 대해 알고자 하는 단계다. 부산항과 다른 공간과의 상호작용에 대해서 알게 되면 지리적 위치, 입지조건 등의 부산항 실제 공간 자체를 토대로 부산항의 국제적 연결관계를 알게 될 것이다. 그렇게 되면 부산항으로 큰 배를 보내는 세계 각국의 항구들에 대하여 조사하게 될 것이고 마침내 세계 지역의 항구들이 가지는 부산항의 가치도 평가할 수 있게 된다. 자연히 공간인식범위가 국제적으로 넓어질 수밖에 없다.

실제 현상(現象)에 대한 사고활동(思考活動)은 현상이 발생한 공간(空間)에 대한 인식을 바탕으로 한다. 세계의 특정 공간은 우리의 머릿속에 하나의 공간 개념으로 자리 잡은 후, 그 공간에 대한 각종 경험이 이야기 형식으로 쌓이게 된다. 공간인식범위가 확장될수록 사람들은 여러 개념들과 관념들을 더 많이 채울 수 있게 된다.

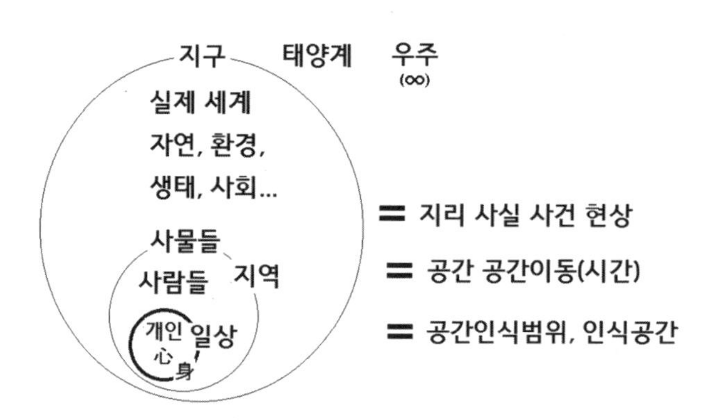

〈그림10〉 공간인식범위

관념(觀念) 세계에서의 공간인식범위는 인식범위, 인식공간, 지식의 수준 및 양(量)과 같다고 볼 수 있다. 개념공간도 역시 같은 뜻으로 볼 수 있다. 인식공간은 실제 사물과 현상에 대한 인식과 가치판단활동에 이르기까지 인간 사고의 전 과정에 걸쳐 배경을 이룬다. 우리는 일상생활 공간에서의 경험을 바탕으로 일상적 공간인식범위를 형성하며 생각의 체계도 갖추게 된다. 점차 일상 밖의 세상사들을 경험하면서 일상의 공간인식범위에다 세상일의 개념들과 관념들로 채워 자신만의 체계적인 세상이야기를 만들게 되는 것이다. 이에 따라 머릿속에는 공간인식범위 확장이라는 개발 수요가 발생한다. 만약 이 개발 수요에 따른 적정한 수준의 공간인식범위의 확장이 없는 가운데 다루는 공간이 일상에서 크게 벗어난다면, 우리는 상상(想像)을 가미(加味)하게 된다. 오늘날과 같은 전 지구적 인터넷 및 세계적 실무 교류 시대에서는 세계 공간을 두고 아무렇게나 상상하는 활동은 매우 위험하게 여겨진다.

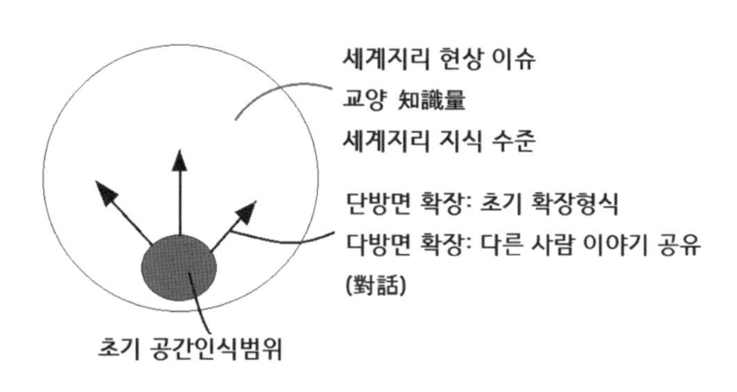

〈그림11〉 공간인식범위의 확장

공간인식범위의 확장은 여러 대화방식으로 이루어진다. 대화의 형식은 다양하며 대화의 상대도 다양하다. 대학교에서는 대개 학우(學友), 강사(講師), 고전(古典), 전문서적, 자기자신(自己自身)이라 할 수 있다. 개인의 머릿속 공간인식범위의 확장은 개인 자신의 가치관에 따라 여러 방향으로 나타날 수 있고 오직

자기 자신만이 한다는 특징이 있다. 최종적(最終的)으로는 자신(自身)과 진실(眞實)하게 대화(對話)하는 것으로서 공간인식범위의 확장이 달성된다. 대화의 상대에 있어서 가장 특수한 사례로 아동(兒童)을 들 수가 있다.

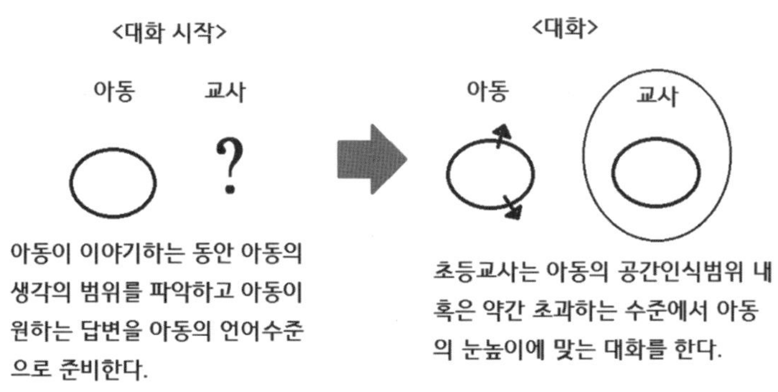

〈그림12〉 공간인식범위의 특수한 예

아이를 직접 다루는 모든 교육활동은 실험(實驗)이 될 수 없다. 아동은 실험대상이 아니다. 이 점을 유의한다면 아동의 공간인식범위에 맞추게 되어 아동과의 대화가 한결 수월해질 수 있다.

모든 대화에서 가장 중요한 점은 상대방이 말하는 이야기의 내용을 제대로 파악하는 것이다. 먼저 들리는 대로 들어야 한다. 이게 대화의 기본규칙이다. 성인(成人)들끼리 대화할 때는 말하는 사람이 가지는 의사소통 능력과 대화 내용의 배경인 공간에 대한 설정과 설명과정이 중요하다. 무엇인가를 전달하고자 하는 사람이 조리 있게 이야기할 필요가 있다. 그러나 아동과 성인 간의 대화는 성인이 아동의 말을 알아들을 줄 아는 능력이 가장 중요하다. 아동은 조리 있게 이야기할 준비가 되어 있지 않기 때문이다. 보통 주요 교육활동은 아동을 대상으로 한다. 아동과의 대화가 교육 활동의 대부분이라 할 수 있다. 그래서 교사는 아동과의 대화가 굉장히 능숙한 전문가여야 한다. 대화 시 아동의 공간인식범위에 대한 적절한 파악이 중요하다. 또한 교사가 되려는 자는 아동과의 상호작용에 대하여 많은 고민을 해야 하며 재학 중에 실제상황에 대한 연습을 필히 해야 한다. 만약 이해가 어렵다면 아동과의 상호작용에 대하여 자세하게 기술하고 있는 고전 작품인『에밀』의 완역서를 여러 번 읽어 보길 권한다.

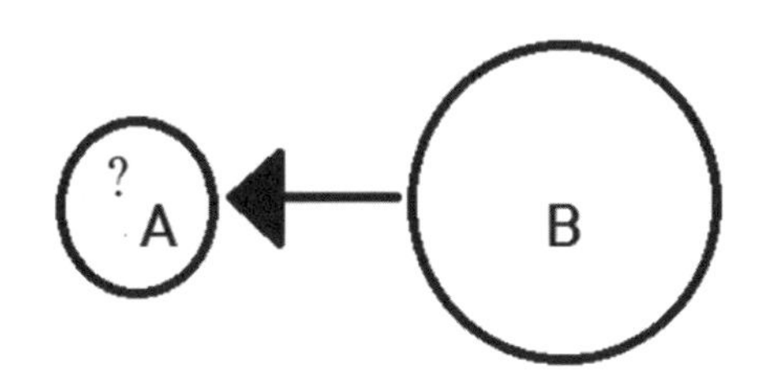

〈그림13〉 어른들끼리의 대화

어른들끼리의 대화는 쌍방의 공간인식범위의 차이에 대한 이해가 필요하다. 효과적인 의사소통은 이야기를 전달하는 사람과 전달받는 사람 간의 공간인식범위의 공유로 이루어진다. 특정 시점에 대한 설정도 의사소통에 중요한 역할을 한다. 만약 듣는 사람의 공간인식범위가 상당히 넓다면 대화가 더 쉽게 이루어질 수 있다.

성인(成人)끼리의 대화에서는 말을 먼저 꺼낸 사람이 좀 더 많은 공간인식범위를 가진다고 할 수 있다. 말을 듣는 사람이 상대방이 말하는 내용을 끝까지 잘 들을 용기를 가진다면 전달 내용을 명확하게 파악할 수 있을 것이다. 이때 듣는 사람은 공간인식범위의 초기 상태(〈그림13〉에서 ?)에서 상대방의 말을 통하여 공간인식범위를 확장할 수 있다. 그러나 실제 생활(生活)에서는 어른들 대부분이 상대방의 말을 잘 듣고 이해한다는 대화의 기본을 잘 실천하지 못한다는 문제점이 있다.

고등학문을 배우는 대학생들도 생각의 바탕이 되는 공간인식범위의 확대가 어려운 경우가 많다. 자신의 좁은 공간인식범위 내에서 본인이 편한 대로 혹은 스스로 듣고 싶거나 보고자 하는 대로만 생각하기 때문에 공간인식범위를 넓히고자 하는 필요성을 못 느낀다. 심지어 그 좁은 인식공간도 어떤 이분법적 논리로 나뉘어져 있어 선악의 개념을 각각 부여한다거나 상대방의 생각이나 의견을 쉽게 단정 짓기도 한다. 물론 어떤 의견에 대해 자신의 머릿속에 이분된 공간영역을 만들 수 있다. 그러나 문제는 남의 이야기 일부분만 듣고 남의 전체 생각을 함부로 단정(斷定)하는 데 있다. 이는 대학 강의실에서도 종종 확인되는데 모든 교육활동에서 반드시 지양해야 할 별로 좋지 않는 학습태도다. 분명한 것은 자기가 생각하는 수준이 남을 함부로 단정하는 척도(尺度)가 될 수 없다는 점이다.

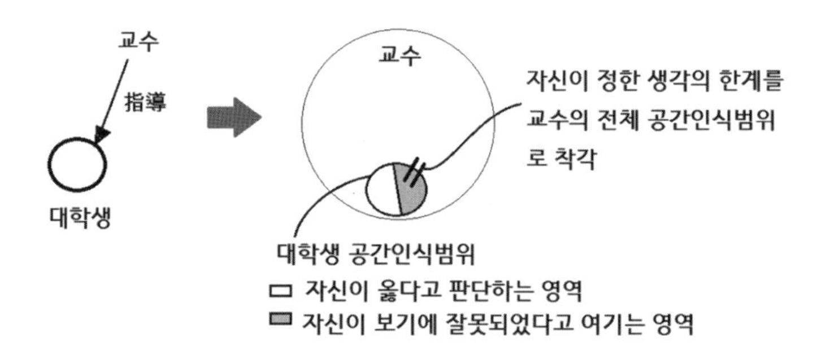

〈그림14〉 남을 쉽게 단정 짓는 배우는 자의 잘못된 사고 형태

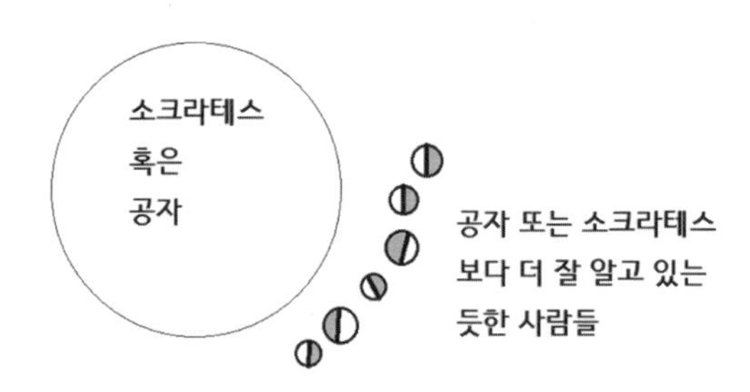

〈그림15〉 소크라테스 아저씨와 공자 할배 vs 나머지 자기 딴에 잘난 사람들

자신의 사고범위, 공간인식범위, 이해범위, 생각의 수준을 척도(尺度)로 삼지 말라. 대학생은 아동(兒童)이 아니다! 성인(成人)은 스스로 자신의 인식범위를 확장할 능력이 있으며 그 능력을 누구나 발휘할 수 있다. 다만 그런 능력을 처음으로 실행할 때에는 굉장히 힘이 들고 귀찮게 느껴질 수 있다. 그러나 몇 번만 하면 금방 습관이 된다! 한정된 감옥 안에서 암흑을 스스로 구축하는 정신적 속박(束縛)으로부터 언제든지 벗어나 자유로와질 수 있다. 공간인식범위의 확장은 모든 학업과정에서 누구나 할 수 있는 통과의례(通過儀禮) 같은 것으로, 진정한 삶을 살아가는 자기 자신을 위해 습관적으로 만들면 된다.

대학은 물론이거니와 사회에서도 대화는 육박전(肉薄戰)이 아니다. 대화 상대는 적(敵)이 아니라는 소리다. 대화는 상대방의 이야기를 파악하는 것이며, 대화의 궁극적 목적은 나의 공간인식범위의 확장과 더불어 나만의 세상이야기의 구축과 반성적 검증활동을 잘하기 위한 것이다. 또한 자기 자신의 머릿속을 자유롭게 들어갔다 나올 수 있는 자유로운 정신활동을 성취하기 위한 것이기도 하다. 이는 다시 말해 학문의 본질적 활동에 해당된다. 소크라테스 아저씨와 공자 할배가 당시의 잘난 사람들과의 대화 내용을 기록한 『대화편』과 『논어』에서는 대화와 학문의 본질을 명확하게 예증(例證)하고 있다.

대화(對話)는 학문 활동의 기본방식이다. 대화를 통해 크게 배우게 되고 질문을 할 줄 아는 사람이 된다. 요컨대 최고의 대화 상대자를 스승이라 하지 않는가. 만약 교원의 사고 공간 자체가 좁으며 어떤 이분법적으로 나뉘어져 한 쪽으로 편향되어 있다면, 그들이 하는 일은 교육활동이 아니다. 반대로 훌륭한 스승을 두고도 그릇된 대화를 하는 제자도 있다. 소크라테스 아저씨와 공자 할배가 살았던 시대에도 그들과의 진지한 대화를 나누지 못했던 사람들이 많았다. 그 사람들의 특징은 남의 감언이설(甘言利說)에 잘 속아 넘어가 이용당하기 쉽다는 데 있었다. 그들은 협소한 정신 공간에서 인식활동을 하여 다른 생각을 하지 못하며, 남의 말을 검증할 수 있는 인식공간을 스스로 제한하기 때문이다. 만약 누군가가 소견이 좁은 사람들을 옳다고 추켜세우고 선동한다면 반성의 공간이 없기 때문에 남의 빈말을 믿고 바로 행동으로 옮기게 된다. 이처럼 진정한 교육이란 남의 감언이설에 잘 속지 않도록 공간인식범위를 넓히는 것이라 할 수 있다.

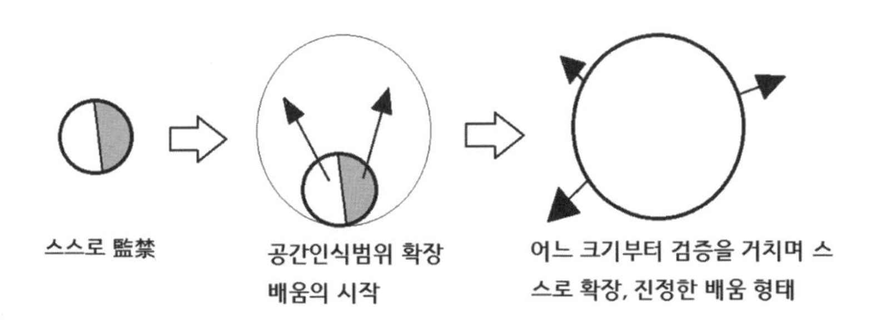

〈그림16〉 공간인식범위 확장의 중요성

개인의 사고전환(思考轉換)과 정신적 성숙(成熟)은 인식 공간 속의 이분화된 판단기준에서 벗어날 경우에 이루어진다. 긍정이든 부정이든 이분된 사고의 범위 전체를 확장시키는 것으로 진행된다. 어느 정도 규모의 공간인식범위가 확장되면, 여러 번의 검증과정을 거쳤기 때문에 이분적 사고활동에 갇히기보다는 좀 더 나은 생각과 판단을 위하여 공간인식범위의 확장을 더 늘리려 한다. 이제야 세계에 대한 자기 생각을 자신 있게 주장할 수 있게 되는 것이다. 공간인식범위의 확장은 고립(孤立), 갈등(葛藤), 지체(遲滯), 자폐(自閉)라는 좁아터지고 어두운 우물 안에서 벗어나 개방(開放)되어 공영(共榮)하며 자유(自由)를 향유하는 개명천지로 나가는 중대한 과정이다. 머릿속 공간인식범위의 확장은 자기가 만든 속박으로부터 벗어나 자유를 가지게 한다. 이것은 누구나 할 수 있다. 가장 최선의 방법은 자신과 반대 의견을 가진 사람들과 많은 대화를 나누며 여러 입장의 서적들을 골고루 많이 읽는 것이다. 실제 세계의 사실과 사실관계를 가지고 양 쪽 모두의 주장을 철저하게 검증하려는 태도 또한 중요하다.

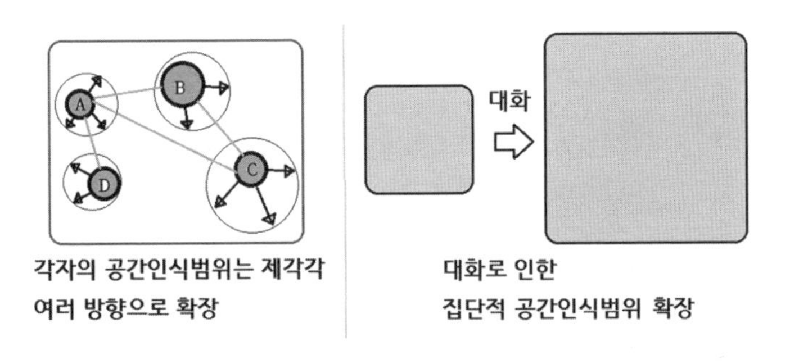

〈그림17〉 집단 수준에서 대화의 공간인식적 의미

대화할 수 있는 개인이 많은 사회는 공간인식적(空間認識的) 범위가 집단적으로 확대되며, 민주적이며 더 많은 번영을 같이 이룬다. 허심탄회(虛心坦懷)한 대화는 자유민주주의의 가장 중요한 실행수단이며 개개인의 자유로운 정신운동이 대화를 통해 표출된다. 또한 상호간의 신뢰와 존중을 가져오기 때문에 공간인식범위가 사회 전반적으로 확대된 사회의 구성원들은 잘 속지 않는다. 속이려는 자도 없다. 그야말로 공정한 경쟁이 보장되며 바로 우리가 원하는 정정당당한 사회의 모습인 것이다. 이처럼 공간인식범위의 확대는 보편적 가치와 보편타당한 관점으로 사물과 현상을 바라보게 만들며 비교 검증 활동을 일상의 일처럼 느껴지게 만든다. 공간인식범위 확대의 효과는 개인적 수준에서부터 집단적 수준에까지 동일하게 나타나며, 집단은 국가, 문명, 인류 전체를 포함한다.

중요한 것은 아까도 말했듯 공간적 한계에서 비롯된 자신의 생각으로 남의 생각을 재단하지 말라는 것이다. 자신의 공간인식범위 자체를 부단(不斷)히 확대해 나가는 것이 가장 중요하다. 세상사를 따지고 보면 싸울 일이 거의 없다는 것을 알 수 있다. 가장 단순한 대화의 규칙이 무너지기 때문에 몇 마디 나눌 새도 없이 싸우게 되는 것이다. 남의 이야기를 잘 경청하고 그 사람의 이야기를 제대로 파악할 줄 알며, 그에 따라 자신의 생각을 정정할 줄 아는 열린 대화의 자세를 모든 인류가 가진다면 인류가 풀지 못할 문제가 그 어디에 있겠는가!

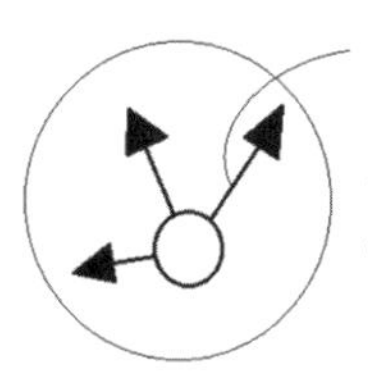

〈그림18〉 공간인식범위의 확장 방법

공간인식범위의 확장은 그림18의 화살표와 같이 여러 방향으로 이루어진다. 대학 강의나 여러 장소에서의 만남을 통한 직접적인 대화에서부터 멀리 떨어진 사람과의 대화 혹은 지적인 대화방식인 독서에 이르기까지 다양하다. 여기서 중요한 것은 보이거나 들리는 그대로 잘 받아들이는 집중된 경청 태도라 할 수 있다. 만약 상대방이 말을 하는 도중 끼어든다면 상대방의 얘기를 제대로 들을 수 없게 된다. 먼저 상대방이 말하고자 하는 내용을 잘 알아들어야 상대방의 이야기를 제대로 검증할 수 있으며, 제대로 파악한 남의 이야기를 바탕으로 나의 생각도 검증할 수 있고 확장할 수 있는 것이다.

현실적으로 우리는 아무 사람과 대화할 수는 없다. 그것은 사람들마다 지식수준이 다르기 때문이다. 대화는 지식수준이 비슷한 사람끼리 이루어질 수 있다. 지식수준이 비슷하다는 것은 대화를 하는 내용과 방식에 있어 그들이 암묵적으로 정한 규칙과 질서를 따른다는 것이다. 그럼 지식 격차가 나는 사람끼리는 대체 어떻게 대화할 것인가? 지식 격차가 나는 사람들 간의 대화는 좀 더 공통되고 보편적인 규칙과 질서에 기반을 둘 때 이루어진다. 이를테면 전문분야에서의 약속된 규칙(주로 전문용어), 보편적인 규범과 법률, 수치를 사용하는 것이다. 모든 사회계층의 사람들과 대화를 잘할 수 있는 사람은 전문분야에서의 지식, 법률 지식, 수학 질서에 대한 이해를 바탕으로 한다는 것을 알 수 있다. 이런 고급 지식을 배우고 익히는 곳이 바로 대학이다. 대학에서는 사실에 근거한 과학적이며 논리적인 사고방식으로 대화할 줄 아는 법을 배우고 전문적이고 보편적인 지식 내용을 습득한다. 물론 대학생 각자가 해야 하는 일이다. 이미 전문지식과 법률, 수학지식은 체계화되어 있으며 대학생이 먼저 질문하거나 먼저 대화하지 않는 이상 늘지도 줄지도 않는다. 대학생 스스로가 먼저 대화를 시작해야 하는 것이다.

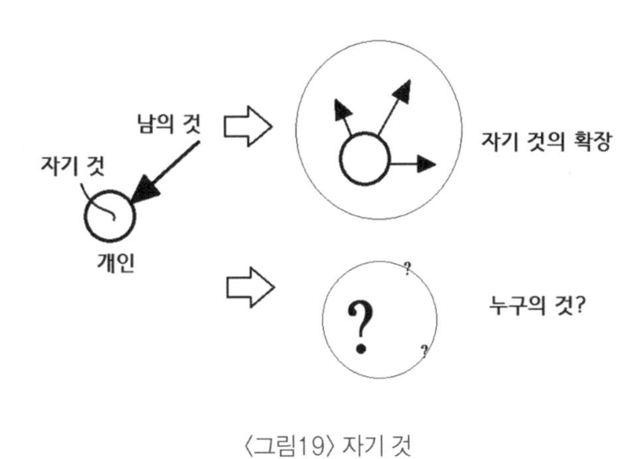

〈그림19〉 자기 것

이야기의 내용을 다룰 때는 자기의 것과 남의 것에 대한 구별이 있어야 한다. 물론 남의 이야기가 자기의 생각이 될 수는 있다. 이 경우 남의 이야기를 자신만의 것으로 습득하는 과정이 있어야 온전히 자신의 것이 될 수 있으며 공간인식범위의 확장이 일어나게 된다. 자기의 것을 바탕으로 자신의 이야기를 확대하지 않고 무조건 남의 것을 중심으로 바꿔 버리면 자신의 것으로 확대되고 발전되지 않는다. 남의 생각을 무조건 가져다 쓰는 것은 검증이라는 중요한 사고와 판단과정을 없애 버린 것이다. 물론 자기 생각도 검증할 수 없다. 이미 버렸기 때문이다. 자기의 생각과 공간인식범위의 확장은 자기 생각에서 변화를 가져오며 이 변화 속에서 남의 생각도 받아들여지게 된다. 그래야 자기 생각에 대한 자각, 반성 활동을 바탕으로 남의 것도 참고할 수 있다. 다시 말해 자신의 것을 확대 발전시키는 부분만이 진정한 배움의 결과이며 지식이 된다는 얘기다.

그 과정 자체가 곧 자신의 실력이 되는 공간인식범위의 확장은 많은 노력과 시간 투자가 필요하다. 인간의 성장과 발달에 단계가 있듯이 공간인식범위의 확장에도 단계가 있다. 물론 경험이 쌓이면서 공간인식범위가 어느 정도 확장될 수는 있지만 세계 전체 공간에 대한 인식을 이루기 위해서는 견고한 지식 축적이 필수적이다. 확고한 지식의 토대는 고전(古典)을 읽는 방법이 최선이다. 고전은 오랜 기간 동안 많은 사람들이 인정한 세계 인식을 담고 있어 전문분야로 구성된 오늘날 직업의 세계에서 꼭 필요한 기본적 교양을 이루게 한다.

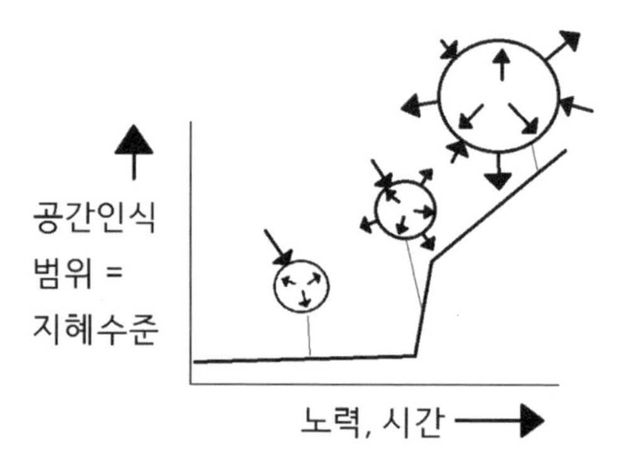

〈그림20〉 공간인식범위의 도약단계

도약단계(跳躍段階)란 경험을 통해 축적된 내면의 공간인식범위를 그 경계 밖으로까지 확장하는 전환기를 의미한다. 상당한 공부와 시간이 투자된 후 찾아온다.

공간인식범위에서의 도약은 누구나 가능하지만 전문분야의 집중된 공부라는 장기간의 의식적 활동이 있은 이후에 불현듯 발생한다. 여기서 강조되는 점은 도약단계가 '상당한' 시간과 노력이 집중적으로 있는 가운데 불현듯 찾아온다는 것이다. 하루 이틀 만에 전문가 수준이 되는 분야는 이 세상에 없다. 그러나 도약 이후로는 기하급수적(幾何級數的)으로 공간인식범위가 확장된다. 공간인식범위의 도약 확장에 오랜 시간이 걸린다는 것을 깨닫지 못하거나, 마음처럼 쉽게 되지 않는다고 자기 탓으로 돌리거나 남에게 그 책임을 전가시키는 잘못을 저지르는 건 어리석은 일이다. 순전히 자기 스스로가 이뤄내야 하는 일이므로 인내를 갖고 도전해야 할 것이다. 일단 공간인식범위가 크게 확장되면 옛날의 좁아터진 공간인식범위로는 절대 되돌아가지 않는다. 좁은 공간인식범위란 곧 구속을 의미하기 때문이다. 더 넓은 공간인식범위를 스스로 창조하여 진정한 정신적 자유를 누릴 수 있는데 무슨 이유로 옛날로 돌아가겠는가!

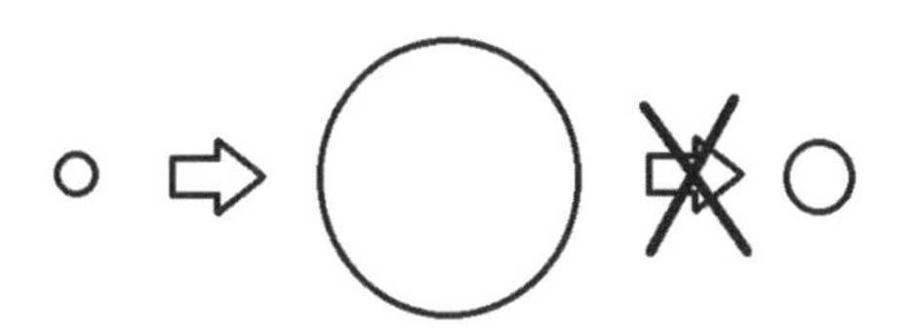

〈그림21〉 공간인식범위는 확대만 한다.

모든 문명적 활동은 스스로 구속하거나 남을 탓하는 등의 정신적 방해 및 정신적 한계 설정을 하지 않는 이상 언제나 발전(發展)하고 진화(進化)하며, 진보(進步)한다.

우리는 국가라는 공간 범위 내에서 일상을 살다가 국제질서 및 규칙을 경험하게 된다. 공간인식범위를 세계로 넓히려는 교육은 세계에서 작동되는 질서와 규칙을 습득하는 과정이라 할 수 있다. 자신이 평소에 생각하는 개념들과 현실세계의 개념들인 심(心)과 신(身), 정신(精神)과 물질(物質), 이상(理想)과 현실(現實) 등에서 '공간' 개념이 항상 바탕을 이룬다. 우리 머릿속의 가상공간과 실제 세계 공간을 통합하는 가장 큰 범주의 개념이 '공간'인 것이다. 가상세계와 실제 세계를 모두 나타내는 공간 개념을 통하여 우리는 두 세계를 동시에 볼 수 있다. 공간에 대하여 좀 더 살펴보기로 하자.

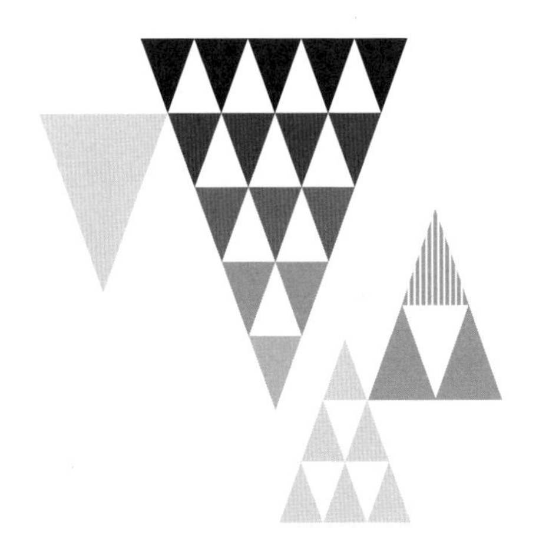

공간질서

空間秩序

무한한 우주 공간의 크기는 이 우주에서는 모든 가능성이 실현될 수 있음을 나타낸다

일상에서 우리는 지구가 정지해 있다고 생각한다. 지구 공간 전체가 이동하다 보니 지표면 사물의 하나인 우리는 지구가 가만히 있는 것으로 착각하는 것이다. 태양의 위치에서 지구를 본다면, 태양 주위의 특정 궤도상에서 약 30 km/s 속도로 지구가 내달리는 것을 알 수 있다. 변위(變位)는 사물이 위치를 바꾸는 것을 말하며 크기와 방향성을 가진다. 우주의 모든 사물은 변위하고 있다. 단지 인간이 이해하기 쉽도록 우주 공간과 지구가 움직이지 않는다고 가정할 뿐이다. 그러나 정지(停止)된 공간개념을 실제 세계와 우주로까지 확대 적용하면 세계와 우주의 실제를 보지 못할 수도 있다. 그런데도 공간개념 형성 교육활동에서는 정지된 공간을 다룬다. 사물들의 관계를 이해하기 위해서 사람들은 정지된 공간을 사용하기 때문이다.

모든 물체는 공간적 규모를 가지며 공간질서 속에 있다. 모든 사물은 공간 이동을 하며, 닫힌계에서는 순환과 주기 운동을 한다. 개개인의 사고(思考)를 실제 세계 공간에 근거해야 한다는 것은 이 세계의 다양한 공간들의 규모와 공간이동으로 발생하는 공간질서를 따른다는 당연한 논리다. 여기서 규모(規模)란 사물의 구조나 그 모양의 크기와 범위를 뜻하는데 여기에 또 사물의 규모와 이동속도에 비례한 운동량(運動量, momentum)이 존재한다. 운동량은 물체의 질량과 속도의 곱으로 나타내며, 그만큼의 힘의 세기, 힘의 강도(强度)를 가진다. 즉, 우리는 지구의 구성요소이기에 지구의 공간규모와 지구의 공간이동에 따른 지구의 공간질서 속에서 산다.

세계지리는 세상과 세계지역에 대한 기술(記述) 중심의 지지(地誌)로 구성되지만, 궁극적으로 보면 세계 공간에서 작용하는 원리와 질서를 다룬다. 국어사전에 따르면 세계(世界)는 원래 중생(衆生, all living beings)이 사는 곳이란 뜻이었으나 현재는 지구, 전 인류사회, 지구상의 모든 국가, 객관적 현상의 모든 범위 혹은 우주를 의미한다. 세(世)란 과거(過去), 현재(現在), 미래(未來)라는 시간적 의미를 가지며, 계(界)는 동서남북상하(東西南北上下)라는 공간적 의미를 가진다. 한마디로 세계는 시공(時空)인 것이다.

반면 세상(世上)은 모든 사람이 살고 있는 사회를 통칭한다. 사람들은 세계를 전문분야별로 나누어 야구세계, 붓글씨세계, 영어세계, 물질세계, 생물세계, 수산업세계, 해운업세계, 농업세계, 중소기업세계, 직업세계 등으로 분류하면서 한 분야의 일에 집중하며 살아간다. 이런 다양한 전문 세계에 대한 인식은 삶을 보다 풍요롭게 만들며 한 전문분야의 세계에 몰두하고 투자함으로써 의미있는 성과를 이루어내기도 한다.

1. 공간규모와 공간구조

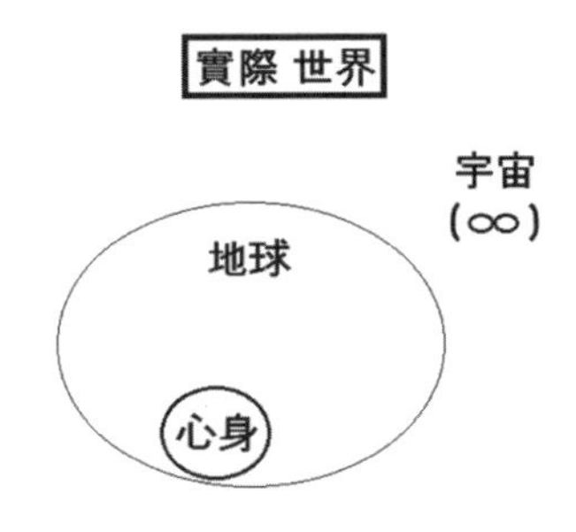

〈그림22〉 공간규모에 대한 간단 모식도

알다시피 우주 공간은 그 범위가 무한대(無限大, x→∞)하다. 반면 인류가 가진 지식(知識)은 이 광대한 우주에 비하면 한낱 먼지와도 같은 것이며 무한소(無限小, x→0)하다고 볼 수 있다. 이처럼 우주 공간의 규모가 광대하기에 우주에서 작동하는 원리나 법칙은 지구 공간에서 작동하는 공간질서를 포괄하며 지배한다. 무한한 우주 공간의 크기는 이 우주에서는 모든 가능성이 실현될 수 있음을 나타낸다. 단지 인류가 지구라는 한정(限定)된 공간에 갇혀 있기 때문에 무한한 가능성을 경험할 수 없을 뿐이다. 지구의 공간질서에 따라 살아가는 우리들의 어쩔 수 없는 숙명이기도 하다.

지구의 표면은 인류가 활동하는 주요공간이다. 지표면은 지구의 일부분이며, 지구라는 한정된 공간은 인간 개인의 일상생활(日常生活) 공간에 비하면 광대(廣大)하다고 말할 수 있다. 규모가 크기 때문에 지구 공간의 한 구성요소(構成要素)인 일상 공간 범위에서 배경(背景) 역할(役割)을 하고 있다. 인간은 일상공간을 친숙하게 여긴다.

개인적 수준에서는 물리적 공간과 정신적 공간이 존재한다. 몸이라는 공간은 유한하지만 마음은 몇 백만 광년(光年)의 우주를 상상할 수 있고 마음대로 공상세계(空想世界)를 구축(構築)할 수도 있다. 실제 세계와는 다른 공간질서를 가진 자신의 정신(精神) 속에서 당위적(當爲的) 세상을 구축하여 그 속에서 미혹(迷惑)될 수 있는 것이다. 실은 많은 사람들이 그렇게 살고 있다. 만약 여기에서 탈피하려면 자신만의 미혹된 세상에서 벗어나 세계를 있는 그대로 볼 줄 아는 능력을 습득해야 할 것이다.

〈그림22〉에서 신(身)은 심(心)의 물리적 공간이다. 인간이 지구 공간과 우주 공간 전체의 질서에 따를 수밖에 없는 것은 신(身)이라는 물리적 공간 조건(條件) 때문이라고 볼 수 있다.

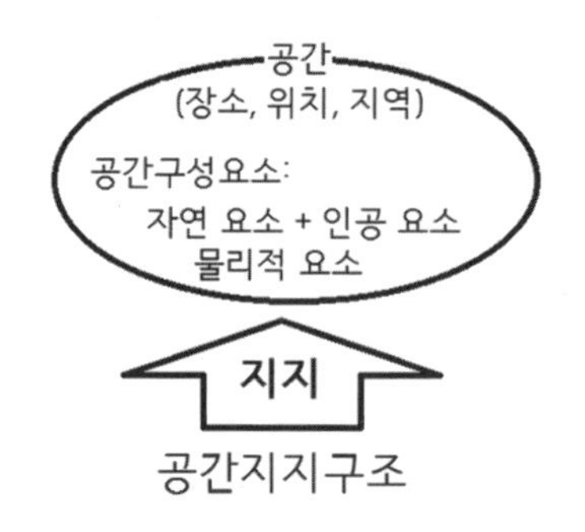

〈그림23〉 공간구성요소와 공간지지구조

일상의 작은 공간에서부터 대륙과 같은 큰 지역에까지 각각의 공간은 고유(固有)한 특성(特性)과 기능(機能)을 가진다. 지역의 고유한 특성, 특정 장소에 대한 분위기와 느낌은 지역의 공간구조(空間構造)에서 비롯된다. 미국의 광활한 대초원지대의 오두막집과 서울 도심에 있는 아파트는 분위기 자체가 다르다. 국제사법재판소의 엄숙한 분위기와 세계분쟁지역의 현장 또한 느낌 자체가 다르다. 우리 역시도 어떤 장소에 가 있든 똑같은 얼굴을 하고 있지만 행동하는 건 완전히 다르지 않던가. 공간구조는 그 공간이 가진 기능에 따라 다르게 조직된다. 똑같은 공간이라도 기능에 따라 도서관이 될 수 있으며 커피숍이 될 수 있다. 공간구조와 공간기능에서 장소에 대한 구별이 생기며 이름이 정해진다. 그리고 공간구조와 공간기능에 따라 공간의 품위가 결정되기도 한다. 사람들은 품격 있는 공간에 대한 열망이 강하기 때문이다.

공간구조는 공간구성요소의 조직과 배열이고 공간구성요소는 특정 공간의 물리적 요소다. 특정 장소의 자연적 구성요소인 지형, 대기 상태, 여러 자연사물들과 인공구성요소들인 취락, 농업 형태, 교통망, 통신망, 도시구조물 등이 결합되어 장소의 총체적 성격을 정의(定義)하게 된다.

여기에는 한 공간이 특정기능을 할 수 있도록 하는 공간지지구조(空間支持構造)도 존재한다. 공간지지구조는 한 공간의 기능이 지속되도록 지원해주는 공간 내

외부의 연관된 체계로, 특정 공간의 크기보다는 훨씬 넓은 범위의 네트워크 형식으로 주로 존재한다.

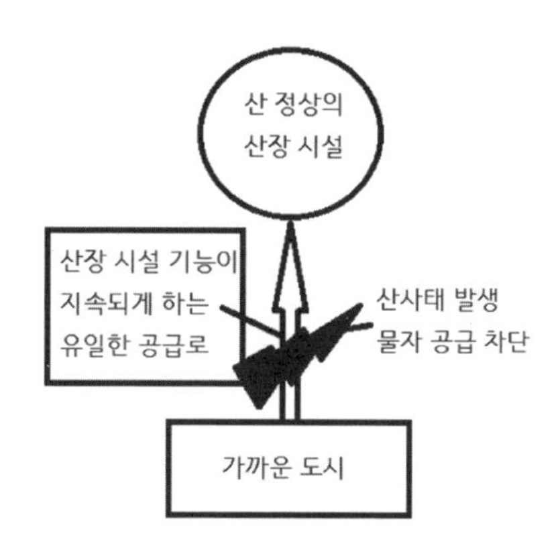

〈그림24〉 공간구성요소와 공간지지구조의 예

〈그림24〉는 산장(山莊) 시설의 기능이 가능하도록 하는 '물자(物資) 공급로(供給路)'와 물자공급의 근원지인 '가까운 도시'라는 산장시설의 공간지지구조를 보여준다. 만약 산사태(山沙汰)가 발생하여 유일한 공급로가 파괴될 경우 산장시설의 기능이 상당히 약화된다. 대부분의 도서지역(島嶼地域)은 본토(本土)의 지원(支援)을 받아야 사람이 살 수 있는 공간이 될 수 있다.

미래의 어느 때, 인류가 어떤 행성(行星)으로 이사(移徙)가는 우주선(宇宙船)을 상상해 보자. 이때 우주선은 공간구성요소와 공간지지구조를 모두 포함하는 지구의 축소판(縮小版)이 될 것이다. 만약 미래의 어느 때에 심해개척공간을 세운다면 우주선 공간과 유사하지 않을까. 인간은 지표면 공간의 공간구성요소를 이용하거나 구축하고, 그 공간이 어떤 기능을 할 수 있도록 공간지지구조를 구축하면서 살고 있다. 이는 나중에 언급될 수용력이란 개념과도 관련된다.

세계적인 음식 체인점들의 경우, 전 세계 영업장이 거의 똑같은 공간구성요소를 가지며 유사한 공간적 특성과 기능을 보인다. 세계 곳곳의 체인점들이 거의 동일한 공간기능을 가지는 것은 전 지구적 공간지지구조 때문이다. 한류음식(韓

流飮食)의 세계화는 세계 여러 지역에 한류음식만을 떠올리는 공간적 특성을 보이는 장소를 구축하고, 우리 음식점들이 동일한 공간기능을 수행할 수 있도록 전 지구적 공간지지구조를 만들 때 실현된다. 이처럼 개인이나 사회집단이 뭔가를 이루고자 한다면 주어진 공간의 기능이 제대로 작동될 수 있도록 공간구성요소와 공간지지구조를 최선의 방식으로 활용할 필요가 있다.

(재미있는 생각)

1. A4 용지가 전체 우주공간이라면, 지구는 어떻게 표현되는가? 지구와 유사한 환경을 가진 행성들이 차지하는 부분은 어느 정도의 크기로 그릴 수 있겠는가?
2. A4 용지가 지구 표면 전체라면, 지구상에서 '인류가 일을 하는 공간'의 크기는 어느 정도일까? 그리고 일을 하는 공간을 지탱해주는 공간지지구조의 공간 크기는 어느 정도일까?

2. 공간이동

사물(事物)은 절대적인 위치를 가진 것처럼 보인다. 그러나 틀렸다. 절대적 위치는 인간의 머릿속의 정지된 공간, 즉 개념세계에서만 존재한다. 실제세계의 사물은 공간과 함께 영구(永久)히 이동하고 있다. 다시 말해 상대적 위치만 존재한다는 뜻이다. 우리는 사고(思考)의 편의(便宜)를 위해 움직이지 않는 공간을 만들어내었고 모든 물체가 어떤 절대적 위치를 가지고 있다고 가정(假定)한다. 그러나 이동은 공간과 그 속의 모든 사물이 가지는 속성(屬性)이다.

2.1 시간

시간(時間)은 지구의 공간이동인 자전(自轉, rotation)과 공전(公轉, revolution) 정도를 나타내는 척도(尺度)다. 척도는 측정하는 기준으로 사람이 임의로 부여한 수치간의 관계이다. 사물은 끊임없는 상태 변화, 변위, 진동에 의한 위상(位相) 변화를 한다. 지구의 공간적 위치 변화의 정도를 태양계와 천체(天體)의 가시적(可視的) 움직임으로 나타내는 개념이 바로 시간인 것이다.

우리는 시간이 원래 나타내고자 하는 공간이동을 실제현상을 중심으로 생각하지 않는다. 예를 들어 우리나라 인천에서 미국 LA까지 비행기로 간다고 생각해 보자. 인천에서 LA까지의 비행소요시간은 11시간 정도다. 시간적으로 생각한다면 비행기 안에서 11시간 보내는 것이다. 기내에서는 거의 이동도 하지 않는다. 그러나 공간이동이라는 측면에서 본다면 자그마치 약 9,500km의 상공을 날아간 것이다. 사람들은 이러한 공간이동을 편의상 시간으로 쉽게 생각한다. 항공기의 이동속도가 같다면 시간의 흐름으로 대신하여 그만큼의 공간이동을 가늠해보는 것이다. 그러니 실제 공간을 고려하면 상황은 달라진다. 비행기가 대기 속에서 먼 거리를 이동해 간다는 것은 그 방대한 공간의 규모와 특성을 고려했다는 의미이기 때문이다. 실제 세계에서는 대기상태와 이동할 때의 거리(距離) 등을 보지 않을 수 없다.

2.2 순환, 주기, 공간표준

순환(循環)은 하나의 닫힌 공간 속에서 일련의 변화과정이 되풀이되는 것이다. 대기의 순환, 물의 순환 등을 예로 들 수 있다. 주기(週期)는 같은 현상이 되풀이되는 기간 또는 진동하는 사물의 위치가 되풀이되어 본래의 위치로 돌아오는 데 걸리는 기간(期間)이다. 회전주기(回轉週期), 공전주기(公轉週期) 등을 들 수 있다. 순환과 주기 개념은 일정한 계(系) 안에서 사물들이 공간이동하는 패턴을 분석해 내면서 만들어졌다. 닫힌 공간(空間) 안에서 되풀이되는 공간이동들은 동적 평형을 이룬다. 지구의 대기는 일종의 닫힌 공간 속에 있다. 그러므로 대기는 순환운동을 하며 어떤 평형상태를 유지하고 있는 셈이 된다.

24절기(節氣)는 자전하는 지구의 축이 기울어져 있으며, 태양을 중심으로 지구가 공전하면서 닫힌 지구 공간에서 생기게 된 기후에서의 일정 순환패턴의 특징적 기간이다. 각각의 절기는 주기적으로 등장한다. 하루의 시간도 주기적이다. 세계의 각 지역에서는 극지방을 제외하고, 지구의 자전에 따라 아침에 해가 뜨고 저녁에 해가 지고 밤하늘의 성좌(星座)와 달의 위상변화가 주기적으로 나타난다. 이를 바탕으로 각 지역의 시간을 잴 수 있다. 즉 지구 크기만큼이나 다양한 시간이 존재하게 된다. 그래서 사람들은 전 세계의 공간을 지구 자전축(自轉軸)을 기준으로 24등분(等分)하여 시간대(時間帶)로 나눠 24개의 표준시를 정해 쓰고 있다.

(조사활동)

협정세계시(協定世界時, UTC)에 대하여 조사해 보자. 본초자오선(本初子午線)이란?

년(年), 월(月), 일(日), 24절후(節候), 요일(曜日) 등의 날짜를 정한 것을 월력(月曆)이라 한다. 달력은 주기의 개념으로 시간경과를 나타내며 문명의 핵심을 이룬다. 달력은 개인의 일상에까지 영향을 미친다. 사람은 거의 매일 달력을 확인한다. 달력이 개인의 시간과 공간을 지배하는 법(法)으로 작용하기 때문이다. 문명의 대전환(大轉換)은 새로운 역법(曆法)의 도입(導入)으로 이루어진다. 새로운 시간개념은 오래 전부터 당연하게 써오던 달력을 유물로 만들며 구시대의 공간질서를 뒤엎는다. 새로운 캘린더는 새로운 세상의 도래를 의미하며 모든 이들은 새 질서를 따른다. 달력이야말로 시간과 공간을 통제하는 강력한 법인 것이다. 그리고 이것은 오랜 시간 동안 지켜온 문명적 소산(所産)으로 하나의 거대한 행동 기준으로 작용하기 때문에 개인이 아무렇게나 바꿀 수 없다.

오늘날의 시간을 일 년, 한 달, 하루로 볼 때 각각의 단위가 정해진 기준이 다르다는 것을 알 수 있다. 이는 시간을 재는 표준(標準)이 지구 자전과 공전이라는 공간적 운동에 기반을 두고 통일적으로 만들어지지 않았다는 것을 의미한다. 하늘의 현상들이 서로 다른 주기로 등장하기에 서로 다른 각각의 시간단위가 정해졌던 것이다. 자, 그럼 여기서 한 가지 질문해보자. 2015년 4월 19일이라는 특정시간은 정말로 2015년 4월 19일일까? 평소에 우리는 이런 질문 자체를 하지 않는다. 시간에 관한 한 한 치의 의심도 없이 당연한 법칙인양 받아들이기 때문이다. 인간은 하루라는 단위를 기준으로 하여 일 년을 365일로 정했으며 초의 길이도 설정했다. 공간거리인 길이에 대한 단위도 원래는 그 기준이 천차만별이었다. 이에 대한 표준을 만들기 위해 미터법이 제안되었는데, 처음에는 지구의 특정 경도를 기준으로 했으나 현재는 물리학에서 받아들이는 진공 상태에서의 빛의 이동거리를 길이에 대한 기준으로 정했다.

(조사활동)

국제단위계에 대하여 알아보고 개념도로 요약 정리해 보자. 〈참고〉 한국표준과학연구원, “국제단위계 설명”, http://www.kriss.re.kr/standard/view.do?pg=explanation_tab_01

2.3 타이밍

사람은 시간을 소비하며 살아간다. 시간소비는 한 번씩 이루어지며 우리의 생각도 한 번씩 생성된다. 특정시간대에 어떤 일을 선택적으로 집중할 때, 그 일은 정해진 시간동안 의미 있는 일이 되는 것이다.

소비는 어떤 일을 선택함에 따라 반대로 선택되지 않은 기회비용(機會費用)을 발생시킨다. 기회비용(機會費用)이란 합리적 선택 개념과 관련되며, 우리가 여러 대안들 중 하나를 선택할 경우 선택하지 않은 대안들 중 차선(次善)의 가치를 의미한다. (참고: 경제정보센터 http://eiec.kdi.re.kr/) 모든 순간은 단 한 번만 온다. 그래서 일생(一生)이라 부른다. 여기서는 일정기간의 시간소비를 타이밍(timing)이란 개념으로 생각할 수 있다. 일생에서 여러 차례의 타이밍을 어떻게 소비하는가에 따라 한 사람의 삶이 달라진다. 타이밍은 다양한 모습으로 등장하지만 반드시 한 번씩만 등장하는 결정적 시기가 되기도 한다. 그리고 그 타이밍 때는 응시(應時)해야 한다.

점차 인간사에서 타이밍의 역할은 증대하고 있다. 옛날에는 어떤 일을 생각해 보거나 처리할 시간이 충분했지만 오늘날은 생각할 시간이 없다. 즉시 결정하고 행동해야 하는 경우가 늘고 있기 때문에 타이밍에 대한 의식이 깨어있어야 하며 직관적 판단을 잘 할 수 있어야 한다. 또한 개인의 앎이 많아야 하며, 장기간의 전문적인 지식 축적과 다양한 시행착오의 경험을 바탕으로 해야 한다. 그런 의미에서 볼 때 오늘날의 교육은 타이밍을 잘 응시하도록 돕는 효율적인 공부방식과 자료 정보수집 및 활용방식, 수십 년간의 전문적인 경험을 쌓게 하는 지적(知的) 훈련(訓練)이라 할 수 있다.

모든 일은 적시(適時)가 있다. 반드시 그때 해야만 하는 일이 있다는 의미다. 특히 삶의 수준을 높이는 최적의 시간적 투자 시기가 따로 존재한다. 그럼 배움의 적기(適期)는 언제일까. 바로 학교에 다닐 때다. 이 시기를 벗어나고 나면 공부를 나중에 하려고 해도 엄두가 나지 않는다. 더 중요한 일들이 그 타이밍에 걸려 있기 때문이다. 타이밍은 세금을 내는 것과 힘든 노동을 끝마치는 것과도 관련된다. 따라서 타이밍은 스트레스를 가져온다. 이 스트레스를 감당할 수 있는 능력을 실력이라 부를 수 있으며 큰 스트레스를 감당할수록 그만큼 높은 자리와 지위를 누리게 된다. 타이밍은 전적으로 개인의 일상생활 규칙이며 공간질서다. 타이밍을 잘 맞춰 생활한다는 것은 지금 그 자리에서 사물들의 중심이 되어 최적의 시간소비를 한다는 뜻이 된다. 다시 말해 스트레스는 타이밍 관리를 적절하게 못하였거나 최적의 시간 투자를 하지 못해서 발생하는 것이라 할 수 있는 것이다. 이런 스트레스를 미연에 방지하기 위해서는 그때 당연히 해야 할 일을 최우선으로 두고 열심히 해보는 것이다. 만약 수업시간에 루소의『에밀』을 읽어보란 얘기를 들었다면, 미적거리지 않고 당장 읽기 시작하는 것이다. 무엇인가에 도전해보라는 얘기를 듣는 순간이 바로 앞서 말한 적기(適期)인 것이다. 그리고 마무리는 되도록이면 빨리 끝내라. 스트레스가 자신감으로 변해 있을 것이다.

2.4 현재와 미래

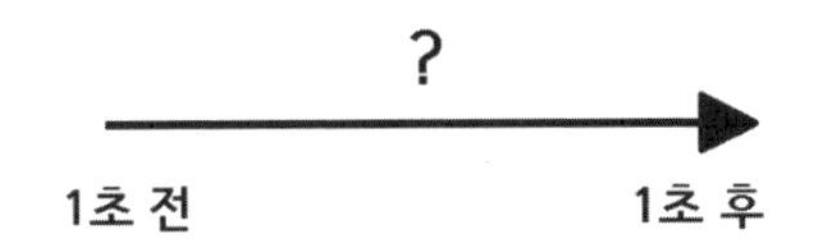

〈그림25〉 현재라는 개념

〈그림25〉은 현재(現在)를 0초 지점에 표시하고 있다. 현재를 정하는 순간 과거가 되기에 물음표로 표시했다. 현재를 정확하게 표시하려면, 벡터로 표현된 시간의 흐름을 정지시켜야 가능하다. 모든 사물이 공간이동 중인 점을 감안(勘案)하면 현재를 정의하기란 생각처럼 쉽지 않다. 현재라는 개념은 인간이 살아 있는 동안 생각한다는 그 사고(思考)의 공간(空間)에서만 존재하며 생명체인 인류(人類)가 가진 모든 것이라 할 수 있다. 다시 말해 과거(過去)에서 미래(未來)로 끊임없이 진행되는 한 순간의 공간 이미지인 것이다.

마음의 작용인 생각은 현재라는 공간이동의 한 순간에서 이루어지며 살아가는 동안 끊임없이 발생한다. 우리가 생명체로 살아간다는 것을 증명해주는 것이 바로 '생각'이다. 순간순간의 생각이 소중한 것이다.

현재와 1초 전의 과거 사이에는 1억 년 전보다도 훨씬 오래된 무한대의 공간이 있다. 이는 우리가 살았던 과거로 다시 돌아갈 수 없다는 것을 강조한 것이다. 1초 후의 미래는 대개 예측이 가능하지만 사실상 그 누구도 알지 못한다. 하지만 우리는 이런 미래에 대한 불안보다는 희망과 기대를 가지고 살아간다. 미래에 꿈꿀 수 있는 인생의 의미와 가치는 현재를 살아가는 의의를 제공하며 현재를 어떤 계획에 따라 살아가게 만드는 힘이 된다. 그러니 앞으로의 일에 큰 희망을 갖고 오늘을 산다는 건 더없이 소중한 것이다.

(조사활동)

과학적 연대측정에서 언급되는 '현재'란?

2.5 심에 대하여

마음은 심(心), 심기(心氣), 정신(精神)이다. 정신은 시간개념과 관련되어 있다. 현재를 지속하는 동안 마음이 존재하기 때문이다. 마음은 살아있는 동안 끊임없이 작동한다. 마음은 고유의 공간을 형성하며 마음대로 그 공간에 규칙과 질서를 부여하기도 한다. 이러한 자유로운 마음의 작용(作用)은 어떤 유연성(柔軟性)을 가질 수 있게 한다. 기발(奇拔)한 생각이 가능한 것이다. 허나 마음은 여러 가지 생각을 동시에 하도록 만들어지지 않았다. 모든 공간이동, 진동, 움직임에는 단 하나의 진로가 있듯이 마음도 언제나 단 하나의 경로를 통해서 하나의 생각을 한 번씩 처리한다. 한 번씩 처리한다는 건 그때 의식이 가장 집중한다는 의미이기도 하다. 현재의 공간에서 다른 공간에서의 일을 마음에 가득 채우고 있으면 현재 공간에서의 일은 기억도 못할 수 있다. 마음속에서 처리되지 않았기 때문이다.

마음이라는 공간에서 생각은 하나의 즉석사진처럼 나타난다. 긴 문장도 일련의 이미지로 즉시 정렬될 수 있다. 대신 동시에 여러 개의 이미지를 처리하지는 못한다. 이런 현상을 거꾸로 보면 중요한 개념의 정의, 영어문장, 악곡(樂曲), 한자(漢字) 등을 머릿속에서 이미지나 동영상으로 처리한다면 더 쉽게 이해할 수 있고 기억도 잘 할 수 있다는 얘기가 된다. 복잡한 길을 가르쳐 줄 때 머릿속에서는 목적지의 그림이 그려지는데 말로는 제대로 표현 못하는 경우가 종종 있다. 이럴 때 우리는 머릿속 그림을 따라 손과 팔을 무의식적으로 펼쳐 길을 설명하려고 하는 것이다. 우리의 몸은 우리 머릿속에서 기억하고 있는 장소에 대한 이미지를 표현한다. 언어로 표현되지 않을 때에도 머릿속에는 이미 찾는 길에 대한 정확한 공간적 이미지를 가지고 있다. 교육활동에서도 일련의 그림 동영상이 떠오르도록 가르치면 많은 학습효과가 있는 것이다. 이처럼 우리 마음이 사물이나 현상을 이미지로 처리하는 것은 주로 시각정보를 이용해 사물을 구별했던 인간의 물리적 조건에서 비롯되었으리라 짐작된다. 게다가 인간은 세계 공간 속에서 살아가는 존재이기에 이미지가 생각의 단위로 많이 활용되었다고도 볼 수 있다.

마음속의 이미지 처리는 자기 자신이 이해하면 그만이므로 아무렇게나 할 수 있다. 그러나 타인에게 자신의 머릿속 이미지를 설명하기 위해서는 약속된 기호체계를 사용하게 된다. 이는 오늘날 컴퓨터 속의 이미지에 문자나 숫자를 사용하여 이름을 붙이는 것이나 어떤 장소나 지역에 이름을 붙이는 것과 같다. 이는 곧 이미지의 개념화 과정인 것이다. 세상이야기를 할 때에는 세계 속의 위치와 방위 등에 대한 약속된 공간개념을 사용하게 된다. 우리는 지구 표면 전체에 대한 의사소통의 표준공간으로 지구의(地球儀)를 만들어 사용하고 있다. 약속된 모형공간에다 약속된 기호체계를 사용하여 타인과의 공간 의사소통이 사실적으로 이루어지게 된다. 구글지도, 네이버지도, 내비게이션 앱, 구글어스 등의 지구모형을 사용하면 공간 의사소통이 명확하게 된다.

마음은 쉼 없이 출렁이는 거대한 감정의 바다다. 마음처럼 가변적인 것은 세상 어디에도 없다. 한 순간 감정의 격랑(激浪)에 휩쓸리면 마음을 통제할 수 없고 감정 폭발을 마음껏 한 뒤엔 후회와 반성이 뒤따른다. 이렇게 우리는 우리 마음의 작용에 대하여 의식할 수 있으며 마음의 작용이 감정대로 처리되는 것을 통제할 수 있다! 감정표현을 할 때 우리는 가장 인간적(人間的)이 되는 것이다. 그러나 간혹 감정표현을 제대로 할 줄 모르거나 잘 통제하지 못하는 경우가 많아 같은 인간끼리는 물론 여타 생명체에게 상처를 주는 경우가 있다. 또 다른 현재가 무한히 기다리고 있다는 사실을 고려하면 순간의 감정이 빚어낸 자유분방한 표출은 통제(統制)하는 편이 옳을 것이다.

마음 속 공간은 무한정하다. 그 안에서 삶의 희망이 자리 잡을 수도 있고 절망이 뿌리내릴 수도 있다. 모든 상상이 자유롭게 가능한 것이다. 단 상상한 것을 실행에 옮길 때에는 주의가 필요하다.

공상세계는 지구는 물론 우주 전체의 세계와 자연 질서와는 상관없는 규칙을 가질 수 있다. 게다가 각 개인마다 머릿속의 공간질서와 기준이 다 다르다. 세계지리를 배우는 것은 세상을 바라보는 자유로운 시각에 현실세계의 질서와 규칙, 기준을 제공하여 세상의 이치와 자연의 순리대로 현실적 실천방안을 마련하는 것이며, 방종(放縱)한 마음의 씀씀이에 한계를 설정하는 것이라 할 수 있다. 마음은 어떤 기준과 규칙이 존재하지 않기 때문에 쉽게 무질서 상태로 빠질 수 있다. 이 무질서 상태란 세상에 대하여 제대로 알지 못하는 것을 의미하며 실제 세계에서 굉장히 무책임하게 자신을 내모는 경우를 말한다. 이런 경우 현실세계에서의 사실과 사실관계를 바탕으로 증험 활동을 많이 하는 것이 좋다. 증험(證驗)이란 사실과 사실관계를 따라 우리의 생각을 살피는 행위로써 장소, 공간적 위치, 상호 관계 및 상호작용, 지역 공간과 환경이라는 핵심지리개념을 염두에 두며 자신의 사고과정에 적용하는 것을 말한다. 여기서 사실관계는 지구의 지표면이라는 공간에서 증명된다.

인간은 타인을 100퍼센트 알 수 없으며 상호간 소통할 수 있는 수단도 존재하지 않는다. 이것이야말로 인간의 최대 모순점일 것이다. 또한 인간 사회 및 자연 생태계에서 인간만이 특이한 행동을 취하는 근본원인으로도 볼 수 있다. 사회질서는 서로의 신뢰를 바탕으로 하는데 앞서 말했듯 인간의 마음은 100퍼센트 소통할 수 없기 때문에 사회적인 문제가 생기는 것이다. 언어를 사용하는 대화마저도 진실한 마음의 교환이 보장되지 않는다. 언어는 정보와 의사전달 체계로 사용될 뿐 진실을 전달하는 체계로는 제대로 작동되지 않기 때문이다. 어떤 때에는 자기 스스로의 마음도 잘 모를 때가 있다. 마음의 작용은 일련의 과정으로 한 번씩 처리되므로 당시의 마음은 보관이 되었다가 작용 전후에 대한 비교를 통하여 나중에 평가된다. 그래서 마음의 작용이 시작되기 전에 항상 자신의 마음 상태에 대하여 자각할 필요가 있는 것이다.

3. 공간질서

공간질서(空間秩序)에는 자연의 원리, 인간적 가치와 관점이 모두 적용되어 있다. 다시 말해 심해에 뉴욕 같은 대도시를 지을 수 있겠는가? 어떤 국가는 왜 갈 수 없는가? 남의 논에다 나의 자동차를 주차할 수 있겠는가? 우리 인간은 언제까지 바다를 쓰레기 처리장소로 사용할 수 있는가? 아프리카의 기아 사태는 나의 생활과는 전혀 상관없는가? 왜 상관없이 살아도 되는가? 우리 국가는 선진문명 강대국이 되겠는가? 등의 질문은 공간질서 개념을 통하여 어느 정도의 답변을 구할 수 있는 것이다.

3.1 영향권과 지배권

우주의 모든 사물은 서로에게 영향을 끼친다. 영향권(影響圈)이란 사물 간에 작용하는 힘의 공간범위를 뜻한다. 모든 사물들은 서로 영향을 미치며 사물들의 상대적 위치와 사물들 간의 관계에 따라 작용하는 힘은 천차만별(千差萬別)이다. 사람 집단에도 영향권이 존재한다. 사람이나 사물을 지배할 수 있는 영역의 범위인 지배권(支配圈)이 있다. 지배권은 공간에 대한 소유권을 말하며 다른 말로 점유권

(占有圈)이라고 한다. 지배권은 겹치지 않지만 영향권은 서로 겹칠 수 있다. 지배권과 영향권은 같은 사물끼리도 사물의 공간규모에 따라 그 강도가 다르며 다른 특성을 가진 지역의 영향권들 사이에는 중간적 특성을 보이는 점이지대(漸移地帶)가 나타나기도 한다. 영향권과 지배권을 통칭하여 세력권(勢力圈)이라 한다.

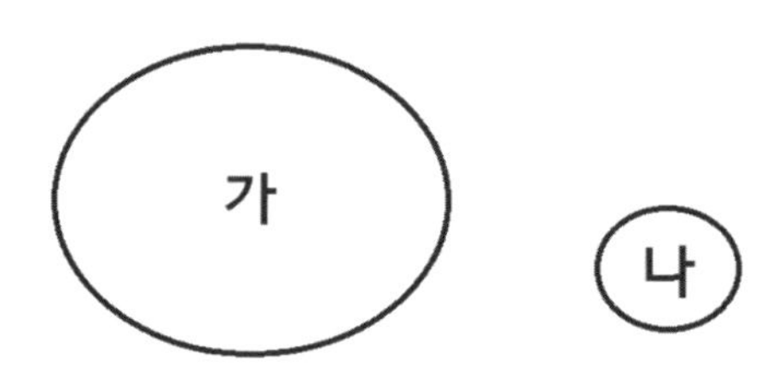

〈그림26〉 지역 영향권 또는 지배권의 공간적 차이

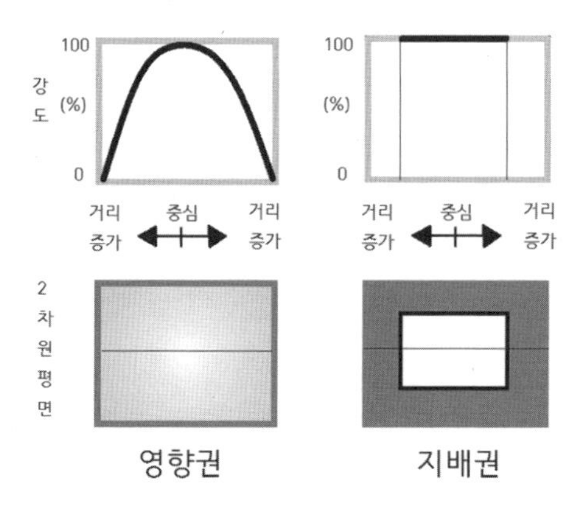

〈그림27〉 영향권과 지배권 비교

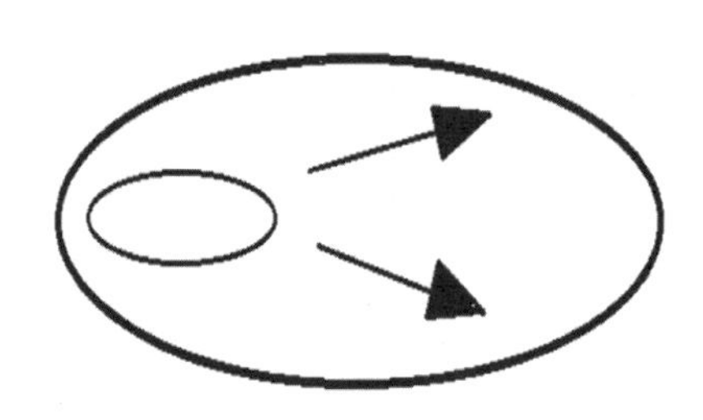

〈그림28〉 영향권의 공간적 확산

〈그림 26〉의 가 지역의 영향권과 나 지역의 영향권은 각각의 지역이 가지는 자연환경 및 사회환경에서의 역량의 크기를 반영하여 차이가 난다. 또한 지배권은 오늘날 국가단위에서는 주로 국토의 크기와 비례한다. 국가의 영향권은 국가의 지배권 범위 이상으로 나타나며 초강대국은 그 나라의 모든 생활양식이 전 세계적 영향권을 가진다.

인류역사는 영향권의 확대와 국토 확장이라는 지배권의 공간확대 및 변천과 정이었다고 할 수 있다. 오늘날 한 국가의 모든 교육활동은 그 나라의 영향권의 국제적 확대에 중점을 두고 있다. 교원들은 국가영향권의 확대라는 국가교육의 결과에 직접적 책임을 진다.

영향권은 중심으로부터 거리가 증가함에 따라 그 강도가 약화되지만, 지배권은 특정공간 내에서 동일한 강도를 가진다. 영향권의 대표적인 예로는 태풍의 영향권을 들 수 있으며 지배권의 대표적 예는 토지에 대한 소유권 범위를 들 수 있다. 면(面)으로 나타내는 지배권과 같이 영향권을 면으로 표시할 수 있지만, 선(線)으로 주로 나타낸다. 인간이 교류하는 형태가 지표면에서 선적(線的)으로 나타나기 때문이다. 지배적인 한 쪽의 권역이 압도적인 관계는 오늘날 보기가 힘들다. 그래서 영향권의 확대를 위해 상호 관련된 지역 혹은 지점 간에 공통된 규칙과 질서를 만들기도 한다.

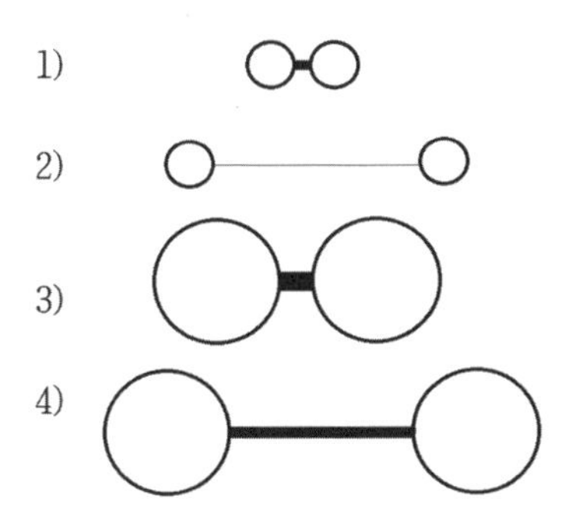

〈그림29〉 동일한 영향력을 가진 두 지점의 상호관련 정도
두 지점간의 영향력의 크기는 연결선의 두께로 나타난다.

두 지점 간의 관계를 바닷길의 교역량이라고 볼 때, 실선의 두께로 서로간의 관련 정도를 표현할 수 있다. 지역의 영향력이 비슷하다면 상호간의 관계 정도는 각 지역이 떨어진 거리와 지리적 위치에 의해서 결정된다. 〈그림 29〉 3)과 4)의 경우는 가 지역과 나 지역 간의 거래규칙과 질서가 비슷하며, 비슷한 유형의 문명형태와 수준을 가지고 있을 때 위치에 상관없이 서로 간에 많은 교류와 관계가 형성될 수 있다는 것을 보여준다. 국제적 규격과 법질서를 만들고 유지하면서 보편적 가치를 공유하는 선진강국끼리의 교류는 마치 하나의 국가 내에서의 교류량(交流量)을 보이기도 한다.

자연현상의 영향권은 가시적으로 표현할 수 있다. 대표적으로 황사영향권의 시공변화를 들 수 있다. 그러나 황사의 발원지 관리나 피해지역의 관리는 그 지역의 관할 지배권에 의해 각각 통제된다. 인문지리 현상의 영향권은 가시적으로 잘 표현되지 않는다. 이런 점에서 많은 경우 영향권에 대한 잘못된 해석을 하는 우를 범한다. 특히 상반된 문명의 영향권이 충돌하는 지역일수록 영향권 변화에 대한 올바른 분석은 충돌지역의 생존과 번영에 중요한 역할을 한다.

3.2 권역의 겹침

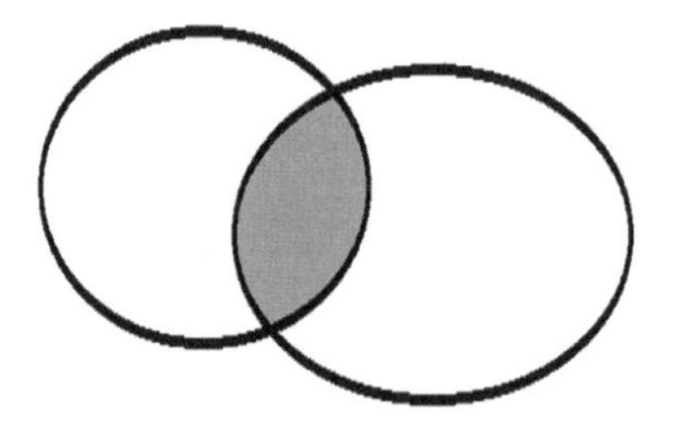

〈그림30〉 권역의 겹침 현상과 충돌지역권

상반된 영향권이 겹치는 충돌지역권은 다양한 문명요소들을 경험할 수 있는 기회의 공간이다. 이때 상반(相反)된 영향권과의 관계설정에 있어 올바른 선택과 미래의 권역 변화에 대한 올바른 예측이 중요하다. 선택과 미래 예측은 보편적 가치를 바탕으로 한 인류 공통의 발전 방향으로 맞춰질수록 정정당당하게 이루어지며 세계적 시야에서 인류가 지향하는 공동 목적을 기준으로 한다.

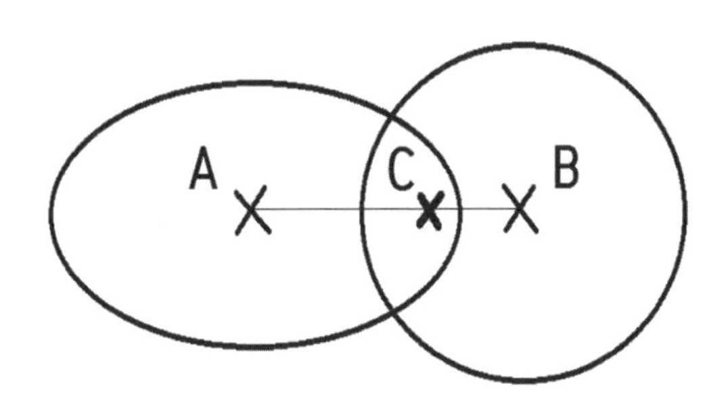

〈그림31〉 권역 별 입장 차이

충돌지역권에서는 전통문화 가치권역과 외래문물 가치권역 간의 상호작용을 볼 수 있다. 새로운 문물을 전통 문명요소와 결합시킴으로써 삶의 수준을 높이고 선진문명으로 나아갈 수 있는 기회를 잡는다. 〈그림31〉는 C의 위치가 B에 더 가까이 위치한 모습을 보인다. A의 입장에서는 C지역에 큰 관심을 보이지 않을 수 있다. 그러나 B는 인접한 지역으로 C와 A의 관계 정도와 상관없이 많은 영향력을 C에게 행사한다. 권역이 겹치는 C지역의 사람들이 가지는 세계관과 세계적 공간 인식, 시야 확보는 A와 B 영향권 모두에서 독립적인 이익을 가질 수 있다. 한쪽 영향권의 진퇴에 따라서 각 지역 사람들의 영향권에 대한 입장 차이도 변동된다.

3.3 국제질서와 국제기준

국제질서(國際秩序)와 국제기준(國際基準)은 국가들이 각각의 상반된 영향권 또는 지배권의 강제적 확장 등의 충돌로 인한 실력행사에 대하여 국제적으로 공동

대응하기 위하여 만들어진 협약이다. 최악의 지배권 확대와 영향권의 충돌 현상은 전쟁으로 확대될 수 있기 때문에 국제질서와 국제기준은 이러한 최악의 경우에 대응하면서 무역거래의 확대, 인권 보장 등과 같은 인류가 희망하는 세상을 전 지구적으로 확대하여 세계 전체 지역의 공동번영을 위한다.

3.4 토지

토지(土地)는 지배권의 실체(實體)며 공간질서(空間秩序)의 근간(根幹)이다. 대부분의 쓸 만한 지표면은 주인(主人)이 있다. 사람이 이용하기 쉬운 토지는 반드시 주인이 있으며, 주인 이외의 사람들은 그 토지로 마음대로 드나들 수도 없다. 인간은 땅 위에서 사는 존재다. 땅은 인간이 필요로 하는 거의 모든 산물을 생산한다. 인간의 생존이 땅에 달려있는 것이다. 그러니 삶의 수준은 토지의 생산력과 직접적인 관련이 있다. 토지소유권은 그 토지의 지형조건과 상대적 위치, 그리고 토지이용 가치로 평가될 수 있으며, 심지어 개인의 경제적 상태 및 국가사회 전반의 정치경제에도 막대한 영향을 끼친다. 땅의 용도, 기능, 가치 등에서 변화가 일어나면 그 땅의 주인은 그 땅의 용도에 맞는 성격으로 토지를 바꿔야 그 토지의 지배에 대한 정당성이 획득된다. 그러나 문제는 이게 쉽게 이루어지지 않는다는 데에 있다. 땅을 소유할 수 있다는 정당성 평가는 땅 소유주 개인뿐 아니라 국토를 소유하는 국가구성원 전체에게도 요구된다. 국제질서의 근간이 바로 여기에 있기 때문에 이 문제는 매우 심각하게 검토되어야 할 사안이라고 볼 수 있다. 또한 국토는 국민과 국가 번영의 기반으로 현재의 국토에 대한 최선의 가치 창출은 국가 운명을 결정짓는다.

3.5 공간과 생명체

머릿속 가상공간과 생명체가 없는 공간에는 수학적 질서가 있다. 물리세계의 특성은 부분 집합들의 총합이 전체 합집합의 크기와 같다는 데 있다. 공간만을 볼 때 하나의 공간을 잘게 나누어도 나눠진 공간의 특성과 기능에는 아무런 변화가 없다. 그래서 머릿속 가상공간을 얼마든지 축소하거나 확대할 수 있는 것이다. 반면 지구와 같은 실제공간은 생명체의 작용이 있다. 생명체가 존재하는 공간은 부분 공간들 각각의 생명체 작용의 총합이 하나로 된 전체 공간 속의 생명체 작용 크기보다 작다는 것이다. 이를 창출특성(創出特性, emergent properties)이란 개념으로 설명할 수 있다. 큰 규모의 공간에서 다양한 생물체들의 집합인 생태계는 하부의 부분 생태계가 가지지 않는 새로운 특성을 가진다. 또한 큰 규모의 공간에서는 다양한 생물들이 서식하는데 작은 규모의 공간에서는 생명체가 단순해지는 경향이 있다. 결과적으로 생태계를 포함하는 실제공간의 공간규모에 따른 생명체의 창출특성은 가상공간과 수학적 질서만으로 실제 세계의 일을 다 설명할 수 없다는 것을 의미한다.

사람의 개발 행위는 가상공간과 수학적 질서만을 고려한다. 실제 자연환경에서의 개발 행위가 가져오는 여타 생명체에게 주는 영향은 배제하기 일쑤다. 실제 자연환경에서 공간이 생명체에게 작용하는 방식을 고려하지 않는 것이다. 이는 인간 세계에서 개발행위를 하려는 일부 인간들이 다수의 타인(주로 힘없는 서민)의 주거권(住居權), 공간사용방식, 생활방식을 고려하지 않는 것과도 상통한다. 이것은 인간이 생명체인 것을 망각한 채, 공식적인 명분으로는 공공의 이익을 취하는 것이라 하면서 실제로는 사적인 개발이익을 추구하는 인간들이 가지는 무지한 사고방식인 것이다.

가상공간(수학적 질서) = 물리적 세계의 특성

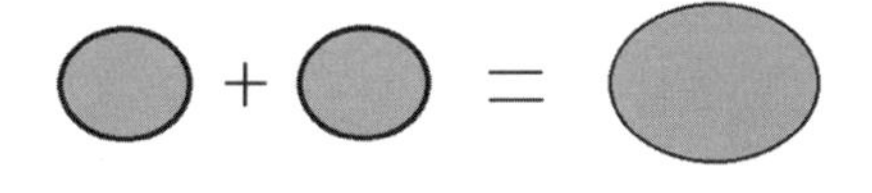

실제공간(생태계 포함) = 생명체 특성 포함

$\bigcirc + \bigcirc \leq \bigcirc$

〈그림32〉 실제공간의 생명체 창출특성

4. 영역

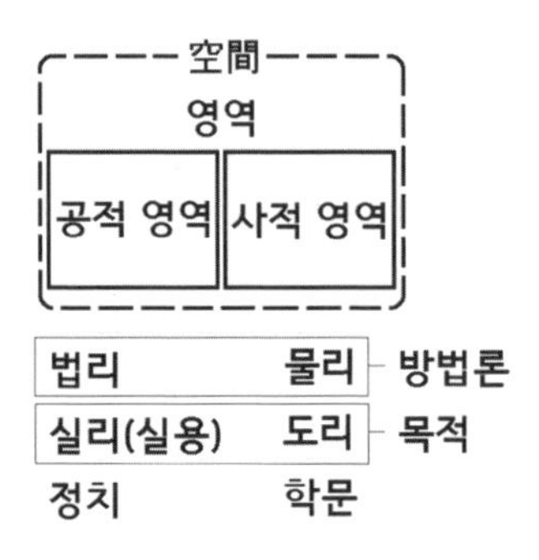

〈그림33〉 사적 영역과 공적 영역

영역(領域)은 지배권으로 볼 때 일국의 주권이 미치는 범위를 뜻하지만, 사람들의 활동특성과 관련하여서는 관계되는 분야나 범위를 말하기도 한다. 그리고 사람들의 활동특성과 관련하여 사적 영역과 공적 영역으로 나눌 수 있다. 사적인 관계는 한 사람을 대상으로 하는 반면 공적인 관계는 사회집단을 대상으로 하되 개인 모두를 포함한다.

공적 영역은 주로 국가 전체를 통하여 정의되는 관계범위이다. 법리(法理)란 법(法)의 원리나 사리(事理)를 의미하며 법은 강제력을 수반하는 사회규범이자 하나의 약속체계를 말한다.

다음으로 실리는 두 가지 의미를 가진다. 첫째는 실리(實利)라고 하여 명분(名分)보다는 현실적 이익을 취하는 것을 말하고 둘째는 실리(實理)라 하여 현실 속에서의 원리나 사리를 의미한다. 국제관계에서 국익이라는 실리(實利)는 국제사회의 실리(實理)를 기반으로 한다. 법리와 실리 개념들은 외교, 안보, 정치와 관련되며 공적 영역에 속한다고 할 수 있다. 세계적 이슈에서 사사로운 일에 이르기까지 사적 영역의 역할은 지대하다. 그렇기 때문에 공적 영역은 사적 영역의 발전과 밀접한 관계가 있다.

사적 영역의 대표적 분야는 바로 학문 세계이다. 학문은 세계의 물리(物理)와 사람의 도리(道理)를 밝히는 분야라 할 수 있다. 여기서 물리는 사물의 이치(理致)를 의미하며 도리란 어떤 처지나 경우에서 마땅히 지켜야 할 올바른 방도(方道, 方途)를 뜻한다. 덧붙여 물리가 사람의 외적 현상과 관련되어 있다면 도리는 순전히 인간 개개인의 내면 공간과 관련된다.

공적 영역과 사적 영역의 구분은 '교육'을 통하여 이루어진다. 교육활동을 크게 보면 방법론과 목적론(또는 내용)으로 구분할 수 있다. 공적 영역의 법리와 사적 영역의 물리는 교육의 방법론에 해당하며 공적 영역의 실리(實理) 혹은 실리(實利), 사적 영역의 도리는 교육의 내용과 목적이 된다. 교육활동은 공적 영역과 사적 영역의 조화로운 인식과 실천궁행(實踐躬行)을 개인이 달성하게 하는 데 있으며, 이는 가상공간 속에 성립된 도리가 실제 세계의 물리 및 법리와 최대한 일치를 이루어내는 작업인 동시에 궁극적으로 같은 국가구성원 모두가 실리(實理)에 따른 실리(實利)를 달성하는 것이라 할 수 있다.

자연과 사회를 구분했을 경우에는 크게 두 영역으로 나뉜다. 하나는 자연 생태계 영역이며 다른 하나는 인간사회집단의 인공적 영역이다. 이렇게 굳이 구별하는 이유는 오늘날 두 영역간의 경쟁에서 자연생태계의 영역이 많이 축소되고 있기 때문이다. 그러나 자연 생태계는 인공적 영역에서 계속적으로 살아남았다. 이는 인공적 영역이 자연 생태계 영역의 일부분임을 증명한다.

5. 일상 공간의 수직크기

인간이 살아가는 공간의 수직 높이는 대개 2m 정도다. 우리는 지표 또는 인공적 지지면(마룻바닥, 콘크리트 사무실 바닥) 위의 대기 공간을 사용한다. 심해(深海)의 잠수정 공간, 성층권의 비행기 안 공간처럼 지구 지표면 수직크기 2m공간과 비슷한 환경을 조성하여야 인간은 살 수 있다. 고층빌딩은 지표면 위 2m 사이의 공간을 수직적으로 확장한 것이다. 빌딩 각 층간 수직적 이동은 계단(階段) 등의 이동통로와 승강기(昇降機)와 같은 수직으로 움직이는 작은 공간을 통해 발생한다. 이 모든 건 일상 공간의 수직적 크기 때문에 발생한 것이다. 인간의 수직적 행동반경이 2m인 것을 보면, 지구 전체적으로는 평면적으로 볼 수 있다. 그래서 2차원의 지도모형에서 우리들의 행동범위를 평면(平面)으로 나타내어도 큰 무리(無理)가 없는 것이다. 오늘날 컴퓨터 이미지처리 소프트웨어(예, CAD, GIS)의 발전은 세밀한 가상세계 구축으로 이어져 이제 우리는 2m 수직 공간에 대한 자세한 상황을 볼 수 있게 되었다. 보다 상세한 일상 공간에 대한 인식을 가져오게 된 것이다.

6. 공간소비의 질

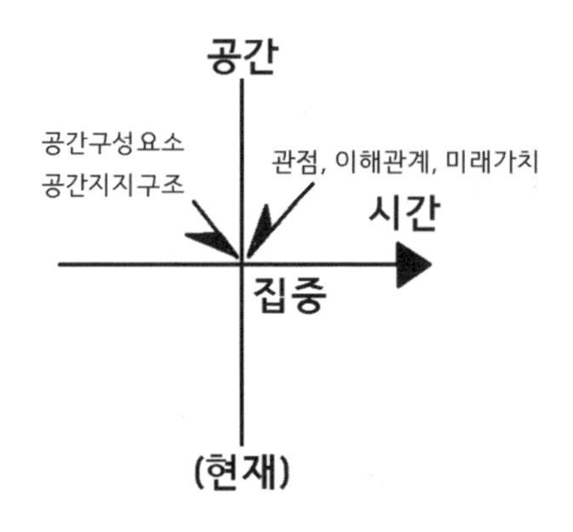

〈그림34〉 공간소비의 질에 미치는 요소들

공간구성요소, 공간지지구조가 지원해주고 미래의 가치에 맞는 이해관계가 현재의 공간에서 실현되도록 현재의 공간에 의식이 집중될 때야 비로소 공간소비(空間消費)의 질(質)이 높아진다. 공간소비란 일정시간대 현 공간의 특성과 기능대로 그 공간을 사용하는데 집중되어 어떤 성취를 이루어내는 것을 말한다.

머릿속에 설정된 공간이 현재의 실제공간과 일치할수록 실제 공간소비의 질은 높아진다. 또한 공간소비에는 선택과 자유의지가 작용한다. 공간사용은 그 곳에 있는 것만으로도 발생하며 물리적 공간 그 자체에 있다는 것을 의미하기도 한다. 공간사용은 무의식적으로도 가능하지만 공간소비는 철저히 의식적인 것이다.

사람들 간의 이해관계(利害關係)는 지표(地表)에서 공간적 가치로 표출(表出)되며 그 가치에 맞는 공간소비가 진행된다. 주거지역, 상업지역, 전철역, 극장 등과 같은 특정장소에는 그곳의 지리적 여건과 공간의 기능에 전문화된 일이 있다. 만약 특정공간의 기능과는 완전히 다른 일을 그 공간에서 한다면 그 공간은 기회비용으로 처리된다. 현재의 공간과 상관없는 일에 의식이 집중되면 현 공간소비의 질은 현저히 떨어진다. 공간소비는 머릿속 공간과 실제공간을 동시에 사용하는 것이다. 일상공간의 활용도 소비의 개념으로 볼 수 있다. 몸은 일터에 나와 있지만 집안의 수도꼭지를 열어놓고 왔는지 걱정할 때를 예로 들어보자. 그 사람은 사무실 공간을 사용하고는 있지만 의식은 집의 수도꼭지가 있는 공간에 집중한다. 이처럼 친밀도가 높거나 관심 및 이해관계가 많은 장소 간에는 상호간의 공간소비가 강력해진다. 또 한 가지 예로 아폴로 13호의 고장은 지구에 있는 관제센터의 사람들이 우주선의 고장 원인과 해결책을 찾는데 필요한 아폴로의 공간에 대한 엄청난 소비활동을 가져왔다.

공간소비의 질이 높아질 때는 어떤 일을 이루기 위해 현재의 공간 속에서 그 일을 할 때다. 그러면 그 현재의 공간은 선택되고 소비가 일어나며 기회비용으로 처리되지 않게 된다. 전 세계적 네트워크 가상공간은 실시간으로 제공되어 수많은 사람들이 전대미문(前代未聞)의 높은 소비활동을 벌이고 있다. 가상공간은 공간구성요소와 공간지지구조가 통합적으로 운용되며 비슷한 관점, 이해관계 등을 공유하는 사람들이 이 가상공간에 모인다. 이 경우 컴퓨터가 있는 실제공간은 기회비용으로 처리된다. 많은 사람들이 가상공간을 선택하고 소비하는 것은 실제공간의 기회비용보다 더 높은 효용가치(效用價値)를 가상공간이 제공한다고 보기 때문이다. 가상공간의 가장 큰 특징은 마치 우리 머릿속 공간과 같다는 점이다. 거의 모든 상상이 가능하며 다양한 가상세계가 너무나도 손쉽게 연결된다. 그 옛날 누군가를 만나고 무엇인가를 알고자 할 때 하염없이 기다리면서 낭비되던 시간은 이제 모두 사라져 가고 있다. 현재의 가상공간은 전 세계적으로 번져 네트워크와 단말기만 있는 곳이면 어디든지 가상공간을 사용할 수 있다. 다시 말해 공간소비의 질이 세계적으로 높아지는 순간이며, 세계화의 새로운 단계로 볼 수 있는 것이다.

국제질서

國際秩序

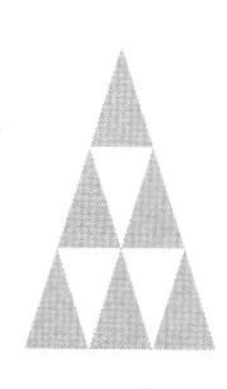

세계화를 하나의 과정으로 볼 때,
한 지역에서의 특정 현상이 공간영
역을 확장하는 것이라 할 수 있다

세계화(世界化)는 개인의 일상에서도 확인되는 현상으로 지금 가지고 있는 물건들의 생산지만 봐도 충분히 알 수 있다.

전 세계 사람들은 일상을 즐긴다. 각자의 처지나 환경조건에 따라 일상의 모습은 천차만별(千差萬別)이지만 누구나 일상생활을 하며 살아간다. 이는 우리가 일상공간의 질서를 알고 있기 때문에 익숙하고 편한 것이다. 그러니 누구라도 세계적으로 만연된 일상생활의 공통된 모습을 잘 파악한다면 세계 어디에서도 잘 먹고 잘살 수가 있다. 그런데 한 가지, 이 세계화라는 단어에는 약간의 어폐(語弊)가 있다. 인류는 이미 이 세계의 일원으로 살고 있기 때문이다. 그런데도 왜 세계화 개념은 이토록 중시되고 있는 것일까? 바로 이 개념에 대한 명확한 이해를 통하여 세계에 대한 올바른 관점을 가질 수 있기 때문이다. 그런 추론을 통해 우리의 일상과 우리 국가 문명이 지향해야 할 분명한 목적을 찾을 수 있다.

그러나 현실적으로 보면 세계의 공간은 우리가 감당하기에 너무나도 넓다. 이 넓은 세상에는 얼마나 재미있는 일이 많을까 하는 기대와 희망도 가질 수 있겠지만 반대로 좁은 일상의 경험을 확장하여 세계지역의 사정(事情)을 멋대로 단정(斷定)짓는 경향도 생길 수 있다. 귀찮거나 어렵게 느껴진다고 여겨 세계 사정이나 실태를 직접 알려고 노력하지도 않고 함부로 재단(裁斷)하는 일은 지양해야 할 것이다.

앞서 말한 '잘 알지도 못하면서 아는 체하는 것'은 일상공간의 측면에서 보면 일상의 일면으로 볼 수 있다. 일상공간은 세계 지역의 이슈를 다루는 곳이 아니기 때문이다. 그러나 해외바이어를 상대하는 일에서부터 사적인 해외여행을 할 때에 이르기까지 관련 세계지역에 대한 지식 축적은 경제적 성공과 함께 즐거운 삶을 이루는 원동력이 될 수 있다.

세계는 여러 국가로 구성되어 있다. 그러니 세계지역을 파악한다는 것은 곧 외국(外國)을 알아가는 것이라 할 수 있다. 국제화(國際化)는 국제적인 것이 된다는 의미로 국가 또는 국가집단별로 적용되는 질서, 원리, 규칙, 기준과 관련된 개념이다.

1. 세계화와 국제화

오늘날 우리 대한인(大韓人)은 서둘러 세계화가 되기 위해 애쓰고 있다. 이는 개화기 대한제국(大韓帝國)의 세계화 실패와 일제(日帝)에 의한 강제적(强制的) 세계화라는 뼈아픈 경험에서 기인한 것으로 사료된다. 그러나 반세기가 넘도록 아직도 타율적(他律的) 기준에 의한 세계화를 추구하는 것은 그다지 좋은 방법이 아니다. 이제는 우리나라에서 유래된 보편적이고도 상식적인 가치체계와 문화양식을 외국인들에게 전파하는데 집중해야 할 시기라고 보기 때문이다. 바로 우리를 구성하는 대한인 개개인의 가치체계와 생활양식이 과연 세계적인 것인가, 라는 문제의식의 답을 찾을 시기인 것이다.

세계화를 하나의 과정으로 볼 때, 한 지역에서의 특정 현상이 공간영역을 확장하는 것이라 할 수 있다. 세계화를 하나의 개념으로 볼 때는 개개인의 공간인식범위를 확대해나가는 정신적 노력으로 정의할 수 있다. 이 노력은 개개인 및 인류 전체의 정신적 개혁을 의미하는 것으로 사실상 거의 불가능한 일이기도 하다. 그런데도 세계화는 인류 개개인의 머릿속 사고(思考)에서 세계라는 공간적 범위를 고려할 때 완성된다. 공간인식범위의 세계적 확대는 세계의 여러 지역

사람들의 다양한 사고방식과 생활양식에 대한 각성(覺醒)에서 시작한다. 개인을 중심으로 보면, 세계화에는 두 방향이 있다. 하나는 어떤 현상이 전 지구적으로 번져 개인에게로 오는 방향이며, 다른 하나는 개인의 공간인식범위가 세계적으로 확대되는 것으로 개인의 내면에서 외부세계로 향한다.

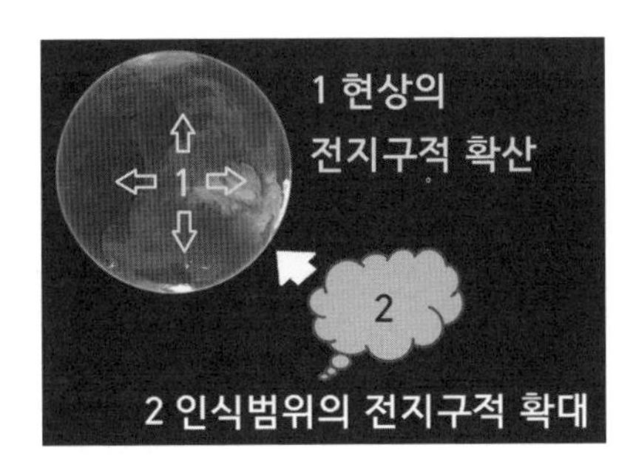

〈그림35〉 개인의 입장에서 본 세계화의 두 방향 (구글어스 변용)

1866년에 있었던 미국 상선 제너럴 셔먼호 사건이 조선의 세계화를 이루는 데 절호의 기회였다는 사실은 역사수업을 들은 이라면 누구나 알고 있는 부분이다. 이는 오늘날 개방된 대한민국에서 우리의 공간인식이 세계로 확장되었기 때문에 가능한 평가라 볼 수 있다. 우리 선조들은 쇄국(鎖國)을 하던 터라 미국 상선을 대동강에서 불태웠다. 조선이라는 '공간'만 생각한 행동의 결과였다. 당시 조선인들의 자존심은 하늘을 치솟았고 외적을 물리쳤다는 자랑거리가 생겼지만, 세상을 좀 더 넓게 바라보고 새로운 세상의 이치 속에서 조선의 이익을 취하려는 진취적인 자세는 사라져버렸다. 문제는 제너럴 셔먼호 이후 서양의 배가 조선의 앞바다에 출현하지 않았는가 하는 것이다. 서양의 배가 지구 저편에서 비싼 비용을 감수(甘受)하면서 오는 근본적 이유와 조선에는 한 척도 없는 엄청난 크기의 배를 만들어낸 서구의 문명적 실태에 대한 이해와 노력은 조선에서 전연 찾아볼 수 없었다. 서구의 선박 출현은 조선(朝鮮), 왜(倭) 및 대청(大淸)은 물론 세계 어디에서도 볼 수 있었던 세계적 현상이었다. 조선인들은 이 현상에 대한 심각성을 인지조차 하지 못했다. 거기에 따른 결과는 한국인 모두가 다 알고 있는 바다.

오늘날 영어 사용 역시 세계적인 현상이다. 물론 영어를 쓰지 않아도 잘 살 수 있지만 세계적 범위로 자신의 인식을 넓히려는 사람에게 영어 사용은 필수라고 할 수 있다. 예를 들면 국제기구에서 폼 나게 일하고 싶은 사람, 다국적 기업에 몸담아 전 세계를 누비며 부유하게 살고 싶은 사람, 전 세계 소비시장을 석권하려는 기업가, 전 세계를 여행하고 싶은 사람 등이라 할 수 있다. 세계를 대상으로 미래를 대비하는 사람들은 세계적인 공간인식범위를 가지게 되며 세계지역에 대한 지식을 습득하고 영어에 부단한 노력을 쏟는다. 수업시간을 봐도 국제기구에서 세계평화와 번영을 위해 일하는 사람들의 모습과 그런 직업을 가지기 위한 준비과정을 자세하게 들은 학생과, 단 한 번도 듣지 못한 학생 간에는 세상을 보는 시야에서부터 차이가 나게 된다. 또한 세계적 현상에 대한 현실적 대처 방식에도 차이가 난다.

세계적 현상이 개인의 문제로 오는 것은 우리가 막을 수 없다. 왜냐하면 외부적으로 다가와 삶의 조건이 되기 때문이다. 이때 개인의 공간인식범위를 확장하려는 노력(努力)에 따라 세계적 현상을 받아들이거나 받아들이지 않거나 어떤 때는 인식조차 못 할 수도 있다. 외적 현상으로의 세계화는 주어진 배경이지만, 개인 내면의 공간인식범위의 확장 정도에 따라 그 배경의 수용 수준 및 활용 정도가 결정되는 것이다. 우리가 일상생활(日常生活)에서 원하는 모습은 좀 더 편하고 잘 먹고 잘사는 것과 함께 삶의 의의(意義)에 대한 반성적 활동을 가지는데 있다. 이러한 일상적 삶의 모습에 대한 바람은 세계 여러 지역의 일상과 비교해서 좋은 것들은 받아들이고 체득하면서 우리 일상을 개선하는 것으로 실현된다. 세계화와 관련된 개념들을 보면 다음과 같다.

첫째, 현상으로서의 세계화는 보편화(普遍化) 및 일반화(一般化)라는 개념으로 그 특징을 요약할 수 있다. 보편화는 특수한 것에서 벗어나 널리 두루 미쳐 공통적으로 되는 것이며, 일반화는 일부에 한정된 것이 전반적으로 퍼지는 것이다. 세계화된 현상은 보편적인 성격을 가지며, 일반 사람에게까지 받아들일 수 있는 특징을 가진다.

둘째, 개화(開化)이다. 개개인의 공간인식범위의 확장이 일어나 세상을 보는 눈이 활짝 열리는 현상을 말한다. 개화가 이루어지면 사람의 지력(智力)이 확대되고 여러 사상과 문물, 제도 등이 진일보(進一步)된다. 또한 사람의 마음이 열려 세상의 실상(實相)을 있는 그대로 보기 때문에 세계화의 기초적 단계라 할 수 있다. 세상의 실정과 흐름을 그대로 보기 시작하면서 자신의 가치판단방식과 관점의 활용에 대하여 솔직해지고 세상의 돌아가는 이치를 잘 알게 되어 자신의 언행을 떳떳하게 할 수 있다. 개화는 문명개화(文明開化)이며 선진문물과 문화의 우수성을 본받는 것이기도 하다.

셋째, 『대학(大學)』의 평천하(平天下)를 들 수 있다. 평천하는 세상을 평정한다는 뜻으로, 큰 뜻을 이루려는 인간 행위의 능동성(能動性)을 강조한다. 개인 공간에서부터 세계 공간에까지 일관되게 작용하는 순리를 개인이 확립하여 그런 개인들이 세상을 순리대로 이끌어가는 것이다. 성실하게 의(義)롭게 살아야 가능한 것이다. 오늘날 모든 인류가 바르고 큰 뜻을 세우는 것은 세계적 문제에 대한 해결책을 마련하고, 인류가 보편적으로 바라는 세상을 이루게 한다.

평천하의 예로는 우리 기업의 제품들이 세계시장을 제패(制霸)하려는 목표를 들 수 있다. 세계시장 평천하 목표를 가진 기업들은 상품 생산에서부터 경쟁력을 높이고 기술 개발에 피땀을 흘리며, 세계지역과 세계시장에 대한 철저한 조사와 판매전략을 연구하고 실행한다. 이는 전 세계 소비자에게 신뢰를 주는 동시에 굳건한 실력과 성실이 뒷받침되어야 가능한 것이다. 우리 제품으로 세계시장을 평천하하겠다는 일념은 세상을 바로 보게 만들며 해외시장에 능동적으로 참여하게 만든다.

마지막으로 우리 교육의 목적이기도 한 홍익인간(弘益人間)을 들 수 있다. 세계화의 근본 목적은 인류를 널리 이롭게 하는 것으로, 의(義)로운 뜻을 담고 있다. 무릇 대한민국인(大韓民國人) 정신에도 이와 같은 세계화의 본(本) 또는 모범(模範)

이 깃들어 있으므로 반드시 세계적 문명대국을 이룩할 것이라 믿는다.

국제화는 인류 대부분이 특정 국가에 속해 있다는 현실을 반영한 개념이다. 국민을 대표하는 정부가 외국과의 외교 및 경제협정을 체결하고 국가적으로 협정 내용의 강제적 실행을 하는 것으로 국가 간 통합시장의 확대를 예로 들 수 있다. 국제화와 관련된 개념들은 다음과 같다.

첫째, 부국(富國) 개념과 연관되어 있다. 국제화는 국가와 국민을 부강(富强)하게 만들려는 의도(意圖)를 가지고 있다.

둘째, 국익(國益)과 관련된다. 국제화는 국가 이익을 위해 국가 정부가 주도하는 것이다. 국가를 대표하는 인재(人材)의 협상 경쟁력이 중시된다. 국가를 대표하는 자의 소속(所屬) 국가(國家)의 이익(利益)에 대한 투철한 관념이 형성되어야 한다. 국익은 국제화의 구체적 목표다.

셋째, 국제적 인재와 관련된다. 국제화는 국제관계와 역학(力學)에 대한 전문적인 경험과 지식을 바탕으로 실현되며 세계국가와 사람들에 대한 있는 그대로 볼 줄 아는 지리실력(地理實力)이 요구된다. 세계 각국의 이해관계(利害關係)를 면밀히 분석하여 우리 국가의 이득(利得)을 최대한 많이 가져오는 게 지리실력인 것이다. 이는 국가경쟁력(國家競爭力)의 핵심이기도 하다.

'세계적이 된다' 혹은 '국제적이 된다'는 것은 어떤 수준 또는 기준을 뛰어넘는 것으로 볼 수 있다. 세계적 기준(世界的 基準) 또는 국제적 수준(國際的 水準)의 특징은 무엇일까? 바로 보편성(普遍性)을 가지는 것이며 공명정대(公明正大)하며 선진문명성(先進文明性)을 띠는 것이라 간단히 말할 수 있다. 여기서 보편성은 모든 것에 두루 미치거나 통하는 것으로 전 세계 모든 인류에게 잘 받아들여지는 성질을 말한다. 보통사람은 세계지역을 대체로 두 가지의 관점으로 본다. 하나는 그들에게 이익이 되는 의식주 문제 또는 생활환경의 향상과 연관된 것이고, 다른 하나는 그들에게 여가(餘暇)의 공간이 될 수 있는 정신적 충전장소로 보는 것이다. 세계화를 통하여 사람들이 원하는 보편적인 실제 생활모습은 좀 더 편안하게 즐기면서 살아가는 것이라 할 수 있다. 세상일이 개인 생활의 질적 발전에 효험(效驗)이 되는가 하는 측면에서 세계화와 국제화의 최종목적 또한 보통 사람들이 가진 보편적인 생각을 실제 생활에서 실현하게 하는 것이라 할 수 있다.

〈표1〉 세계화와 국제화 비교 정리

국제화	세계화
주로 외교 국가 경제 측면 정부 주도 가시적 결과물(협정, 규격) 강제성 국제적 규칙, 계약, 약속, 법	정치, 경제, 사회, 문화의 모든 측면 일상생활 비가시성 강함 보편성 자연원리 및 사회적 순리

세계화가 개인의 자아 반성과 세상을 보는 관점 개선 등의 내면 활동과 관련된다면, 국제화는 법과 질서를 지키는 등의 외면 규칙 준수와 연관된다. 국제화 현상이 이처럼 명확하게 드러날 수 있는 건 세상의 교류가 국가라는 공간 단위로 이루어져 있기 때문이다. 국가들은 다른 국가와의 동맹 관계 등을 통하여 이웃 국가와의 힘의 균형을 이루면서 국제질서를 형성한다.

2. 국가와 국제질서

국제사회는 권력관계에 있으며 국제질서(國際秩序)를 따른다. 각 국(國)의 번영은 국제질서 속에서 어떤 권력관계에 위치하느냐에 따라 좌우된다. 오늘날 국제사회는 제2차 세계대전(第二次世界大戰) 후의 국제연합(國際聯合) 체제이며, 인류는 역사상 완전히 새로운 세상질서 속에서 살고 있다. 새 세상질서의 핵심은 전 세계가 자주독립국(自主獨立國)으로 구성되어 있다는 것이다. 자주독립국은 국가 단위로 인권(人權)을 보장하자는 의도로 세워졌으며 국토라는 공간범위 내에서 온전한 주권을 행사한다. 이처럼 자주독립국으로 세계질서가 구축된 것은 하나의 정체(政體)가 전 지구를 다 지배하지 못하며 이 세계에는 다양한 사람들이 사는 데서 기인한 것이다.

오늘날 국가는 비슷한 성향의 사람들끼리 모여 살면서 행복을 추구하는 인간의 속성을 반영하는 체제로 운영되고 있다. 국토의 효율적인 활용을 통하여 소속 국민들이 행복하게 살기 위한 모든 제반 활동이 장려되며, 특히 교육활동과 과학기술력 향상 등에 대한 정당한 투자활동에 대하여 모든 국가가 서로 존중해주는 입장이다. 남의 국토를 강제로 빼앗거나 인권유린(人權蹂躪)을 자행(恣行)하는 것 외에는 잘 살기 위해 행하는 정의롭고 정당한 노력과 수고에 대하여 강대한 나라라도 약소한 나라를 간섭하지 않는다. 이게 21세기 새로운 세상의 모습이다.

앞서 말한 정당한 투자활동에는 자유경쟁 분야의 고급학문과 과학기술이 있다. 오늘날 선진국은 국가교육을 최우선 경쟁사업으로 인식하고 있으며 국제적 인재를 양성하려고 최선을 다한다. 즉 세계는 전쟁과 같은 물리적 경쟁의 장소가 아니라 사람들의 지력(智力) 확장을 통한 정신적 경쟁 무대인 것이다. 그만큼 국가의 부강(富强)은 국민들의 실력에 달려 있다고 봐도 과언이 아니다. 교육에 의한 국민 전체의 지력 향상에 국가의 번영이 달려 있는 것이다. 그리고 국민 지력 향상의 주도세력은 교원(敎員)들이다.

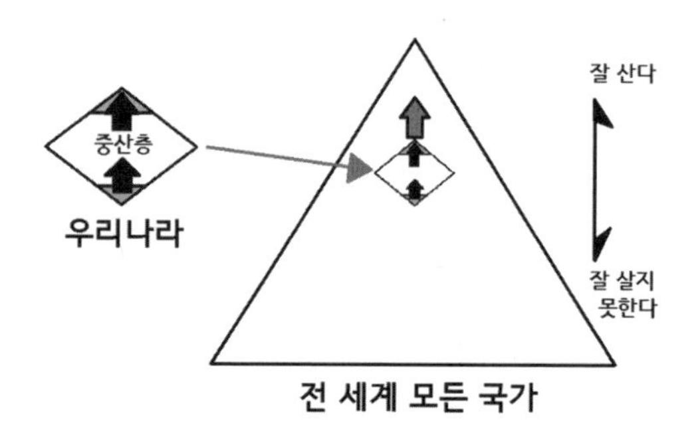

〈그림36〉 간단 도식화된 국가교육의 목표

(조사활동)

1. 구글에서, '국제연합 헌장 및 국제사법재판소 규정'을 찾아 읽어보고(http://www.law.go.kr), 국제연합헌장의 주요 내용을 개념도로 그려보자.
2. 구글에서 '국제인권조약집'을 입력하여 유네스코한국위원회에서 제공하는 국제인권조약집을 다운로드한 뒤, '세계인권선언'과 '아동의 권리에 관한 협약' 부분을 읽고 주요 내용을 개념도로 그려보자.

국가(國家)는 독립적으로 국익(國益)을 추구(追求)하며, 자치적인 규범(規範)과 헌법(憲法)에 따라 국토 내에서 고유의 공간질서를 구축한다. 공식적(公式的) 경제(經濟)단위이자 통계단위(統計 單位)이며 역사기록(歷史記錄) 단위이기도 하다. 그러므로 국가는 세계지역 구분의 실질적 단위이며 세계 인식의 기본적 공간단위가 된다. 또한 지표상에 국경(國境)이라는 장벽의 한쪽 면에 대한 관리의 주체이며 그 나라의 풍속, 정치 및 법률체제에 따라 국경 밖의 세계와 인적 및 물적 교류의 양과 질이 결정된다.

자주독립국들은 자국의 이미지에 대하여 홍보활동을 펼칠 수 있다. 국가 이미지에 대한 고찰은 다른 나라 사람들이 해당 국가를 어떻게 보는가? 라는 반성적 사고(思考)의 일환이라 할 수 있다. 보통 국제기구나 국제스포츠 관련 행사 때, 국가의 이미지에 대한 활동을 한다. 국가의 평가는 곧 개인에 대한 평가로 이어진다. 그래서 외국에서는 자국의 이미지를 생각하며 행동하게 된다. 흔히 잘 모르는 세계국가에 대해서는 간단하게 치부하는 경향이 있는데 해당 국가에 대한 특수한 인상(印象)을 바탕으로 그 국가 출신의 사람에 함부로 대입하는 경우만 봐도 충분히 알 수 있다.

국가의 경제활동은 그 나라의 힘을 보여준다. 그리고 국가는 국경 안에서 하나의 경제단위를 형성한다. 국가 내에서는 지리공간적 위치와 거리 관계 등에 의해 중심이 되는 지역과 주변 배후지역이 존재하는데, 이 국가의 공간단위에서 최선의 생산 및 소비활동이 동시에 펼쳐짐으로써 효율적이며 효과적인 경제순환이 발생한다. 여기에는 특정 시기에 맞는 최적의 경제활동 공간이 있으며, 국토 공간의 사용을 최적화하여 국가 전체의 경제적 이익을 최대한으로 달성할 수 있다. 한편 자주독립국이 국가보전 문제를 온전히 스스로의 능력으로만 해결하는 경우는 거의 없다. 모든 국가가 경제활동으로 인하여 창출할 수 있는 국력(國力)에는 한계를 가지기 때문이다. 그래서 국토와 국경선 문제를 비롯한 국방 문제는 국제적 이해관계와 동맹관계를 통해 해결하거나 현 상태를 유지하는 것으로 마무리 짓는다.

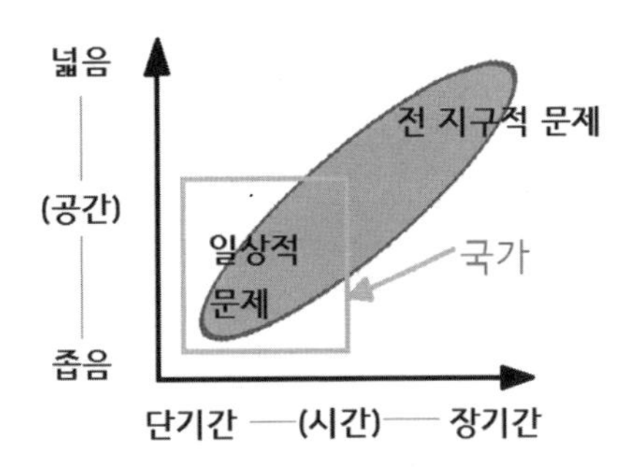

〈그림37〉 국가의 작용범위

국가 작용은 국민이 추구하는 행복한 삶을 성취하고자 하는데 그 목적이 있어 국민의 일상과 단기간적 시간 범위에서 주로 이루어진다. 공직자는 국민에게 봉사하는 자들이며 그들의 역할은 국민들에게 최대한의 이익을 가져다주는 것이다.

인류 개개인이 전 지구적 문제를 해결하는데 적극적인 태도를 보인다 해도 정작 실행하는 것은 쉽지 않다. 이를 실천하는 구체적 방법이 전 지구적이지 않고 원한다고 해서 언제든 외국으로 나가 실천할 수가 없기 때문이다. 국제사회는 국가의 이해관계(利害關係) 중심으로 작동한다. 국가는 인류가 집단적으로 행동을 하는 종(種, species)의 특성에서 나온 것이지만 국가범위 내에서 행동하도록 강요하며 국가범위 밖에서의 행동을 제한한다. 오늘날 인류 전체에 해당되는 전 지구적 문제가 대두되고 있는데 이는 세계화가 될수록 문제가 더 심각해질 우려가 있다. 인류 모두가 일상에서 행하는 작은 개선(改善)으로부터 전 지구적 문제 해결의 실마리를 찾을 수 있겠지만 현실적으로는 거의 불가능에 가까운 것이다. 우선 국가라는 공간적 실체(實體)에 대해 알아보자.

국가의 공간적 실체는 국토(國土)다. 국토는 국가의 공간적 지배범위를 나타낸다. 여기서 국(國)은 구획된 토지를 말하며 국토와 국가(國家)를 포괄한다. 또한 국가는 국토와 왕실을 의미하며, 옛날에 왕이 곧 국가였던 것을 반영한다. 과거에는 왕의 통치가 직접적으로 미치는 장소가 성곽(城郭)이었으며, 성곽은 각각 내성(內城)과 외성(外城)으로 나뉜다. 내성은 그야말로 군주의 공간이며 외성은 왕에게 봉사하는 사람들인 민(民)의 공간이었다. 주인의 지배권이 절대적으로 행사되고 타인(즉 다른 국가의 왕)에게는 배타적인 공간으로 국가의 초기 공간적 범위는 성곽이고 도시국가였다. 마지막으로 가(家)는 과거에는 세계 그 자체였다. 말인즉슨 과거에는 가장(家長)이 막강한 권력을 행사했다는 의미다. 흔히 가부장이라는 말이 있듯이 가장은 한 집안의 절대적이고 유일한 사람으로 존재했으며 오늘날에도 가(家) 전통은 지속되고 있다.

과거엔 오로지 왕(王)만이 인(人)이고 나머지는 민(民), 즉 피지배계급에 속했다. 그마저도 민이 아니면 사람 취급도 받지 못하는 노비(奴婢)로 불렀다. 당시의 노비는 지금의 물건, 가축과 같은 존재였다. 제국(帝國)은 다른 국가를 흡수하여 지배력을 그 국가로 넓혀 이(夷)를 민(民)으로 만드는 작업을 해 왔다. 망한 국가의 인과 민은 민 또는 노비로 전락(轉落)되었고 제국의 확장은 자주독립국으로 이루어진 오늘날 세상에서도 공산제국주의의 무력확장형태로 남아 있다. 인류가 공산주의에 저항하는 이유가 바로 여기에 있다.

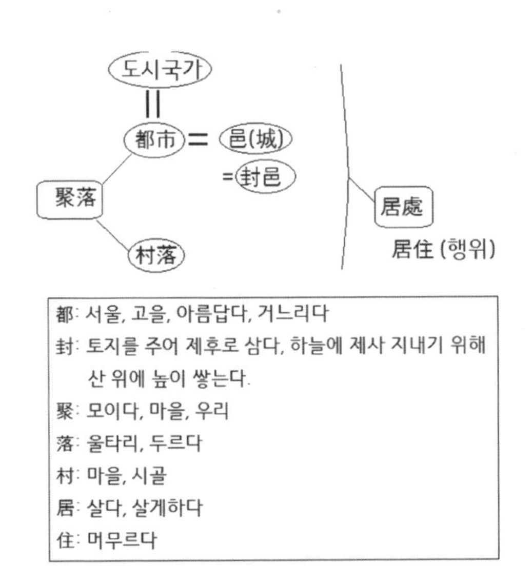

〈그림38〉 도시 관련 개념들

도시는 취락의 한 형태다. 문명 개념과 연관된 논의에서는 주로 도시를 대상으로 할 수밖에 없는 게 도시가 예로부터 중요한 기록물을 남겨왔기 때문이다. 도시국가는 천제(天祭) 또는 국가제사(國家祭祀)를 시행했는데 이는 제사를 지낼 수 있는 단 한 사람이 할 수 있는 일이었다. 다시 말해 국가가 하늘에 제사를 지내는 것이다. 국가제사는 통치체계(統治體系)의 확립과 통치의 근거 및 정당성을 만천하에 보여주는 행사로 국가의 율령(律令)이 정해져 시행될 수 있는 근거가 마련된다. 이때 국가의 결정, 국가의 일, 즉 왕의 말은 빠짐없이 기록(記錄)된다. 이는 국가의 연속적인 계승이 이루어지는 증거물이 되며, 문명의 잣대 역할을 하는 것이다. 피지배 계급과 노비의 생활은 미개한 것으로 기록할 가치가 없었다. 반면 왕이 될 자에 대한 교육은 어릴 적부터 시작되었다. 왕이 되지 않는 자들은 모두 왕을 보좌하기 위한 교육을 받았다. 그러나 오늘날은 모두가 주인이며 왕이다. 또한 민(民)이기도 하다. 누구나 기록을 남길 수가 있다. 문제는 과연 기록으로 남겨질 가치가 있는가에 있다!

도시국가는 도량형(度量衡)을 통일했다. 도량형 교육은 모든 사람들을 대상으로 하는데 국가가 바뀌면 도량형도 바뀌었다. 도량형은 실생활에서 쓰이는 표준가치를 정하는 것이며 공간질서를 규정한다. 이때 공간이동인 시간에 대한 질서 규정은 절대적 영향을 끼친다. 달력은 도시국가문명 질서의 핵심이다. 달력은 일상생활에까지 영향을 주며 국가 내의 모든 사람을 하나의 질서체계로 묶어둔다. 세금을 납부할 날짜를 정하고 일상의 노동에 강제성을 가져오며, 굉장히 빠듯하게 노동시간이 정해진다. 어디서 일을 하며 언제까지 일해야 하는지에 대한 지침이 되기 때문에 오늘날에도 달력의 위력은 가히 절대적이라 말할 수 있다.

오늘날은 바다도 국토로 본다. 바다 영토의 중요성은 바닷길을 통한 무역거래의 증가와 해양자원의 개발 증가에 따라 날로 커지고 있다. 국가에 대한 규정에 있어서는 예전과 크게 달라지지 않았지만 국가의 구성원에 대한 인식에 있어서는 큰 변화가 일어났다.

- **(과거)**國=國土=國家　國家=天子, 君主, 王
- **(현재)**國=國土=國家　國家≠國民**(모두** 王**)**

- **(현재)** 國民= 百姓 = **(과거)** 諸侯 = 邦家
  (현재) 百姓 ≠ 國 = 邦　例) 世界萬邦

〈그림39〉 국토는 국가다
전시(戰時)에는 국민 전체의 관심이 국토에 집중된다.

과거에는 왕이 지위를 잃으면 그 국가는 멸망의 수순을 밟았다. 신라의 경순왕이 고려 태조에게 국가를 바치면서 신라가 멸망한 것처럼 말이다. 오늘날 국민은 국가의 주인으로서 과거의 왕과 같은 지위에 있다. 그렇다고 모든 국민이 다 왕이 될 수는 없다. 대신 국민이 선출한 대표들에게 지배를 받는다. 알다시피 과거의 백성이라는 말은 오늘날의 국민과 같은 뜻으로 사용된다. 과거 백성은 성(姓)을 가진 지배계급으로, 제후 또는 귀족으로 지칭했고 극소수만이 성씨를 가질 수 있었다. 그러나 오늘날 백성은 국가의 한 구성원일 뿐 국가 자체는 될 수 없다.

옛날에는 노예가 압도적인 인간의 지위였지만 오늘날에는 노예가 없다. 오늘날 정치적 지배계층은 소수로 그들은 다수의 주인들인 국민에게 봉사한다. 봉사한다는 개념은 대통령조차도 자기 마음대로 아무렇게나 정치를 할 수 없게 만든다. 대통령은 제한된 기간에 한해 그 자리에서 법에 규정된 권력을 행사한다. 그리고 재직할 때는 물론 물러나서도 권력행사에 대한 책임이 뒤따른다. 국정운용에 따른 국민과 사회로부터의 엄청난 평가가 그것이다. 그러니 높은 자리에 올라선 자들이 자기 자신에 대해 경계심을 가질 수밖에 없다.

오늘날 국가권력의 의미는 인류 역사의 발전을 나타내며, 현재 인류의 모든 의식과 삶의 근본까지 재편되고 있는 중이다. 재편 과정의 속도가 세계지역마다 차이가 나는데, 주로 국가별 정치체제에서의 차이에서 기인하며 국가교육을 통하여 강화(強化)되기도 한다. 오늘날 국가의 구성원들인 국민은 그 수만큼 다양한 가치관과 행동기준을 가지고 있다. 그래서 자유민주국가에서는 법치(法治)가 가치와 행동기준으로 작용한다. 다양한 가치관과 행동기준을 모두 포함하는 보다 보편적인 약속체계, 법질서를 국민들이 모두 따르게 될 때야 비로소 국가사회는 민주적이 되며 화합과 번영을 모두 이룰 수 있게 된다.

〈표2〉 국가구성원 유형

이름	특징
國民	국가구성원, 권리, 국가보호대상, 국민생활 국가책임 예) 주민등록증
市民	자율, 개인 책임, 자조, 참여, 경제적 자립 예) 운전면허증, 여권
臣民	신하, 제국, 왕국, 입헌군주국, 국민의 원래 형태, 왕국의 국민
人民	무산계급이라는 명목상 정의, 공산제국에서 실제로는 차별받는 피지배계급

세계시민(世界市民) 개념은 공간적으로 모순(矛盾)된다. 시(市)의 주민(住民)이란

도시의 공간에다가 세계라는 공간을 결합시킨 것이기 때문이다. 이는 도시국가 발달단계의 플라톤의 철인(哲人), 공자의 군자(君子)라는 개념이 세계화된 것이라 할 수 있다. 세계시민은 또한 근대도시의 시민들이 발현한 시민성(市民性)을 세계적 범위로 확장시킨 것으로써 교육의 개념이 되기도 한다. 국가교육이 산출하려는 세계적 인재(人材), 국제적 인적 자원이 갖추어야 할 기본적 인간상 또는 기초적 소양을 갖춘, 소위 말하는 된 사람을 잘 나타낸다.

(옆길로 가 사색하기)

국가와 국민은 어떤 관계인가? 우선 개인의 정체(正體)인 개인의 성명(姓名)을 국가가 공식적으로 인정해준다. 국가는 정의(正義)를 구체적으로 규정하는 단위이기도 하다. 선진문명인들이 보이는 애국심(愛國心)을 생각해 보자. 오늘날 우리 국가가 추구하는 정의가 자신이 지향하는 정의라고 할 수 있는가? 우리 국가가 지향하는 가치가 인류가 보편적으로 추구하는 것과 같다고 생각하는가? 그렇다면 어떻게 증명할 수 있겠는가?

인류(人類)가 쓰는 언어(言語)는 다양(多樣)하다. 세계 각국(各國)은 특정언어를 공식적으로 사용하며 국제거래나 국제기구 등에서의 협의과정에는 공용어를 사용한다. 하지만 그렇다고 세상의 모든 언어들이 문자(文字)를 가진 것은 아니다. 글자는 교육되는 것이며 문명의 역사적 지속과 번영의 표상으로써 기록 활동을 통해 인류 정신분야의 연속적 발전이 이루어져 왔다. 문자는 학문 발전의 토대이기도 하다. 극소수 지배계층에 한정되었던 옛날과는 달리 요즘은 누구나 문자교육의 대상이 되어 손쉽게 글자를 배울 수 있다.

오늘날 대한민국 국어(國語)의 한자(漢字)는 대한문명 역사의 상징이다. 그러나 자신의 이름을 한자로 쓸 줄 모르는 문맹자(文盲者)들이 넘쳐나는 것이 현실이다. 그들은 왜 한자는 도외시하면서 영어는 기를 쓰고 배우려 하는 것일까?

〈그림40〉 왜 그럴까?

알다시피 영어(英語)는 강대국(强大國)의 언어(言語)이기 때문이다. 그래서 모국어 외에 영어를 공용어로 택한 국가도 많다. 국제사회에서는 우리 국어를 마음대로 사용할 수 없는 현실이 존재한다. 강대국 언어의 영향권이 상당히 넓다는 특징도 있다. 영어의 경우, 영연방(英聯邦)과 미국(美國)만 보더라도 그 세계적인 영향권을 짐작할 수 있다. 언어는 그 언어를 사용하는 사람들의 공통된 가치를 표현하는 약속된 기호체계이다. 영어가 전 세계적으로 맹위(猛威)를 떨치는 것은 그 언어를 사용하는 사람들의 가치관에서 세계적인 보편성이 있기 때문이다. 영어를 세계화시킨 영미인들은 주도적으로 자신들의 가치관을 세계적 수준으로 만들어왔다. 까다로운 표준가치를 자신들에게 가장 먼저 적용시켜 자신들을 최고의 자리로 올려놓은 것이다.

모어(母語)가 영어(英語)인 사람들의 사고(思考)는 꽤 논리적(論理的)이라 할 수 있다. 특히 사물 간의 인과관계(因果關係)를 설정하여 문제해결에 집중하는 편인데 이는 아서 코난 도일의『셜록 홈즈』소설 속의 수사(搜査)방식에서도 확인되고 있다. 이처럼 양의학(洋醫學) 및 근대 법체계는 논리적 인과관계를 바탕으로 한다. 서학(西學) 중심인 우리 대학 학문에서도 이 같은 논리를 손쉽게 찾아볼 수 있다. 서학은 사물에서의 논리적 인과관계를 중심으로 세상을 바라보는 교육을 한다. 논리적 사고는 개인이 하는 것이며, 논리적 사고를 잘하는 국민이 늘어날 수록 그 국가가 문명적으로 발달하게 되는 건 당연한 이치다. 논리적 사고를 잘하기 위해서는 사물을 잘 구별해야 한다. 영미인(英美人)들은 분류된 사물을 상호배타적(相互排他的)으로 처리한다. 어떤 것을 선하고 다른 것을 악이라고 규정한다면 그사이에 선하기도 하고 악하기도 한 것은 없다는 것이다. 이해관계(利害關係)에서 이익을 보면서 손해를 보는 어중간한 셈법은 없다. 중간이 없는 분류방식은 공과 사를 구별하게 만든다. 이는 사물을 수량(數量)으로 바라보는 입장과도 관련된다.

영어를 사용하는 사람들은 사물을 우선 수량화(數量化)한다. 우리말에서 '사람'은 한 개인을 뜻하기도 하며 인류 전체를 말하기도 한다. 하지만 영어에서는 이를 구분한다. 이처럼 사물을 수치로 먼저 보는 사고방식은 객관적 사고를 가져온다. 객관적 사고는 감정요인이 개입될 수 없으며, 세상일을 논리적으로 접근하여 실리(實利)를 추구하게 만든다. 사물을 수치적으로 보는 것은 추상적인 개념까지 실체와 같은 대상(對象, object)으로 만들어 생각할 수 있게 한다. 추상적 개념을 물리적 대상으로 만들어 대상의 공간적 확산 정도나 실적(實績)을 수치척도로 평가하여 대상 적용의 성과(成果)를 측정할 수 있다. 영미인들은 법치(法治)를 중시하며, 합의된 규칙과 법 규정을 그대로 따른다. 약속은 약속대로 지킨다. 어떤 것이든 대쪽같이 합의된 대로 규칙을 지키며 이는 현재 세계적 정의의 핵심을 이루고 있다. 이때 법치는 자연의 법질서를 지키는 것도 포함하며 영국과 미국의 과학기술이 이를 세계학문의 표준이 되도록 만들었다. 자연의 법질서를 지키는 것 자체는 보편성을 추구하는 것과 같다. 그러므로 우리가 대학에서 배우는 것은 영미인들 및 서구인들이 규정대로 살아가는 것 즉, 자연 법질서를 세밀하게 연구하는 것이라 할 수 있다.

국제적 환경에서 더 많은 기회를 얻기 위해서는 국제공용어인 영어를 자유자재(自由自在)로 구사할 줄 알아야 한다. 영어로 표현되는 국제적 표준, 기준, 규칙, 질서, 고급문화 양식이 지구를 지배하고 있는 현 상황에서는 특히 더 그러하다. 영어는 강대국(强大國)이 정한 거래방식과 규칙을 포함하고 있다. 영어를 사용하는 강대국들은 동맹국(同盟國)들이 많다는 이점이 있어 다양한 동맹관계로 국가경쟁력은 더욱 굳건해진다. 고로 영어는 공동번영을 추구하는 국제적 동맹의 표준언어인 것이다.

영어는 일찍이 제국의 언어였다. 제국의 확장은 문명(文明) 지역과 미개(未開) 지역의 구분에서 시작되어, 미개 지역을 문명 지역이 지배한다는 논리로 이루어졌는데 이때 마지막 거대 제국은 이전의 제국과는 다른 새로운 규칙을 만들었다. 그들이 지배하는 공간범위가 증가할수록 그들의 공간질서를 세계적 표준으로 만들었던 것이다. 그들은 모든 것을 영어문서로 상세하게 기록하고 문서로 기록된 세계적 표준을 습관적으로 지키기 위해서 많은 시간과 돈을 투자했다. 또한 문명화되기 위한 시간과 노력을 국가교육으로 체계화하여 제국의 질서와 규칙들이 문명적 표준이 되었으며, 세계적 경쟁력을 가지게 되었다. 그리고 제국의 문명적 표준을 표현하는 영어는 모든 교류와 소통의 언어로 정착하게 되었다. 제국은 여기에만 그치지 않았다. 자신들이 영어로 표기하여 만든 세계적 가치기준 자체를 공명정대(公明正大)하게 만들어 인류의 보편적 가치로 바꾸었으며, 항상 자신들의 지배층부터 우선 적용시켰다. 이처럼 외부인의 영어사용은 지배층도 어쩔 수 없는 세계의 규칙과 질서를 따르는 것이었다.

초강대국은 나름의 엄격한 세계 질서와 규칙을 가지고 있다. 그들은 국제이슈 중재자이며, 국제문제에 있어서 균형론자 역할을 한다. 그러나 단독으로 하지 않고 집단체제 또는 동맹관계를 형성하여 세계 보편적인 규칙과 질서를 확대하려 한다. 한편 초강대국에 미치지 못하는 어중간한 강대국들도 존재한다. 그들이 구축한 질서와 규칙은 세계적이지 않는 경우가 많으며 진짜 초강대국과 경쟁무드를 형성하여 자신들만의 지배공간을 지속하려 한다. 그들은 직접적으로 초강대국과 상대하지 않고 인접한 약소국을 이용해 발판을 마련하는 경향이 있다.

특정한 국제문제에 대한 약소국과 강대국 간의 입장 차이를 이해하는 것은 약소국의 국익에 큰 영향을 준다. 약소국에는 국가의 운명이 걸린 '전략적(戰略的)'

문제이지만, 강대국에는 단기적 손익계산의 '전술적(戰術的)' 문제로 격하된다. 이는 지리적 위치, 영향권, 공간의 기능 등의 공간 특성에 대한 약소국과 강대국이 바라보는 관점의 차이에서 나온 것이다. 강대국은 여러 약소국들과도 긴밀하게 교류한다. 하나의 약소국은 강대국과 동맹을 맺은 여러 약소국들 중 하나일 뿐이다. 한마디로 약소국은 강대국과의 동맹에 있어 다른 약소국들과의 경쟁 관계에 있는 것이다. 그러나 동맹관계의 경우라도 객관성을 유지해야 한다. 또한 약소국은 국제문제의 동맹을 맺은 강대국 지도자들이 동일한 전략 수준으로 인식하게끔 동맹국으로서의 역할에 충실해야 한다. 만약 약소국의 문제가 강대국의 전략적 이해로 격상된다면, 약소국의 국제문제는 대부분 해결된다. 이 경우 강대국의 여타 동맹국들도 같은 편이 된다. 중요한 것은 약소국 자신의 국익인 것이다. 국익이 중시되는 국제관계는 개인 관계 또는 사회 집단적 관계와는 그 작동원리가 근본적으로 다르다.

영토문제는 이웃 국가와의 문제로 대두된다. 국토는 무조건 지켜야 하는 것으로써 동맹의 숫자가 많거나 초강대국이 우리 편을 들수록 확실하게 지킬 수 있다. 그러나 약소국의 경우, 적대적인 이웃 강대국과 전쟁 등의 급변적인 사태가 발생하면 내부에서 싸움이 일어난다. 이것은 지난 역사가 증명하고 있다. 대한민국은 미국이라는 초강대국과 동맹을 맺으면서 70여 년간 국가 내부에서 일어나는 갈등과 불화를 모르고 살아왔다. 이러한 내부적 분열이 없는 가운데, 최소한의 방책(方策)인 초강대국과 친분관계를 유지할 수 있다면 이웃 강대국과의 모든 영토문제에서 항상 승리할 수 있을 것이다. 그 대표적 예가 이스라엘이다. 이렇듯 영토문제는 동맹과 제3국의 지지, 초강대국의 지원이 절실하게 필요하며 지리적 위치와 국제적 이해관계에 의해 영토가 결정된다.

인간의 모든 행위는 하고자 하는 목적을 가지고 있다. 공통된 목적과 관심사가 있으면 개인뿐 아니라 국가수준에서도 함께 일을 할 수 있다. 특히 자주독립국에서는 모든 것을 혼자서 다 할 수 없기에 집단체제를 이루거나 동맹관계가 형성된다.

북대서양조약기구(北大西洋條約機構, NATO)의 회원은 전쟁 위협에서 벗어나 평화를 보장받고 있다. 한미연합군사령부(韓美聯合軍司令部)도 동맹체제의 강력한 예로써 한반도 전쟁 억제력(抑制力)의 실체이며, 동북아(東北亞) 평화의 초석(礎石)이라 할 수 있다. 이러한 집단동맹체제는 집단자위권(集團自衛權)이란 개념에 기초를 두는데 집단자위권(=집단적자위권)이란 동맹관계에 있는 어떤 국가가 무력공격을 당할 경우 동맹관계인 국가들이 그 무력공격에 협동하여 반격할 수 있는 권리를 말한다. 동맹관계는 간단하게 말하면 각자의 이익을 위해 끼리끼리 뭉친 것이다. 여기서 끼리끼리는 자격조건을 의미하며 그들은 함께하면서 동맹이 약속한 규칙과 질서를 따라야 한다. 이러한 동맹국간의 규칙이 지켜지는 가운데 공동의 이해관계에 대한 기준을 공유하여 같이 번영하겠다는 데 그 의의가 있는 것이다.

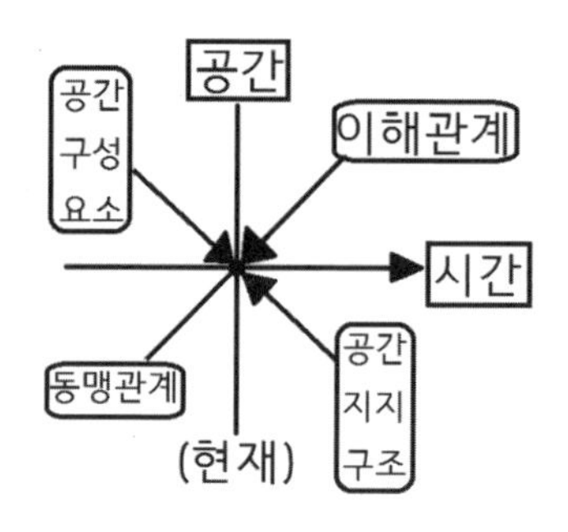

〈그림41〉 동맹이 일을 하게 되는 요건들의 집중

국제관계는 국가 간의 이해관계(利害關係)를 바탕으로 한다. 상호 이해관계가 맞으며 공간구성요소와 공간지지구조가 받쳐줄 때 동맹이 이루어질 수 있는 것이다. 특히 다양한 국가들과의 이해관계에 있어서 다원적 사고는 굉장히 중요하다. 국제관계는 군사관계, 정치외교관계, 경제관계, 문화적 관계, 과거청산 문제 등을 각각 따로 봄으로써 한 분야의 문제를 전체 관계로 확대하지 않는다. 간혹 이해관계가 첨예하게 대립될 때는 국경문제, 침략 등 영토 분쟁이 발생했을 때인데 이런 때에도 실질적 전쟁 상태가 아닌 이상 군사, 경제, 문화 분야를 각각 독립적으로 볼 필요가 있다. 이런 게 가능한 데에는 국익(國益)을 중심으로 한 국제관계가 중심에 있기 때문이다. 국익은 현재적인 것이다. 과거의 일이나 미래의 국제관계에 대한 것이 아니다. 이는 국제사회의 시론(時論)이 현재의 일에 국한(局限)되어 있기 때문에 국익에 도움되는 국제관계를 국익이 발생하는 동안 지속하는 것이다. 미래의 어떤 시기에 어떤 국가와의 이해관계를 예상하고 그에 맞게 현재의 국제관계를 희생하거나 강제로 조정하는 것은 국제관계에 대한 이해가 부족하기 때문에 발생한 것이다. 미래의 국제관계는 미래 상황에서 국익에 따라 실현하면 된다. 동맹관계는 뚜렷한 국가적 해가 증명되지 않는 한 지속되어야 하며 최대한 많이 늘려나가야 한다. 그렇다고 우리의 국익을 외면해도 된다는 말은 아니다. 모든 국가와 동맹 관계를 맺을 수는 없는 노릇이니 새로운 국제관계는 기존의 국제관계를 유지하면서 넓혀가야 할 것이다.

우리는 우리가 바라는 대로 세상을 평가하는 경향이 있어 개인적 관점을 집단적 관점으로 확장 해석하는 실수(失手)를 저지를 수 있다. 이는 현실에서는 굉장히 우려(憂慮)되는 일이 아닐 수 없다. 특히 국가를 대표하는 자가 국제 현실과 국제적 이해관계에 근거하기보다는 사적 이익, 사조직의 이익, 혹은 추상적인 이상(理想) 등에 근거하여 국가적 판단을 할 경우, 국가에 막대한 손실을 끼칠 수 있다. 국제적 인재는 국제사회의 현실적 이해관계(利害關係)에 대한 명철한 이해(理解)와 그 관계 속에서 국익을 최대한 많이 충족시키는 역할을 해야 한다.

종종 국제연합이 특정 자주독립국에 인도주의적 군사개입을 할 때가 있다. 이는 보호책임(保護責任, R2P) 개념과 관련된 국제적 행동으로 해석된다. 여기서 보호책임이란 세계 각 국은 자국민을 대량학살, 전쟁범죄, 대혼란 등으로부터 보호할 책임이 있으며, 국제사회는 이런 세계 각국의 책임을 도와줄 책임이 있다는 뜻이다. (참고:http://www.un.org/en/preventgenocide/adviser/responsibility.shtml또는 위키백과) 이는 국제연합의 의지인 인권 신장의 구체적 실력 행사의 근거이며, 국제적 보편가치에서 많이 뒤떨어지는 국가를 정상적인 수준으로 회복하도록 돕는 국제적 노력에 정당성을 부여한다.

3. 세계 공간인식의 질

세계지역을 사익(私益)만 챙기고 나면 끝이라는 생각으로 아무렇게나 사용하는 것은 자기 집 주위에 온갖 생활쓰레기를 쌓아두는 것과 같다. 그런데 우리는 세계 공간을 아무렇게나 사용하고 있으며 사용 후 뒤처리를 남에게 미루거나 미래세대에게 전가(轉嫁)하는 경우가 항다반사(恒茶飯事)다. 이는 자주 사용하지 않는 세계의 공간에 대한 인식의 질적 수준을 보여준다. 이제껏 많은 이들이 그렇게 살다 갔고 그보다 더 많은 사람들이 똑같은 행동범위 안에 살고 있어 이제 지구상에는 환경문제가 없는 곳이 거의 전무한 상태다. 최근에는 우리가 세계 공간을 사용하면서 즐겼던 만큼 미래 세대도 즐길 기회가 주어져야 한다는 사조(思潮)가 조성되고 있다. 지구표면 공간에 대한 보다 엄격한 사용기준을 마련하려는 시대적 조류(潮流)가 있는데 지속가능한 개발 또는 발전 개념으로 표현된다.

다양한 자연환경 속에서 사람들은 다양한 생활방식을 영위한다. 사람들은 대개 자기가 태어난 지역을 크게 벗어나지 않고 살다가 죽음을 맞이하기 때문에 다른 지역의 경험은 거의 없을 수 있다. 물론 인류 전체의 경험에 비춘다면 다양한 지역에서 다양한 경험을 한다고 볼 수 있다. 기후, 지형, 문화, 역사적 전통, 사회집단의 맥락 등의 차이로 지구는 거대한 생태계 모자이크를 이루고 있다. 이러한 다양성(多樣性)은 현재 미증유의 도전에 직면해 있는데, 바로 세계화의 거대한 파도로 인하여 지역공간에서 벌어지는 현상들이 매몰되어버리는 현상이다. 세계화가 진전된 대부분의 지역은 세계 어디서나 볼 수 있는 시장기능으로 통일된 경관을 형성한다. 그러나 그 외의 지역은 원래의 전통적 공간기능이 사라진 지 오래되었거나 제대로 기능을 하고 있다고 볼 수 없다. 달리 보면, 세계 지역들을 다원적인 관점으로 볼 필요가 없어졌다는 것이다. 이는 잘 사는 국가와 잘 살지 못하는 국가로 구별하는 것과 같이 세계를 아주 단순하게 보게 되었다는 것과 다름없다. 과연 정말 그래도 될까? 무역상거래상으로 보자면 매우 바람직한 현상일 것이다. 그러나 아직도 전 세계 사람들은 다양한 생태계 속에서 다양한 삶을 살아가고 있다. 단지 그들 지역이 투자가치가 적다는 이유로 간단히 무시해버려도 되는 걸까? 이는 자신의 집을 실컷 쓰레기장으로 만들어놓고는 까맣게 잊어버리는 것과 같은 공간인식의 질적 저하를 의미한다. 세계화는 작금 진행되고 있고 언젠가는 세계의 모든 지역이 세계화될 것이다. 이런 미래세계에 대한 단상(斷想)은 지구 전체의 지속가능발전(持續可能發展)에 대한 생각을 가져오게 한다. 지역이 가지는 고유의 공간구성요소들인 자연환경, 인문사회적 요소, 그리고 지역사람들의 생활양식은 미래의 세대가 이어가고 즐겨야 할 인류 전체의 유산인 것이다.

(조사활동)

1. 지속가능발전에 대하여 좀 더 자세하게 알아보자. 구글에서 '우리 공동의 미래'를 입력하거나 웹페이지(http://www.un-documents.net/wced-ocf.htm)를 방문하여 'Report of the World Commission on Environment and Development: Our Common Future'를 다운받아 읽어보자. 또는 세계환경발전위원회에서 발간한 '우리 공동의 미래' 번역서를 도서관에서 구해 읽어보자.
2. 녹색기후기금(綠色氣候基金, Green Climate Fund)에 대하여 자세하게 조사해보자. 구글에서 '녹색기후기금'이라 입력하고 우리나라가 세계 환경 보전에 어떤 역할을 하는지를 자세하게 알아보자. 웹페이지(http://www.mosf.go.kr/pr/20121210ebook/e-GCF.html)를 방문하여 주요 내용을 개념도로 그려보자.

전 세계적으로 시장이 확대되고 일상에서조차도 세계 각처의 이야기가 전해져 우리는 이제 세계 지역 사정에 대하여 식상(食傷)할 정도로 많은 정보를 받아들이게 되었다. 가난한 국가의 기아 문제 해결이나 각종 질병 치료 등의 세계 시민단체 및 구호단체들의 광고도 선진국의 언론매체에서 흔히 접할 수 있다. 사람들은 누군가를 돕고자 한다. 그러나 이 도움의 손길은 낙후된 지역의 지속 가능한 발전과 연계될 때야 비로소 확실하게 전해진다. '적정기술' 개념은 그래서 중요하다. 선진국가에서는 당연시되는 과학기술이 개발도상국에서는 쓸모가 없을 수도 있다는 자각(自覺)에서 시작된 개념으로, 선진기술이 적용될 수 없는 지역에서 그 지역의 공간구성요소와 공간지지구조를 바탕으로 그 지역주민이 주체가 되어 개발하는, 현실적으로 사용이 가능하고 실질적으로 도움이 되는 기술을 말한다. 지역공간에 맞는 기술은 그 지역민들이 뭔가를 할 수 있다는 자신감(自信感)을 형성하며 스스로 인간적 삶을 영위할 수 있는 수단을 제공한다.

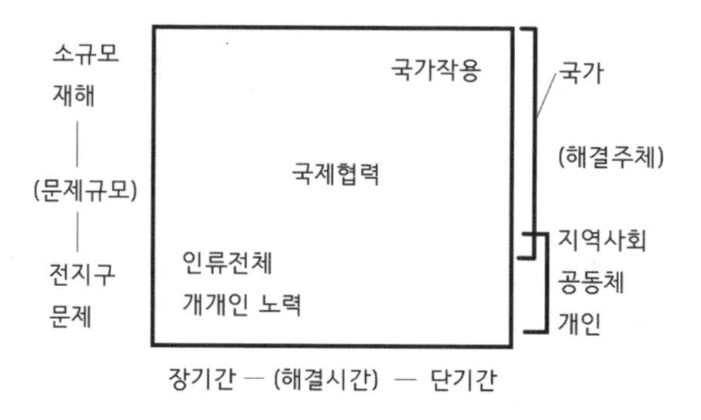

〈그림42〉 해결시간에 따른 문제 규모와 해결 주체 간 관계

선진국가의 시민들이 일상생활에 대한 반성(反省)의 기회를 가진다는 것은 세계 전체 공간에 대한 인식을 가지고 있을 때 가능하다. 일상생활 공간에 익숙해지면 마치 그 공간이 당연시(當然視)되어 개선의 여지(餘地)가 없어지기 때문이다. 일상을 살아가는 데 필요한 정보는 전 지구적이지 않다. 지구 저편의 인권

침해 사건과 필리핀의 태풍 피해가 우리의 일상생활에 어떤 영향이 있겠는가! 가장 아이러니한 건 지구온난화 등의 범세계적 문제나 가난이라는 지구적 문제의 경우, 우리들의 일상에서 아주 약간의 개선이 더해져도 손쉽게 해결이 가능하다는 사실이다. 이것이 세계 전체에 대한 공간인식범위의 확장 및 교육활동이 부각(浮刻)될 수밖에 없는 이유다.

4. 지구모형

모형(模型)은 실물을 모방한 본보기로써 사람들은 이 모형을 실물인양 다룬다. 모형은 사람끼리의 약속체계이므로 사람이 규정한 세상의 질서를 반영한다. 한 사람에 비해 지구는 너무 크다. 그래서 인간은 지구의(地球儀)라는 3D모형을 만들었고, 구글어스와 같은 가상지구모형까지 만들어 전 세계 지구 공간에 대한 인식을 쉽게 하고 있다. 이제는 지구본을 돌릴 필요 없이 바로 인터넷에 접속해 지구 모형을 사용하면 되는 것이다.

구글어스 가상지구모형은 우리가 우주공간에서 지구를 바라보는 것처럼 만들어져 있다. 해상도가 허락하는 한도에서 지구의 어디든 여행이 가능하다. 또한 머릿속에서 만들어진 가상공간(假想空間) 속의 세계지역에 대한 이미지를 가상지구모형에서 표현된 실제 이미지와 비교할 수도 있다. 그것도 정확한 세계 공간 좌표체계를 통하여 정확한 특정지역의 위치를 확인할 수가 있는 것이다. 또한 마음대로 지구모형의 크기도 조정할 수 있다. 지구모형의 크기는 축척을 통해 알 수 있는데, 여기서 축척(縮尺)이란 모형 속의 공간거리와 실제에서의 거리간의 비율을 말한다.

우리는 이전에 2D 세계지도를 통하여 세계 각국의 위치와 방향을 가늠해왔다. 그러나 이제는 디지털 3D 지구 모형으로 지구 공간에 대한 새로운 공간인식이 가능해진 것이다. 지금 아르헨티나가 있는 방향을 한쪽 팔로 나타내 보라.

만약 지평선 방향으로 팔을 펼쳤다면 2D세계지도의 평면으로 세계 공간을 생각했다는 것이다. 반대로 팔을 지구 중심 방향으로 향했다면 실제 지구 공간을 따랐다고 할 수 있다. 우리는 현재 3D 지구 공간에서 살고 있다.

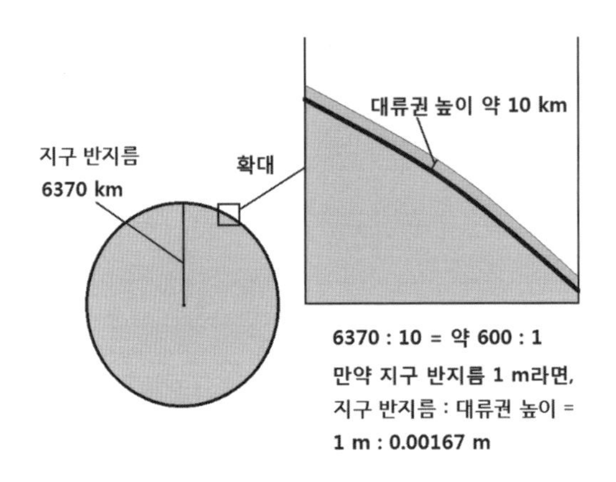

〈그림43〉 지구의 크기
지구가 얼마나 크고 넓은가를 알 수 있다!

(재미있는 활동)

엑셀을 이용하여 사람에 비해 지구가 얼마나 큰지를 다시 계산해보자.

(평생에 단 한 번만 계산해보면 되는 활동)

한 사람의 수명을 70년으로 보고, 평생 자지도 먹지도 않고 1초당 한 명씩 인류 전체를 모두 만나보려 한다. 현재 71억 명인 인류를 다 만날 수 있는가? 왜 이런 계산을 딱 한 번이라도 해야 하는가?

B5 | f_x =4*3.14*6370*1000*6370*1000

	A	B	C
1	지구를 구로 보고 지구의 표면적을 계산		
2			
3	구의 겉넓이=4*파이*반지름*반지름		
4	지구 겉넓이=4*(3.14)*(6370km)*(6370km)		
5	=4*(3.14)*(6370*1000m)*(6370*1000m)	509645864000000	
6	= 509645864000000 m^2		
7			
8	지구 육지 비율(29.2%)		
9	지구 육지 면적= *0.292	148816592288000	
10	= 148816592288000 m^2		
11			
12	한 사람이 100년 동안 1초에 1m^2씩 걷기만 한다.		
13	과연 육지를 다 걸을 수 있을까?		
14	100년을 초 단위로 바꾸면 그 사람이 걸어다닌 면적이다	3153600000	
15	= 100 년*365일/년*24시/일*60분/시*60초/분		
16	= 3153600000초		
17	= 3153600000m^2		
18	육지면적과 비교를 해 보자. A10의 값과 비교해 보자.	0.00002119	

<그림44> 엑셀을 이용한 지구의 크기 간단계산

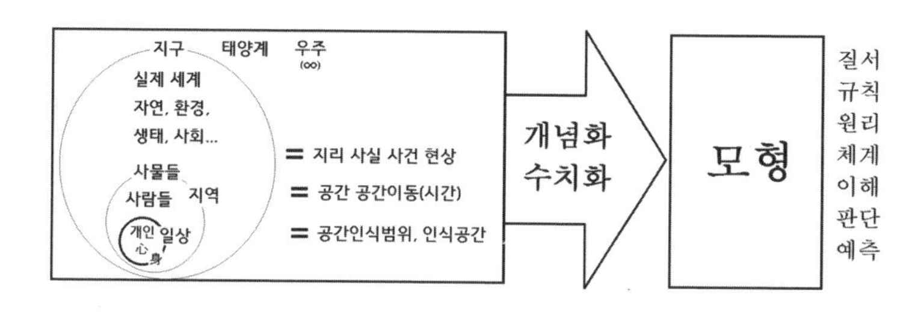

〈그림45〉 공간과 현상의 개념화 및 수치화

지구모형은 이성(理性)의 세계에서 구축된 기하학적(幾何學的) 개념(槪念)을 사용하고 있다. 이는 사물과 현상이 발생한 장소의 정확한 위치를 표시할 수 있게 한다. 개념(槪念)은 개별사물의 본질적 형식(形式) 또는 모양새라 할 수 있다. 이것은 머릿속에서 생성되며 이 개념이 생성되어야 세계를 명확하게 보게 된다. 디지털 가상 지구와 같은 모형은 머릿속 개념들을 조작할 수 있는 터를 제공해 주는데 특히 수치자료에 대한 정확한 공간적 관계를 표시하고 조작(操作)할 수 있게 한다. 3차원 가상지구모형은 시뮬레이션을 통하여 예측(豫測)을 할 수 있게 한다. 또한 언제든지 확인(確認) 가능하다.

공간에 수치적 질서를 부여하는 일은 공간인식의 질적 향상을 가져온다. 그 대표적 예가 직교좌표계이다. 직교좌표계의 특징은 원점과 축이며, 규칙적으로 증가하는 축의 단위에 있다. 공간에 수학적 질서가 자리 잡게 된 것이다. 모든 사물은 공간좌표 안에서 작동하는 것으로 공간좌표계에 사물들 간의 공간적 위치를 표현할 수 있다. 그리고 대신(代身)하는 수(數) 혹은 미지수(未知數)인 대수(代數)를 사용하여 사물들 간의 위치적 관계를 명확하게 설정할 수 있다. 단지 여기서 문제가 되는 것은 원점과 축에 대한 기준이 무엇이냐는 것이다.

공간에 대한 수치적 인식은 실제 세계 공간을 이용하는데 사물들의 위치 설정과 관계를 정확하게 하도록 만든다. 두 사람이 동일한 목적지(目的地)를 향해 배를 타고 간 기록(記錄)이 있다고 해보자. 한 사람의 여정(旅程) 기록을 보면 북북서(北北西)로 갔다고 기록되어 있고 다른 사람의 기록은 나침반 상으로 341°로 갔다고 되어 있다. 어느 기록을 따르면 다른 사람이 갔던 여정의 목적지에 정확하게 다다를 수 있겠는가? 북북서란 방향이 신뢰받을 수 없다는 것을 방향에서 1°가 달라졌을 때 발생할 수 있는 도착지점(到着地點)의 거리 차이를 계산함으로써 알 수 있다.

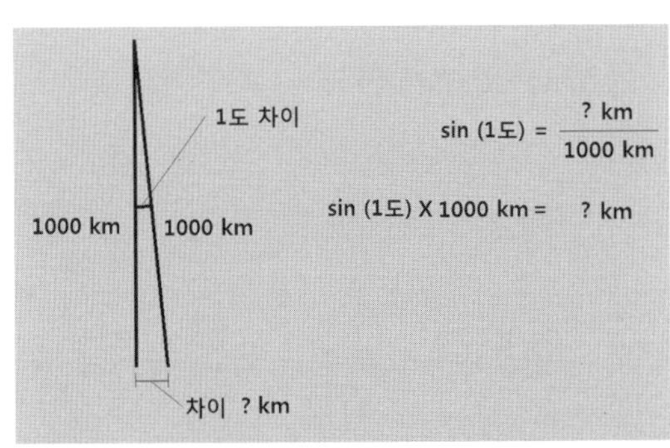

Sine(1도) 계산 ➔ EXCEL에서 계산 또는 공학용계산기App 사용
=SIN(RADIANS(1)) ➔ = 0.01745
목적지 차이(? km) = 1000 km X 0.01745 = 17.45 km

〈그림46〉 수치의 중요성

독도법 실습

讀圖法 實習

지형도의 약속된 기호체계는 전 지구를 생각하면서 만들어진 것이다

지형도는 지구표면의 고도와 각종 지표물을 약속된 기호로 표현한 것이다. 이 약속된 기호체계는 전 지구를 생각하면서 만들어진 것이며 독도법을 통해 지형도에서 사용되는 약속된 규칙과 기호체계를 배우게 된다.

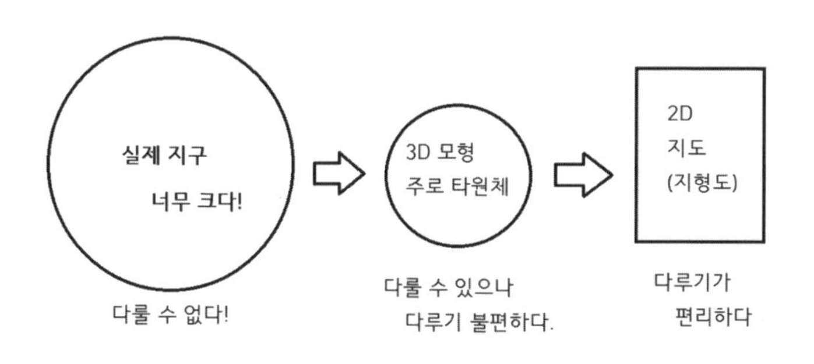

〈그림47〉 3D와 2D 지구모형

실제 지구는 인간이 다루기에는 너무나도 크고 광범위하다. 그래서 우리는 3D 구(球)나 타원체(楕圓體)라는 모형을 만들어 그것을 통해 지구나 세계지역을 표시하고 여러 지표현상을 그 모형 위에 표시할 수 있다. 그런데 3D지구모형 역시 다루기에 수월한 편은 아니다. 그래서 지면 상에 2D지도로 변환하여 손쉽게 다룰 수 있도록 만들었다. 지형도는 실제 지구표면을 3D 지구모형의 표면으로, 3D 지구모형 표면을 2D 지도 표면으로 변환하여 만들어진 것이다. 1:50,000의 지형도는 동서 방향으로 약 23km, 남북 방향으로 약 28km의 사각형 지역의 지구표면에 대한 고도 정보를 바탕으로 여러 자연 및 인문 경관 정보를 보여준다. 비교적 넓은 지역을 보여주기 때문에 야외에서는 자신이 어디에 있는지 지형도를 보고서는 바로 알 수 없다. 그래서 지형도 상에 자신의 위치를 우선 대략적으로 알 수 있도록 지형도를 남북 방향으로 위치시키는 활동이 필요하다. 그런 다음 주위 지형 및 지물을 보고 자신의 위치를 지형도에 대략 지정할 수 있다. 이를 야외에서 지형도를 대략적으로 정치(定置)한다고 말한다.

첫째, 태양의 위치와 시계 시침을 사용하여 지형도를 남북 방향으로 위치시킬 수 있다. 북반구 온대지역에 위치한 우리나라의 경우 태양이 위치한 방향으로 시계의 시침이 향하도록 놓고 난 뒤, 시계의 12시 표시 방향 간의 중간지점을 남쪽 방향으로 정할 수 있다.

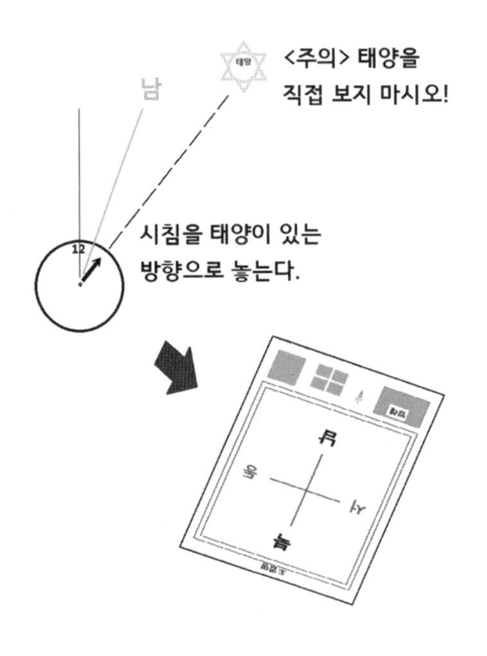

〈그림48〉 지형도 남북 정치 작업

태양의 방향으로 향한 시계 시침의 방향과 시계의 12시 방향 간의 중간지점 방향이 남쪽이다. 남쪽 방향을 알았으니, 지도를 남쪽과 북쪽 방향으로 위치시킨다. 지형도의 북쪽은 지도의 위쪽 방향이다. 물론 나침반이 있으면 쉽게 북쪽과 남쪽 방향을 알 수 있다.

북반구 온대지역에서 시계의 시침과 12시 표시점을 사용하여 남쪽을 알 수 있는 것은 태양방위각(太陽方位角)이란 개념을 활용했기 때문이다. 태양방위각은 낮 시간 동안 맑은 하늘에서 태양의 위치가 동에서 서로 이동해가는 현상을 각도로 표현한 것이다. 북반구 온대 지역의 경우 지표면에서 태양이 올라간 높이를 의미하는 태양고도(太陽高度)가 천정(天頂, 관측자의 머리 위 꼭대기에서 올라간 하늘의 지점)에 미치지 못하기 때문에, 태양의 위치가 동(東)에서 나타나 남(南)으로 가서 서(西)로 이동하는 것으로 보인다. 이처럼 낮 동안의 태양의 위치변화를 각도로 나타내는 태양 방위각을 이용하여 남쪽 방향을 알 수 있는 것이다.

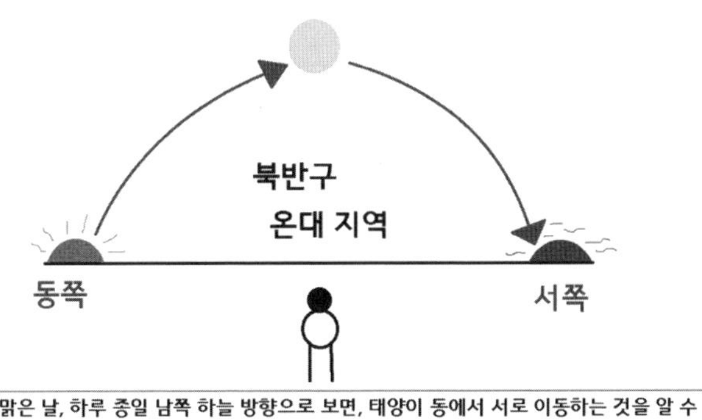

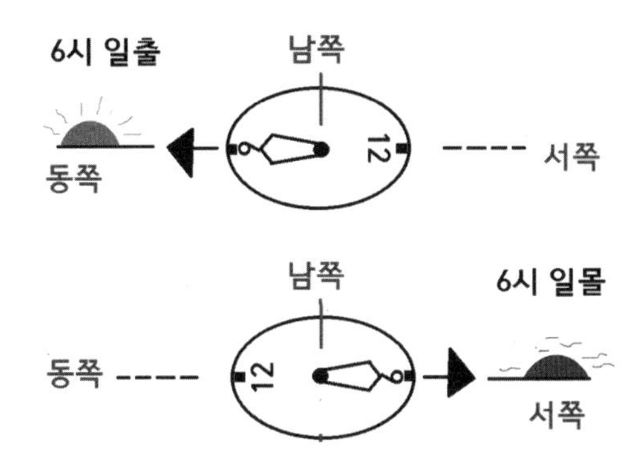

〈그림49〉 태양방위각 활용 가상 모식도

둘째, 대략적으로 남북 방향으로 놓인 지형도 상의 등고선과 각종 기호를 주위의 지형(地形) 및 지물(地物)과 비교해보면서 자신이 어디에 위치하는지를 파악할 수 있다. 비가 오거나 구름이 짙게 낀 날은 주위의 지형 및 지물을 보고 지형도를 정치(定置)하고 자신의 위치도 대략 알아낼 수 있어야 한다. 지형을 본다는 것은 지형도의 등고선을 주변 지형의 윤곽과 맞추는 것이다. 지형도의 등고선과 지형의 윤곽을 맞추어 자신이 어디에 있는지 대략적으로 알 수 있다.

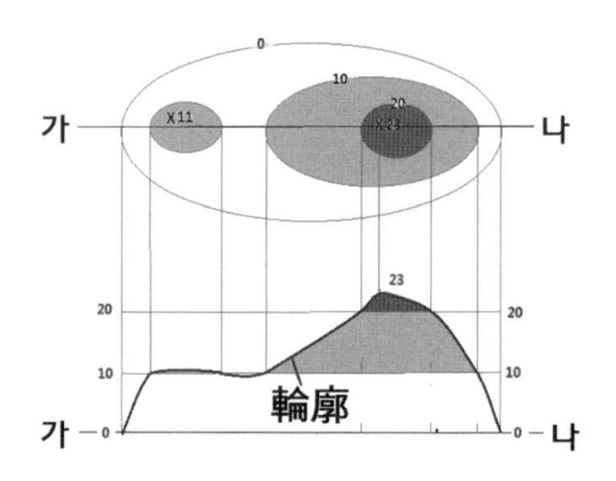

〈그림50〉 지형도의 등고선과 지형의 윤곽

지형도의 등고선을 단면으로 보면 지형의 윤곽(輪廓)을 그릴 수 있듯이, 지형도 상에서 등고선의 분포와 고도변화를 읽어내어 실제 지형의 윤곽과 비교 가능하다. 이 작업을 통해 자신의 위치를 지형도 상에 대략적으로 위치할 수 있다.

등고선은 고도가 같은 지형의 지점들을 연결한 선이다. 등고선에 대하여 좀 더 자세하게 알아보자.

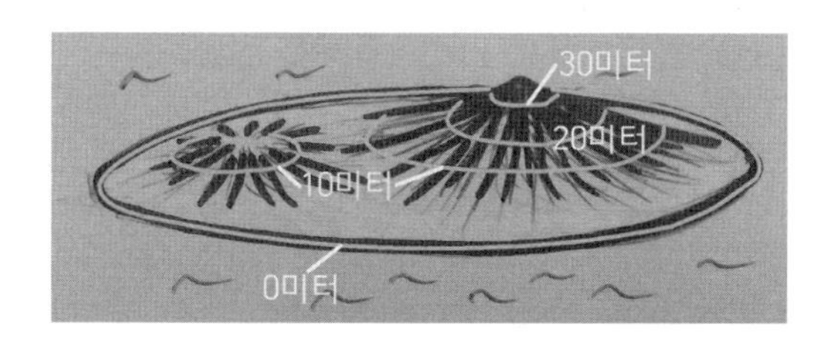

〈그림51〉 가상의 섬

해수면에서 수직으로 같은 고도를 가진 지점들을 연결한 등고선들 중 10미터 간격의 등고선들만 표현하였다. 이 섬의 각 지점들을 하늘에서 수직 방향으로 내려다보면서, 10미터 간격의 등고선을 나타내면 지형도가 된다.

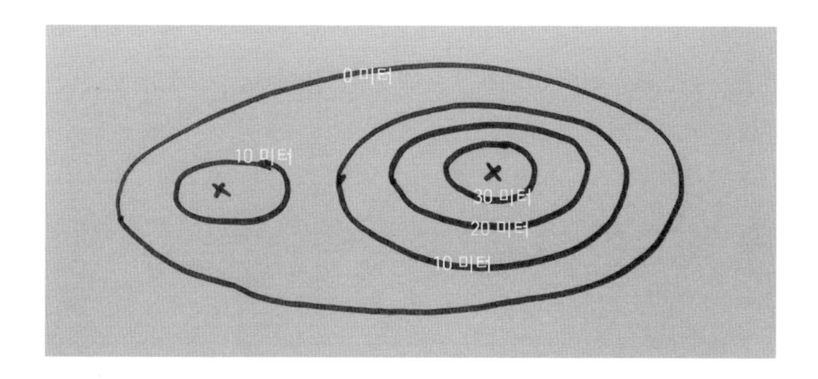

〈그림52〉 가상 섬의 지형도 (10미터 간격)

(등고선 그리기 연습)

〈그림 53〉은 가상의 카리브 해 보물섬 지도다. 이 지도에는 미터로 표기된 표고점들로 정밀 측량되어 있다고 한다. A 지점과 B 지점 사이는 100 미터이다. 이제 이 섬에 등고선을 그려 넣어 보자. (단, 등고선의 간격은 2미터이다.)

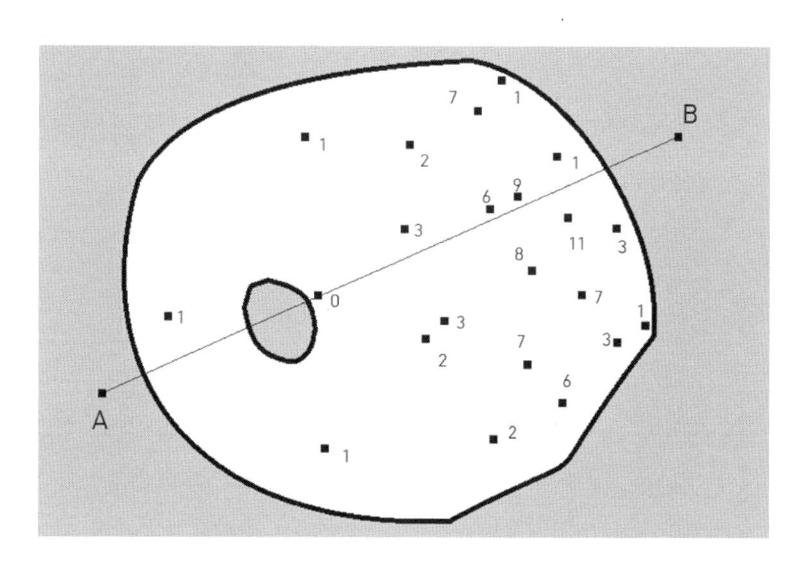

〈그림53〉 2미터 간격의 등고선 직접 그리기

A지점에서 출발하여 B지점까지의 지형 단면을 그려보자.

〈그림54〉 내 손으로 그린 A와 B지점 간의 지형 단면도

이번엔 방위각(方位角, azimuth)에 대하여 알아보자. 방위각은 북쪽(0° = 360°) 방향을 기준으로 해서 시계 방향으로 측정한 수평각도(水平角度)다. 방위각은 북쪽 기준에서 출발하여 시계 방향으로 측정한다는 것을 꼭 기억하자. 〈그림 55〉처럼 출발은 북(北)에서 시작한다. 북(北)에는 도북(圖北), 자북(磁北), 진북(眞北) 세 가지 종류가 있다. 각각에 대해 알아보자.

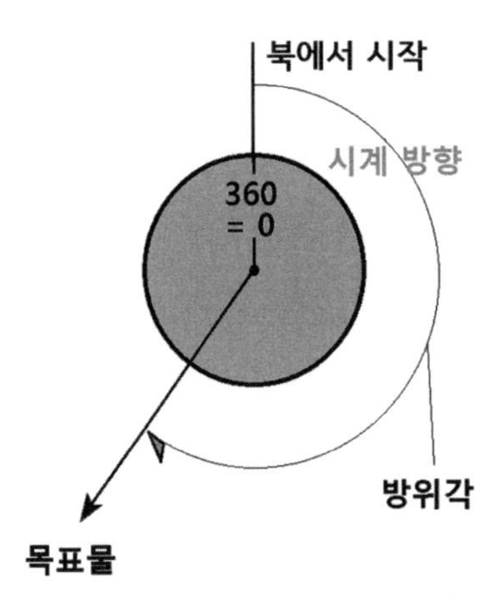

〈그림55〉 목표물의 방위각 구하는 법

지도상에서 구한 방위각을 도북 방위각이라 한다. 도북 방위각은 지도상의 북쪽 방향을 기준으로 해서 시계 방향으로 나아간 각도다. 도북(圖北)은 지도상의 북쪽 방향으로 나아간 곳에 있으며, 지도상의 어느 지점에서든 경도선과 평행하게 지도의 이름이 있는 지도의 윗부분에 위치한다.

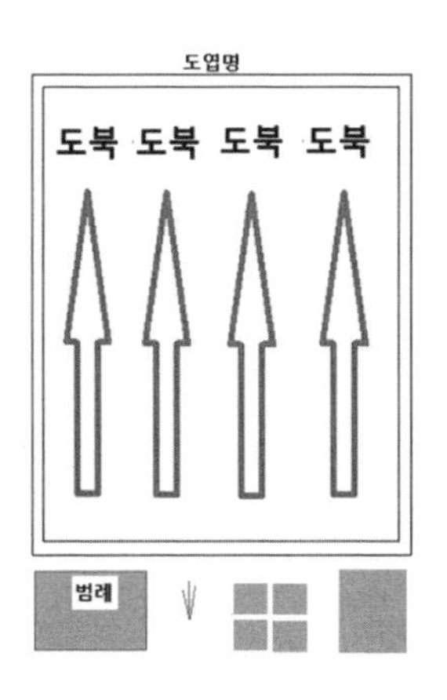

〈그림56〉 도북 방향
지도상의 모든 지점에서 지도의 위쪽 방향이 그 지점의 도북 방향이다.

지도상에서 한 지점에서 다른 지점의 도북 방위각을 구하는 법은 다음과 같다.

〈표3〉 지도상의 한 지점에서 다른 지점의 도북 방위각 구하는 법

A지점에서 본 B 지점의 방위각은?

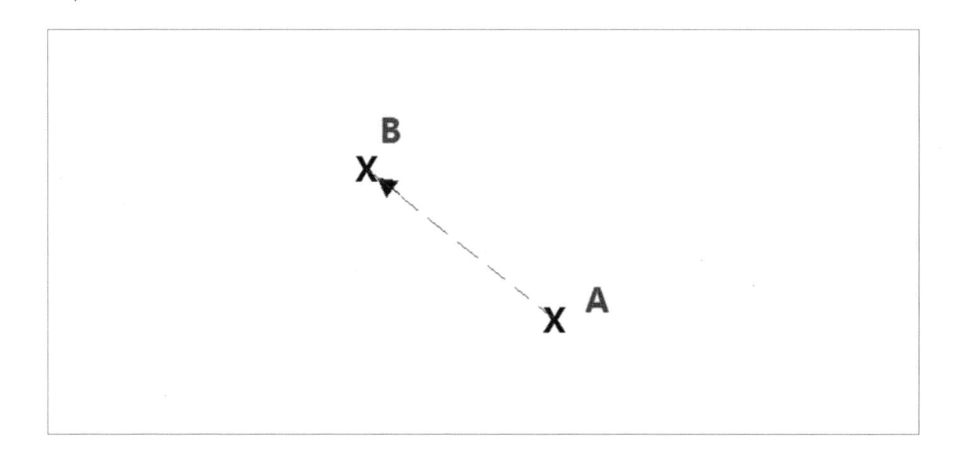

A지점에서 도북 방향으로 직선을 긋는다.

A지점에서B지점으로 직선을 긋는다.

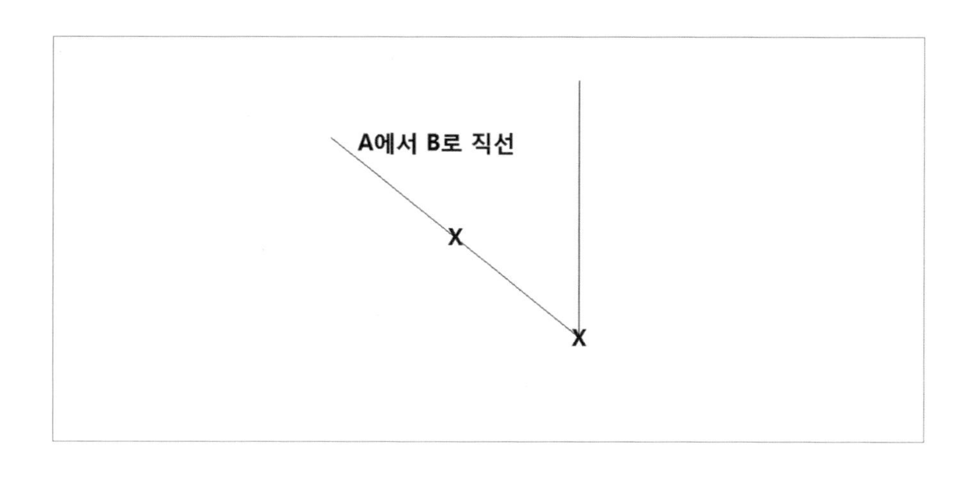

분도기를 사용하여 도북방위각을 구한다. 도북 방향의 직선을 기준으로 A지점과
B지점으로 그어진 직선의 위치까지 시계 방향으로 나아간 각도를 잰다.

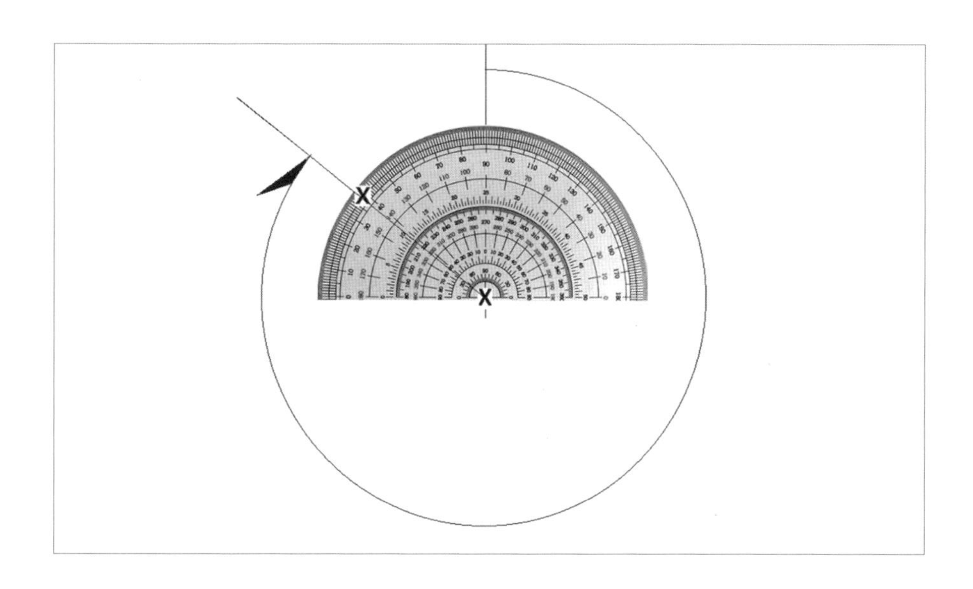

지도상의 특정지점에서 도북 방위각을 선으로 표시해보자.

〈표4〉 지도상의 특정지점에서 도북 방위각을 표시하는 법

지도상의 한 지점에서 도북 방위각 280°를 표시해보자.

지도상의 한 지점에 동서남북으로 연필로 가는 선을 긋는다.

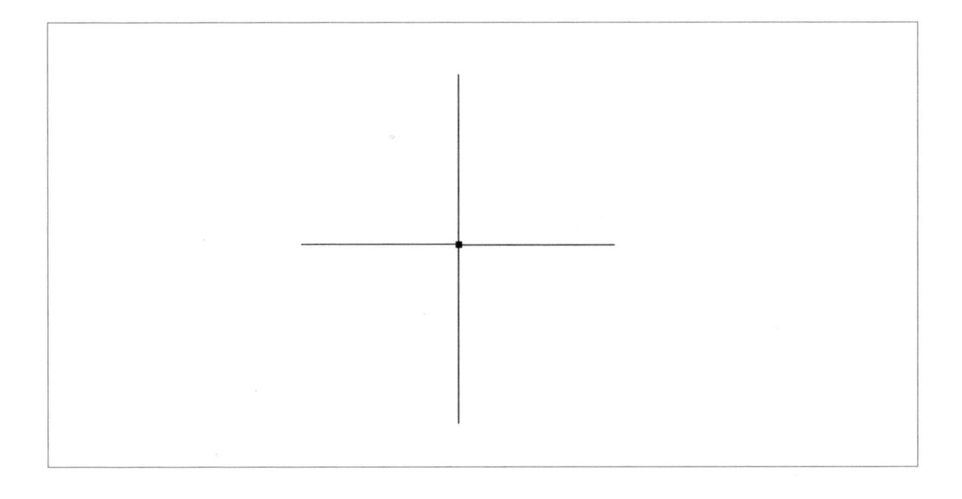

분도기를 두 직선교차점에 놓고 도북 방향을 0°으로 하여 시계 방향으로
280°까지 읽히는 지점 에 표시를 한다.

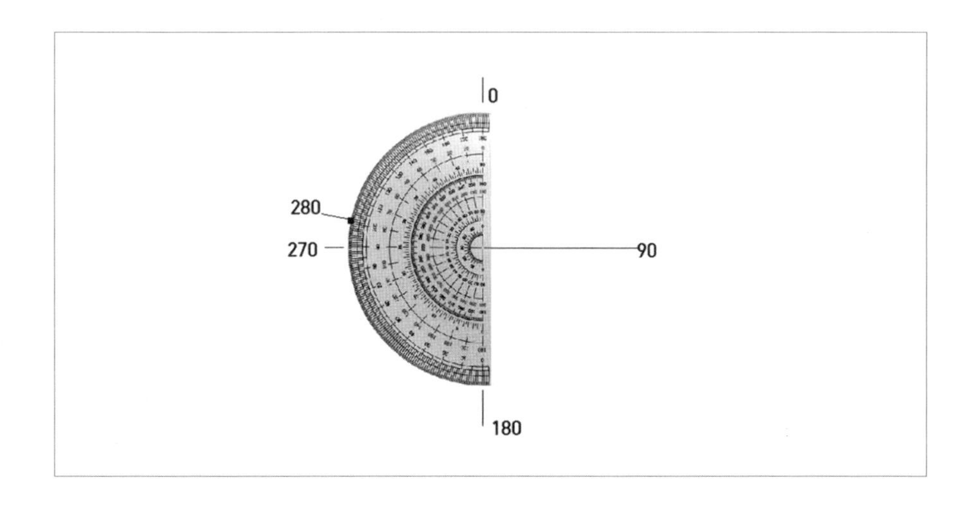

분도기를 치우고 표시된 점으로 선을 그어 도북 방위각을 표시한다.

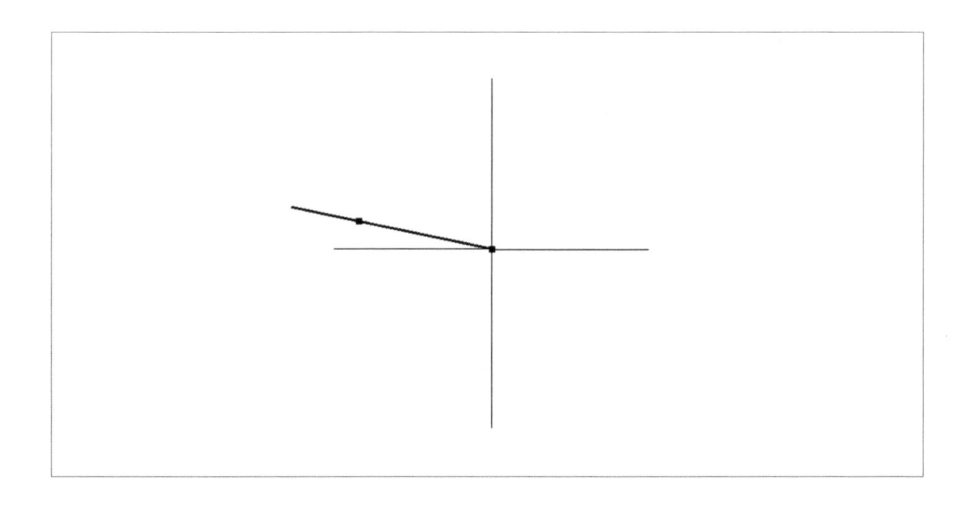

자북방위각은 나침반의 북쪽 표시 지침(指針)의 방향 즉, 자북(磁北)을 기준으로 해서 나침반의 지표선(指標線, index line)이 시계 방향으로 나아간 정도를 측정한 각도다. 자북은 나침반의 북쪽 표시 지침(指針)의 방향이다.

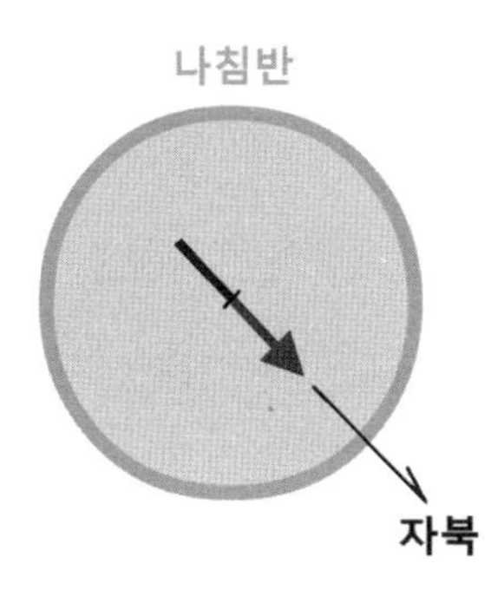

〈그림57〉 나침반 상의 자북 방향

나침반과 나침반 사용법에 대해 알아보자. 사용되는 나침반은 방위각을 측정하고자 하는 목표 지점의 방향으로 지표선을 향하게 하여 방위각 다이얼이 자동으로 정렬되면 지표선 아래에 방위각도가 위치하게 되고, 렌즈를 통해 방위각을 읽는 방식을 취한다.

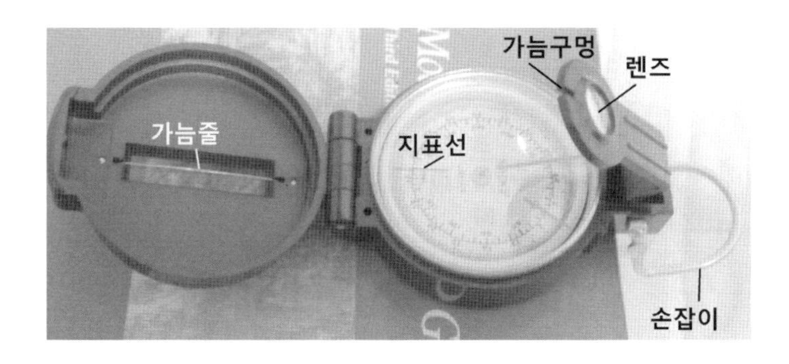

〈그림58〉 나침반 모습

〈그림59〉 나침반 사용법
나침반이 수평이 되도록 한다.

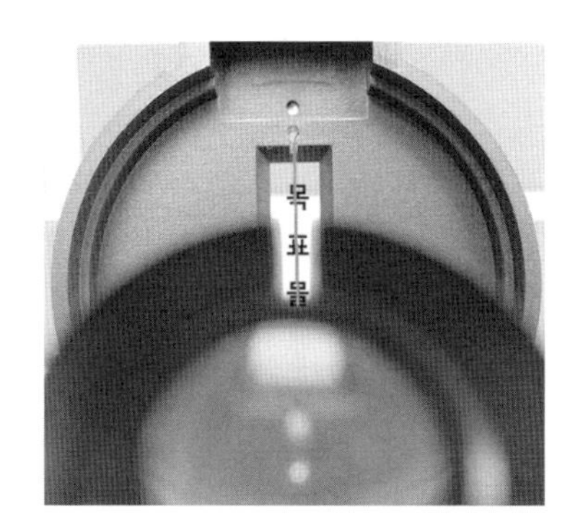

〈그림60〉 나침반의 사용
목표물, 가늠줄, 가늠구멍을 일직선으로 놓는다.

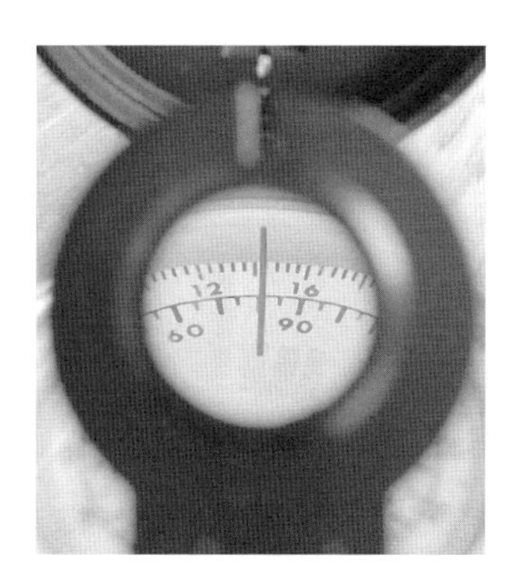

〈그림61〉 지표선 아래의 각도 읽기
렌즈를 통하여 지표선 아래의 방위각을 읽는다. 방위각이 81°로 읽혀진다.

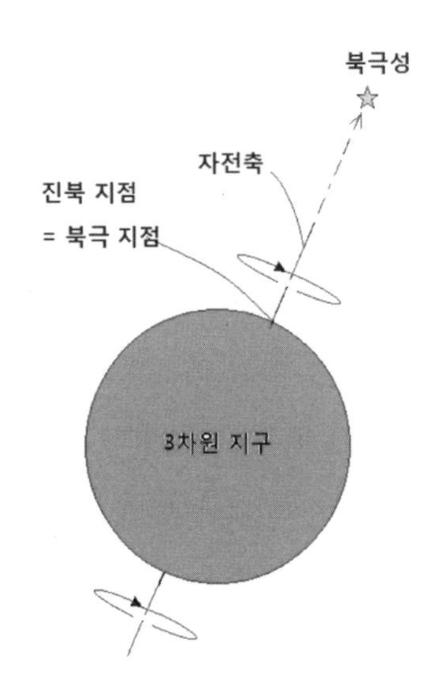

편차각(偏差角)에 대해 알아보자. 편차각은 지구의 한 지점에서 바라본 진북(眞北), 도북(圖北), 자북(磁北) 간의 방향 차이에서 나온다. 진북은 3차원 지구 자전축의 북쪽 지점이며 그 지점에서 밤하늘로 수직으로 보면 북극성이 자리하고 있다.

〈그림62〉 진북

진북과 도북 간의 차이를 살펴보자. 진북은 3-차원 지구 표면상의 지구 자전축 북극 지점이다. 도북은 2-차원 지도 표면상의 북쪽 방향이다. 진북과 도북의 방향이 다른 것은 차원이 다른 데서 나온 것이다.

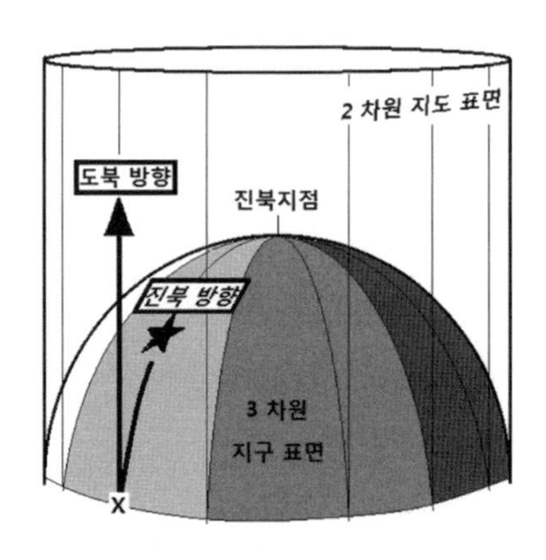

〈그림63〉 진북과 도북의 차이를 나타낸 가상 모식도
3차원 지구 표면에서의 X지점의 진북 방향은 진북 지점을 향하지만, 2차원 지도 표면으로 볼 때 X지점의 도북은 2차원 지도의 북쪽 방향으로 향한다.

지도상의 도북과 자북이 차이가 나는 것은 지구 표면상의 진북 지점과 지구 자기장의 북쪽 지점의 위치가 다르기 때문이다. 공간모형의 일종인 2차원 지도상의 도북과 자북의 차이는 실제 지구 표면에서의 진북 지점과 자북 지점의 차이에서 온 것이다.

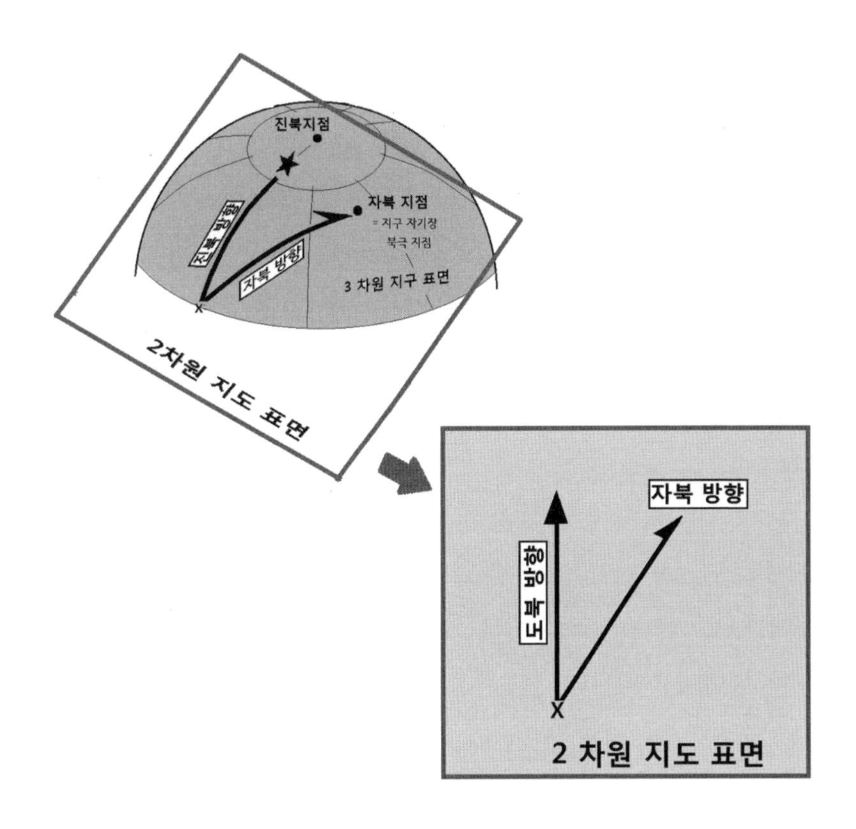

〈그림64〉 진북, 도북, 자북

도자각(圖磁角)은 도북 방향을 기준으로 한 자북 방향간의 차이를 각도로 나타낸다. 도자각은 실제 지표상의 자북방위각과 지형도 상의 도북 방위각 간의 차이인 것이다.

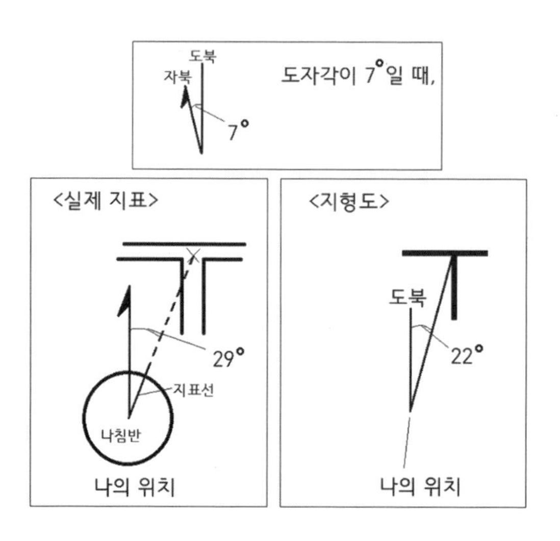

〈그림65〉 도자각이 나타내는 것

도북방위각에서 자북방위각으로 변환하는 구체적 예시를 살펴보자.

〈표5〉 도북방위각 → 자북방위각

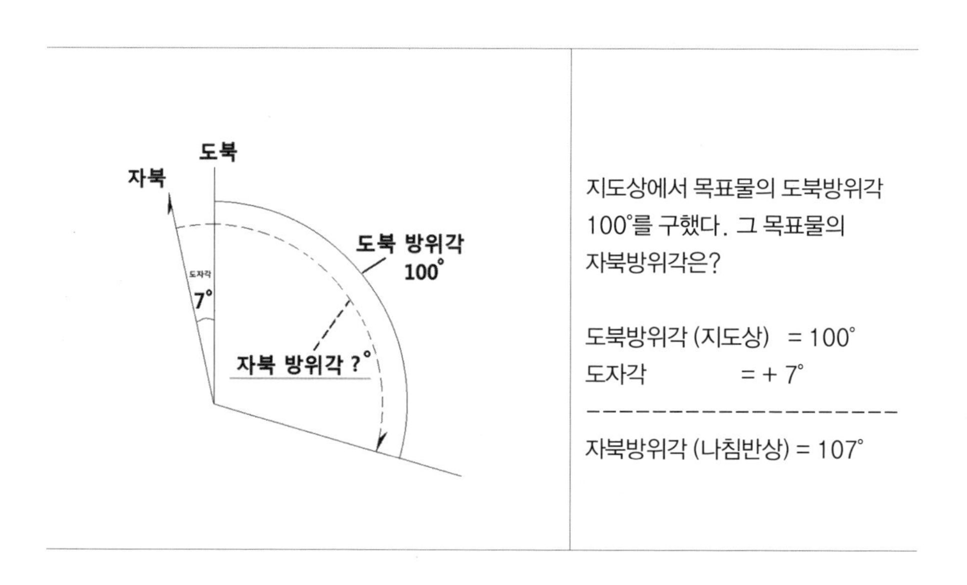

지도상에서 목표물의 도북방위각 100°를 구했다. 그 목표물의 자북방위각은?

도북방위각 (지도상) = 100°
도자각 = + 7°

자북방위각 (나침반상) = 107°

자북방위각에서 도북방위각으로 변환하는 구체적 예시를 살펴보자.

〈표6〉 자북방위각 → 도북방위각

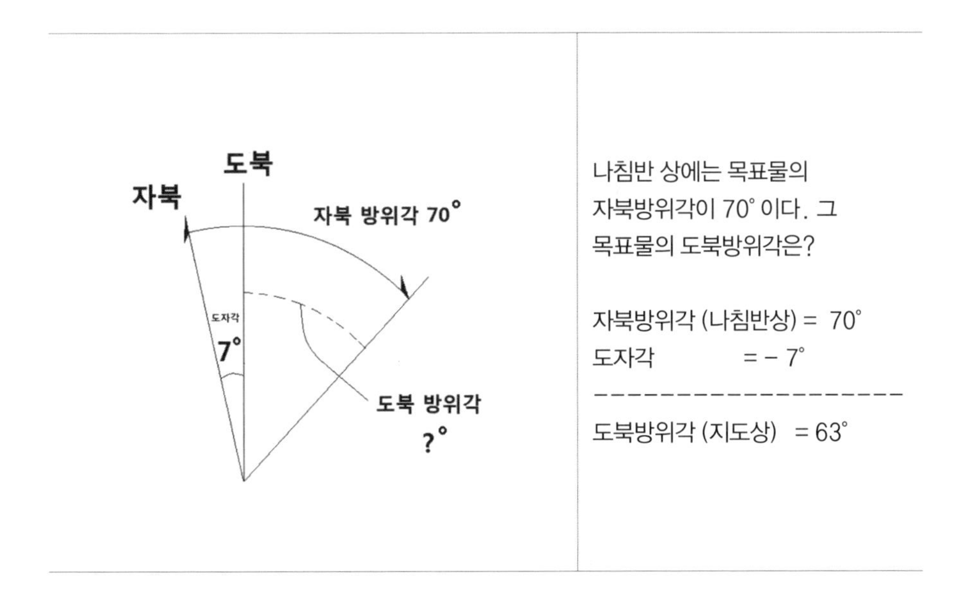

나침반 상에는 목표물의 자북방위각이 70° 이다. 그 목표물의 도북방위각은?

자북방위각 (나침반상) = 70°
도자각 = − 7°

도북방위각 (지도상) = 63°

진주 1:50,000 지형도에서 직각격자좌표(直角格子座標) 체계 또는 직각좌표 체계를 이해해보자. 먼저 자를 사용하여 지형도 상의 격자 사이의 간격을 재 보자.(cm단위)

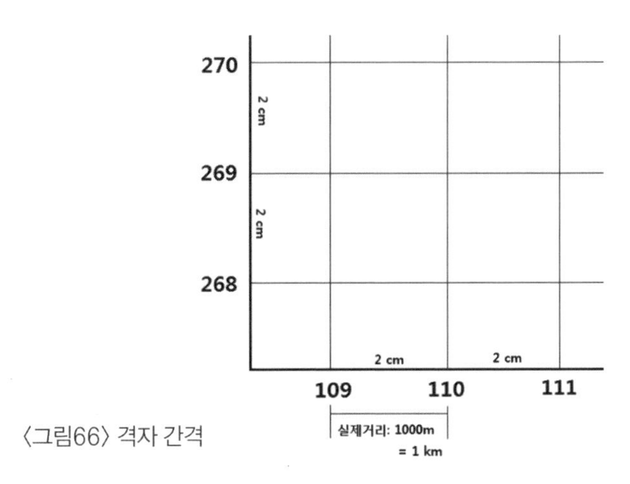

〈그림66〉 격자 간격

진주 1:50,000 지형도의 좌측 하단 범례 바로 위의 숫자들을 보면 위와 같다. 숫자 사이의 간격을 자로 재어보면 2센티미터인 것을 알 수 있다. 지도상의 2 센티미터는 실제거리로는 1000미터이며 1킬로미터(= 2cm x 50,000(축척) = 100,000cm = 1000m = 1km)이다. 여기서 격자 간격이 1인 것은 1킬로미터를 나타낸 것이다!

지형도의 좌측 하단의 "X 33"(2013년 인쇄 "X 33.2"로 나옴) 지점을 1,000미터 직각격자좌표로 나타내어 보자. 우선 그 지점 근처로 1km 직각격자망을 연필을 사용하여 그린다.

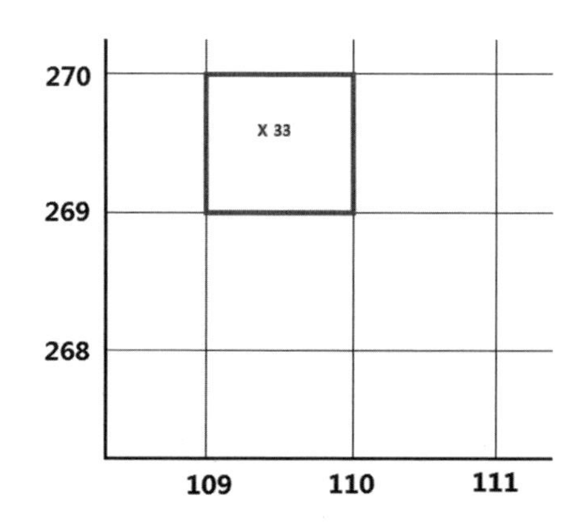

〈그림67〉 직각격자좌표 구하기 예비작업
직각격자망을 그림의 예와 같이 'X33' (또는 'X33.2') 주위에 그린다.

격자망이 완성되면 X33지점이 있는 격자의 좌측아래 지점의 좌표가 경도와 위도 별로 (109, 269)임을 알 수 있다. 이 경도와 위도의 값에서 출발하여, 격자의 가로와 세로를 각각 10등분하면 더 자세한 좌표를 구할 수 있다. 여기서 더 자세한 좌표는 한 번 더 10등분하여 구할 수 있다.

〈표7〉 직각격자좌표 구하는 법

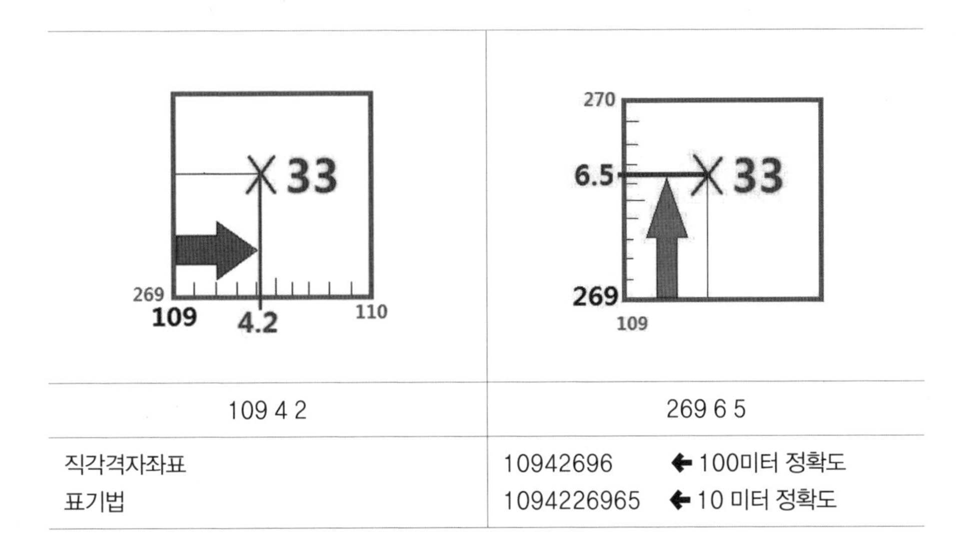

109 4 2	269 6 5
직각격자좌표 표기법	10942696 ← 100미터 정확도 1094226965 ← 10 미터 정확도

후방 방위각에 대해 알아보자. 후방 방위각이란 전방 방위각 반대 방향의 방위각을 의미하며 목표지점에서 우리를 바라보는 방위각이다. 반대로 전방 방위각은 우리가 바라보는 목표지점의 방위각을 의미하고 방위각이라 부른다.

나침반 상의 숫자를 살펴보면, 동서 간, 남북 간 숫자의 차이가 180°임을 알 수 있다. 이를 이용하여 한 방향의 방위각을 알 수 있다면 반대 방향의 후방 방위각도 금방 알 수 있게 된다.

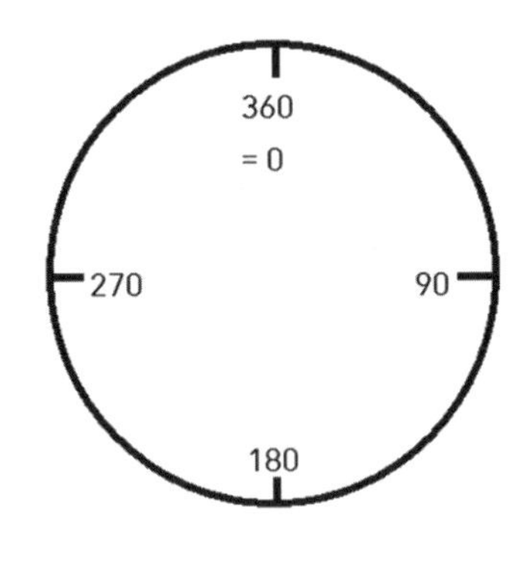

〈그림68〉 주요 방위각 숫자

전방 방위각에서 후방 방위각으로 또는 후방 방위각을 전방 방위각으로 계산하는 법은 다음과 같다.

1) 전방 방위각이 180°에서 360° 사이의 값일 경우 ➡ 후방 방위각은 180°를 빼면 구해진다.
2) 전방 방위각이 0°에서 180° 사이의 값일 경우 ➡ 후방 방위각은 180°를 더하면 구해진다.

〈표8〉 전방 방위각에서 후방 방위각을 구하는 법

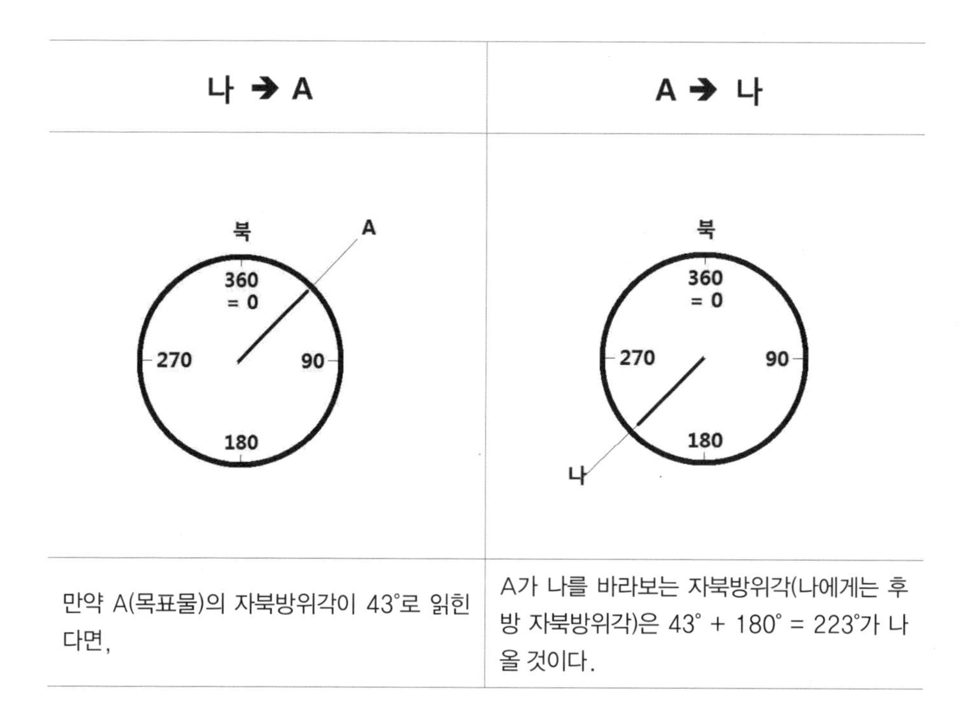

나 ➔ A	A ➔ 나
만약 A(목표물)의 자북방위각이 43°로 읽힌다면,	A가 나를 바라보는 자북방위각(나에게는 후방 자북방위각)은 43° + 180° = 223°가 나올 것이다.

자, 이제 우리는 야외에서 나의 위치를 지도에 표시할 수 있게 되었다. 모식적으로 연습해 보자.

〈표9〉 야외에서 나의 위치를 지형도 상에 표시하기

<table>
<tr>
<td>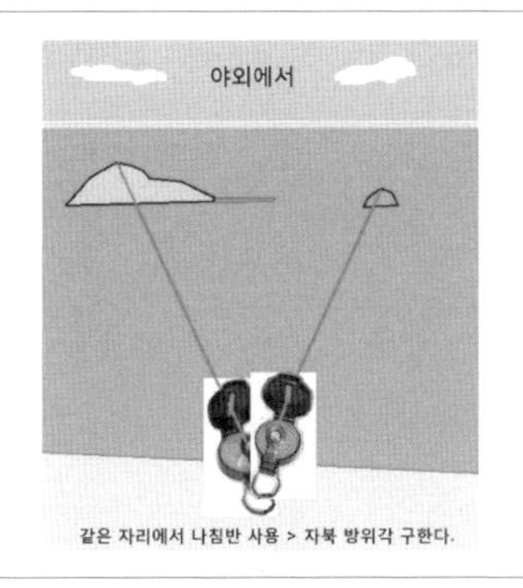
</td>
<td>지도에 뚜렷하게 표시할 수 있는 실제 지형, 지물의 자북방위각을 나침반을 통하여 읽는다.

왼쪽 방파제 섬의 정상 자북방위각: 350°
오른쪽 작은 섬의 정상 자북방위각: 39°
그러면,
왼쪽 방파제 섬의 정상 후방 자북방위각: 170°
오른쪽 작은 섬의 정상 후방 자북방위각: 219°</td>
</tr>
<tr>
<td>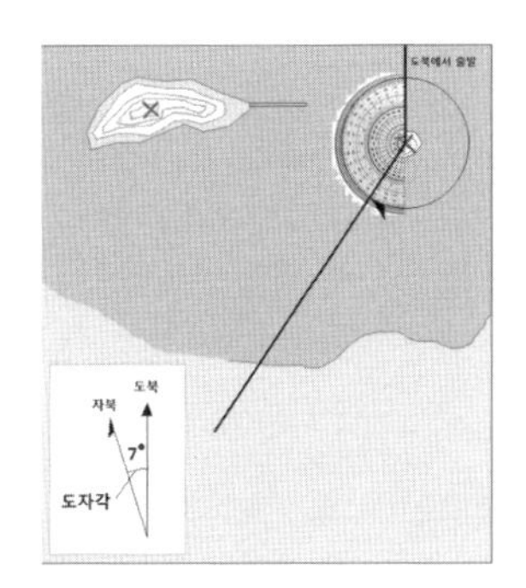
</td>
<td>도자각을 사용하여 자북방위각을 도북방위각으로 계산한다.
왼쪽 방파제 섬의 정상 (후방) 자북방위각: 170°
도자각 : − 7°
왼쪽 방파제 섬의 정상 (후방) 도북방위각: 163°

오른쪽 섬의 정상 (후방) 자북방위각: 219°
도자각: − 7°
오른쪽 섬의 정상 (후방) 도북방위각: 212°
자와 분도기를 이용하여 계산된 도북방위각을 각각의 섬 정상에서 연장시켜 직선을 길게 긋는다.</td>
</tr>
<tr>
<td>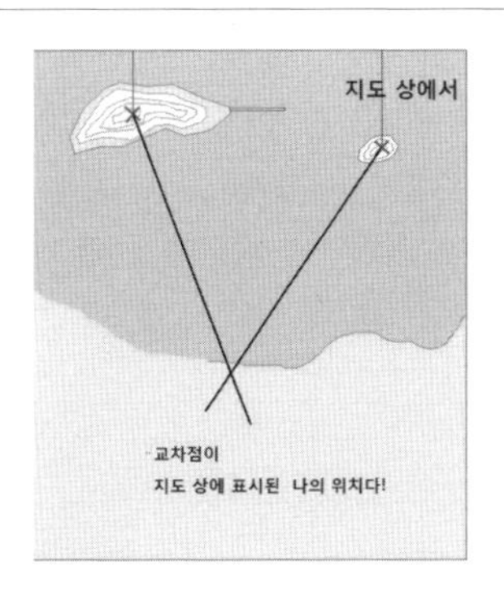
</td>
<td>두 지점의 후방 도북방위각으로 그어진 선들이 겹치는 부분이 바로 지도상에 내가 있는 위치다. 지도상에 나의 위치를 정확하게 표시함으로써 이제 나는 지도의 축척을 사용하여 두 지점까지의 거리도 구할 수 있다. 또한 왼쪽 섬 방파제 끝 지점의 도북 및 자북방위각과 거리도 구할 수 있게 된다. 좀 더 '정확한' 공간정보를 얻게 되는 것이다.</td>
</tr>
</table>

(정리활동)

야외에서 나의 위치를 지형도에 표시하면 어떤 이점이 있는가?

*** 독도법 실습 후기: 비일상에 대한 대비**

일상에서 독도법은 큰 쓸모가 없다. 넓은 지역에 무인지경(無人之境)인 곳이 없는 우리나라 같은 곳에서는 독도법이란 거의 필요하지 않다. 그러나 독도법 기초를 익히는 것은 일상생활을 위한 것이 아니다. 위기라는 비일상(非日常)에 처해서 꼭 필요한 행동요령을 습득하기 위한 방편이자 비일상에서도 일상처럼 행동하기 위한 것이다. 한 예로 우리는 심폐소생술(心肺蘇生術)을 배우면 좋다는 것을 안다. 심폐소생술을 배우더라도 평생토록 사용하지 않을 수 있다. 그렇지만 지금 이 순간 전 지구적으로 많은 사람들의 심장이 갑자기 멈추기도 한다. 그러므로 이들을 위한 정기적인 교육활동이 필요하다. 재난 시 모든 공무원들은 자동적으로 구조대원이 된다. 선진문명국에서는 공무원들을 대상으로 정기적인 실습에 돌입하여 독도법, 심폐소생법, 재난구조 매뉴얼 숙지 등 비일상에 대한 대비활동을 하고 있다. 이처럼 비일상에 대한 지속적인 대처 연습은 공동체의 사회구성원들이 서로 믿고 의지할 수 있는 분위기를 형성한다. 사회가 선진 문명적일수록 재난 대처요령이나 응급조치에 대한 교육이 강조되고 실습된다.

독도법에서 방위각과 같은 공간개념은 실생활에서 사용되지 않는 것처럼 보인다. 그러나 실제 공간에서 우리 위치를 알고 싶거나 상대방의 위치를 알고 싶을 때, 공간개념은 무의식적으로 사용된다. 우리는 지구에 자기장이 있다는 것을 오래전부터 알았다. 보이지 않는 지구자기장을 나침반을 사용하여 볼 수 있다. 나침반은 '신라침반'의 준말이며 우리 선조인 신라인들이 발명하였다고 전해진다.(참고:http://www.ngo-news.co.kr/sub_read.html?uid=60194)

지구 자기장을 볼 수 있게 되자 우리는 전 지구적 규모의 공간적 틀을 세우고 우리들 상호간의 위치를 파악할 수 있게 되었다. 오늘날에는 전체 지표면 모형을 만들어 자세한 위치관계를 알 수 있다. 또한 약속된 기호체계를 구축하여 사람들 서로 간의 공간의사소통이 통일되게 만들었다. 이 약속된 기호체계는 교육되는 것이므로 잘 배우고 반복 학습하여 지키는 것이 중요하다.

한 개인에게 평생 일어나지 않는 비일상적 사건이 국가 범위 내에서는 많이 발생한다. 비일상에 대한 대비교육을 국가에서 실시하는 이유가 여기에 있다. 교육내용은 일상에 대한 것과 비일상적(非日常的) 일에 관한 것으로 나눌 수 있는데 국가교육의 내용은 비일상적 일을 다루게 되며, 자유로운 학문 활동을 통하여 비일상적 일에 대한 대응책을 마련한다. 대학의 고급 학문분야 역시 비일상적 일을 다룬다. 인류 전체 중 99.99999999%는 아인슈타인의 상대성 이론을 알 필요가 전혀 없지만 교육에서는 언급이 된다. 국가교육은 언제 있을지 모를 국가 위급상황에 대비하기 위함이기도 하다. 쓰나미에 대하여 들어본 적이 없는 사람이 쓰나미 상황인데도 사태의 위험성을 인지 못 할 경우를 대비해 그 필요성이 요구된다고 볼 수 있다.

자신과 밀접한 이해관계(利害關係)가 있는 실제의 일과 관련된 것을 일상(日常)이라고 하는 반면 비일상(非日常)이란 자신과 관련이 없는 남의 일, 세상일, 세계적 이슈 등을 말한다. 세계적 업적이란 대개 비일상적 일과 관련되어 있고 큰일을 성취한다는 것도 비일상적 일을 장시간 해내었을 때야 가능한 것이다. 애초에 '큰일'이라는 자체도 비일상적인 것이다. 재난과 같은 큰일 역시 일상적으로 해결되지 않기 때문에 우리는 보험에 가입하여 개인적인 비상사태에 대비한다. 그러나 개인적 범위를 넘어서는 규모가 큰 비일상적 일에 대해서는 국가가 책임을 져야 하며 이는 곧 국가교육의 문제인 것이다. 지구적 규모의 자연원리나 법칙을 학습한 사람만이 비일상(非日常)적 일에 대한 대처능력이 생기며, 일상생활에서 개선의 여지도 발견할 수 있다.

*** 공간 모형의 기준과 기호 체계**

1:50,000의 지형도는 국가에서 제작하고 배포한 과학자료로써 지형자료를 획득한 시점과 검증 시기, 지구 모형, 투영기법을 기록하며, 지도의 축척, 각종 기호에 대한 범례, 주의 사항, 지도가 포함하는 행정구역 정보, 이웃 도폭명, 편차각도, 도엽 번호 및 도엽 명 등이 표시되어 있다. 지형도 속에 표시된 각종

지형 및 지물의 위치 정보는 정확하기 때문에 지형도를 통해 지역의 각종 공간 정보를 명백하게 파악할 수 있다.

독도법은 지형도 상의 약속기호체계를 이해하고 실제 야외에서 적용하기 위한 것이다. 약속된 기호체계를 통해 가보지 않은 다른 지역의 지형과 환경상태에 대해서 알 수 있으며 지도에서 우리의 위치를 정확하게 파악하게 됨으로써 실제의 지표 및 지물간의 공간적 관계도 측정할 수 있다. 공간에 대한 이해가 질적으로 높아지기 때문에 독도법은 지구 모형공간에서의 규칙과 질서를 배우는 것이라 할 수 있다.

지구 모형을 보면 경도 체계의 기준인 본초자오선이 지나는 곳이 영국의 그리니치 지역으로 되어 있다. 경도 0º, 경도의 기준선이 왜 그곳을 지나는가? 우리는 이 세계 공간모형에 규칙과 질서가 부여되어 있다는 것을 알 수 있는데 그중의 하나가 영국과 관련되어 있다는 것이다. 지역사회, 국가, 세계 지역 그리고 전 지구에 이르기까지 우리는 일관된 공간적 기준과 규칙, 질서를 정하고 있다. 만약 우리가 세운 공간 기준, 공간 규칙 및 질서가 세계적일 경우, 우리의 세계 공간에 대한 이해와 활용능력이 세계적이란 의미가 될 수 있다. 세계 각 문명들의 경쟁력이란 그 문명이 자리하는 공간에 대한 정확한 지식과 이해가 뒷받침되어야 가능한 것이기 때문이다.

야외에서 독도법을 실습해보면 굉장히 귀찮고 힘든 작업임을 쉽사리 알 수 있다. 뙤약볕 또는 비바람이 몰아치는 가운데 자신의 위치를 파악해야 하는 것은 물론 독도법 기록에 보고서까지 작성해야 한다. 그러나 이런 고된 활동은 모든 학문 분야나 전문직업 분야에서는 '보통 수준'의 작업이다. 또한 모든 과정에서 실수가 없어야 한다. 그러기 위해선 전문적인 실력이 필요하므로 독도법에 대한 이론을 열심히 배우고 익혀 야외에서의 독도법을 완벽히 수행하는 법을 기르도록 해야 한다. 제국주의 시대 당시 제국의 실력 있는 신민(臣民)들이 전 지구적으로 자신들의 공간 규칙과 질서를 독도법을 하며 정립해가던 그 엄청난 지구력을 한번 생각해보자. 그것이 바로 그들의 실력이며 경쟁력이 아니었던가? 그리고 그들이 세웠던 공간 질서가 기준이 되어 오늘날 아직까지 우리 생활 전체를 지배하고 있는 것이다.

(지역에 대하여)

우리 말의 지역은 영어에서는 크게 area와 region으로 구별된다. Area는 공간(space)의 일종으로 머릿속 공간에서 정해진 범주를 실제 지표면에 적용할 때 쓰이는 단위이다. 예를 들면 전화번호의 지역번호인 area code가 있다. Region은 실제 지표면에 존재하는 실체이다. 실제 지역들이 모여 세계(world)를 형성한다.

세계지리는 공간의 일종인 지역과 실제 지표면에 존재하는 지역을 모두 다룬다. 머릿속 공간에서 유래된 지역과 실제 지역을 서로 증험하여 좀더 명백한 세계 이해를 가지려는 것이다. 세계화는 세계의 여러 공간과 지역이 구체적으로 '어떻게' 연결되어 어떤 상호작용을 하는가 라는 인식범위의 확장과 증험과정을 바탕으로 한다고 할 수 있다.

세계지리에서 세상을 보는 기본 단위로 지역을 주로 사용하는데, 지역은 세계지역을 의미하며 주로 대륙크기의 공간규모를 가지거나 국가 단위로 정해진다. 세계지역은 그 지역 위에 사는 인간집단을 대상으로 하게 된다.

'집단지성'이라는 개념이 세계지역 이해에 있어서 중요한 역할을 한다. 집단지성은 다분히 집단구성원의 인적 특성에 따라 그 수준이 달라진다. 오늘날 인터넷 가상공간은 세계적 인적 구성원을 가지면서 전대미문의 새로운 집단지성을 창출하고 있다. 이 세계적 범위의 가상공간에도 지역이 존재할까?

세계의 자연환경과 문명

世界의 自然環境과 文明

지구의 환경은 연결되어 하나의 거대한 체계를 이룬다. 인간이 세운 문명도 지구환경의 일부분에 지나지 않는다

인류는 태양계의 화성(火星)을 개척지(開拓地)로 정한 지 오래되었다. 현재는 극소수의 인류가 화성 탐사를 나갈 예정이지만, 언젠가는 인류 대다수가 화성에 이주할 날이 올지도 모른다. 나사(NASA)에서는 현재 화성 개척의 일환으로 화성에 지구환경을 조성하는 계획이 예정돼 있다. 왜냐하면 인류는 지구환경에 특화(特化)되어 있어 다른 행성에 가더라도 지구에서 누리는 지구공간요소들을 함께 가져가야 하기 때문이다. 그럼으로써 인류는 화성에 가서도 지구의 삶과 동일하게 살아갈 수 있다.

이러한 우주개발사업은 지구환경과 인류문명에 대한 모든 것을 다시금 되짚어보게 한다. 지구환경의 이식이라는 새 우주개발방식은 무한한 우주공간이 있음에도 인간이 살아갈 수 있는 공간의 비율은 현저히 낮다는 것을 반증한다.

사실 우리는 지구에 대해서도 잘 모른다. 아무도 지구 내부로 간 적이 없으며, 깊은 바닷속에도 들어가 본 적이 없다.

이런 것들이 배제된 와중에 우리가 만들어놓은 문명을 논하는 것은 과연 어떤 의미가 있을까? 문명은 영원하지 않을지 모른다. 오늘날 화석연료(化石燃料) 기반의 문명은 영원히 지속될까? 기후온난화가 진행된다면 현재의 문명은 살아남을 수 있을까? 또 인류 문명에 근본적인 변화를 가져오는 기술적 도약이 가능할까? 인간은 무언가 맹목적으로 믿는 경향이 있다. 진화론(進化論)을 보더라도 단지 이론(理論)일 뿐인데도 절대적인 법칙인양 여기고는 다른 이론의 비정(批正) 근거로 사용한다. 거기에 인간사회의 문명적 현상에 대한 진화론적 해석이 존재하며 맹위를 떨치고 있다. 또 어떤 것이 정상적이고 규범적으로 받아들여진다면 그것을 사고(思考)의 준거로 삼는다. 여기에는 어떤 문제가 있을까?

지구의 환경은 연결되어 하나의 거대한 체계를 이룬다. 인간이 세운 문명도 지구환경의 일부분에 지나지 않는다. 이 지구환경을 지형, 기후, 대양 별로 알아보자.

1. 지형

인간은 지표면(地表面)에 산다. 지표면은 지구의 윤곽(輪廓)이며 지형(地形)을 이룬다. 지형은 지표면의 윤곽과 그 아래 지하공간의 특성과 여러 가지 지구의 물리적 운동을 모두 연관하여 보는 지리학적 개념이다. 그리고 대지 위에 사는 생물들이 활동하는 중력 방향으로의 공간한계로써 지표상의 많은 생물체들의 생활을 지배하고 있다. 다시 말해 실제 공간이자 인간이 다양한 삶을 살아가는 토대인 것이다. 또 지형은 지구 내부와 대기권 간의 끊임없는 에너지 교환이 발생하는 곳이기도 하다.

문명은 지형의 지역적 특성을 이용하거나 개발하면서 이룩되었다. 주요(主要) 문명(文明)의 역사적(歷史的) 위치(位置)는 하천(河川) 주변의 평지(平地) 지형과 연관되어 있다. 여러 문명들은 분수계(分水界)를 형성하는 지형들로 둘러싸인 유역(流域)의 중심지에 위치해 발달한 경우가 많다. 하천이 합류되는 지점에는 결절지(結節地)가 형성되기 쉬우며 교통망이 밀집한다. 여기서 결절지는 도로망이 모이는 지역으로 상공업, 행정, 문화 등 문명의 기능이 집중된다. 또한 인류(人類)가 밀집(密集)하여 경제활동(經濟活動)을 하는 장소(場所)로 이용되고 있다. 우리가 알고 있는 거대 문명은 대개 결절지에서 시작된 것이다.

(귀띔)

세계 자연환경요소들을 백지도에 직접 그려보자. 우선 국토교통부-국토지리정보원-어린이 지도 여행-지도체험교실 웹사이트(http://www.ngii.go.kr/child/contents/contentsView.do?rbsIdx=33)에서 백지도 다운로드 서비스를 이용해 백지도를 구한다. 구글에서 '위키백과:백지도 모음'을 입력해 백지도를 사용해 보자. 그런 다음 지리부도, 세계지형 전도 등을 통해 자연환경요소들을 참고하면서 백지도에 직접 따라 그려보고 지도생성연도 또는 지도에 사용된 기초지리자료에 대한 정보 등도 찾아 기록해 보자.

세계지형도를 구하여 평지, 고원, 산지 등의 유형으로 육지를 구분하여 백지도에 그려보고 세 가지의 유형으로 나누는 고도 기준을 간단히 기록해 보자. 그런 다음 고도 기준을 정한 이유 또는 근거를 적어 보자. 어떤 문제점이 발견되는가?

오늘날의 주요 문명은 어떤 지형에 분포하고 있는지 기술해 보자. 세계의 주요 도시의 위치와 어떤 관련이 있는가?

세계의 지각판(地殼板)의 분포와 운동 양식을 세계 백지도에 표시된 지형도에 따라 그려보고 어떤 연관성이 있는지 간단히 적어보자. 또 세계의 주요 화산대를 표시해 보고 지각판의 경계지역과의 연관성을 살펴보자. 다음으로 세계의 하천과 유역을 백지도에 그려보고 세계의 주요 도시들의 위치도 각각 표시해 보자.

2. 기후 및 식생

사람은 대기 속에서 살아간다. 대기는 어떤 동적 평형상태에 있다. 대기가 평형상태를 유지하는 것은 사람이 살아가는데 굉장히 중요한데 이 대기의 평균적인 상태를 기후(氣候)라 한다.

지구가 태양 주위를 돌 때에 지구의 자전축이 기울어져 있어 대기의 평균상태가 크게는 1년 단위로 주기적인 변동이 이루어진다. 또한 지구의 자전으로 인해 비슷한 위도를 따라 동일한 태양의 복사에너지량을 받기 때문에 유사한 기후가 대개 동서방향성을 가진 지대로 나타난다. 공통적인 기후 특성에 따라 나눈 지역을 뜻하는 기후대(氣候帶)는 세계 지형의 분포와 대양의 분포를 반영하여 동서방향성이 나타나지 않는 곳도 있다. 식생대(植生帶)는 이 기후대와 비슷한 형태를 보인다. 정말 비슷한 형태인가?

토양은 인류에게 필요한 거의 모든 음식을 제공하는 절대적 자연요소다. 음식은 궁극적으로는 식물(植物)에서 기원하고 식물은 생장하기 알맞은 기후와 토양에서 잘 자란다. 이 토양의 생산력에 크게 의지하는 것이 바로 오늘날의 문명이라고 할 수 있다. 토양은 침식당하기 쉬운 특성을 가지므로 항상 잘 관리해야 농작물 수확이 제대로 이루어진다. 농경지(農耕地)는 토양을 농경의 목적으로 개간한 인공지역이다.

세계의 기후는 오랜 역사 속에 변해왔고 지금도 변동 중이다. 평형상태에서 많이 벗어나 정상적인 기후 상태와는 다른 상태가 지속될 경우, 우리는 기후변화(氣候變化)를 실감하게 된다. 기후변화는 세계 각 지역의 식생과 동물 생태계를 변화시키고 새로운 지형형성작용을 가져온다. 과거의 기후변화는 대기 속에서 찾을 수 없다. 왜냐하면 그 흔적이 지형에 남기 때문이다. 세계적 기후변화를 가장 잘 보이는 증거는 옛날 해안선이 있던 지형으로 오늘날 유물지형으로 남은 것이다. 세계적 기후변화의 가장 직접적 영향으로 볼 수 있는 것은 해수면변화(海水面變化)이다. 빙하기(氷河期)와 같이 세계 대부분의 지역이 얼음 세계였을 때에는 육지의 얼음이 물을 많이 저장하였기에 당시의 바다 수면, 즉 해수면(海水面)이 낮았다. 간빙기(間氷期)에는 육지의 얼음이 녹아 바다로 흘러들어 바다의 수면이 높아진다. 그렇기 때문에 오늘날 발생한 지구온난화에 따라 가까운 미래에 발생할 것으로 예상되는 해수면 상승은 주로 해안에 자리 잡고 있는 인류 문명에 많은 영향을 끼칠 것이다.

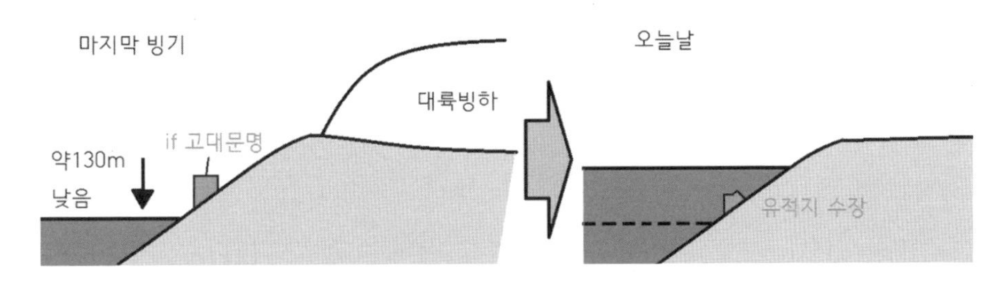

〈그림69〉 해수면 변화 모식도
만약 마지막 빙기에 고대문명이 있었다면 주로 과거 해안가에 위치해 있었을 것이다. 그 뒤 해수면이 상승하면서 수장(水葬)된 것으로 추측할 수 있다.

세계 기후도를 찾아 백지도에 기후대를 간단히 그려본다. 지대성(地帶性)이 나타나는가? 위도와 평행하게 연속적인 지대로 나타나지 않는 부분들은 어디인가? 그 이유를 세계의 지형도 및 해양 및 해류의 분포, 세계의 바람분포도 등을 토대로 비교해 알아보자.

지구온난화에 따라 세계 해안의 침수가 예상되는 부분을 표시해 보자. 인간의 문명이 앞으로 어떻게 전개될 것인지 생각해 보고 정리해 보자.

빙하(氷河)의 분포지역을 표시해 보자. 빙하를 유형별로 구분하여 보자.

(조사활동)

농촌진흥청 어린이 홈페이지-환경마당-흙이야기 웹페이지에 들어가서 흙에 대하여 자세하게 알아보자. http://www.rda.go.kr/children/envi/soil_worl_01.jsp?child_menu_id=menu_s1&child_pgr_id=soil_worl

3. 대양

세계적 문명(文明)은 바닷길을 개척하고 적극적으로 개발 및 이용함으로써 세계적으로 성장했으며 번영해왔다. 바다의 주요 길이 집중되는 해협(海峽)과 운하(運河)는 세계적 물류 운송의 전략적 지위를 누린다. 세계의 주요 바닷길을 조사해 보고 어느 지역이 중요한 길목인지를 백지도에 표시해 본다.

바다의 길은 평평하며 큰 화물선을 이용하여 많은 화물을 운반할 수 있다. 바다의 길이 시작되는 곳과 끝나는 지점은 대륙의 모든 해안이 아니다. 자연 지형적 요소와 바다의 깊이, 그리고 주변 항구에 비해 상대적인 지리적 이점이 있는 위치에 항구가 자리 잡는다. 여러 조건들이 충족된 항구에서 국제적 해운(海運)의 출발과 끝 지점을 이룬다. 대한민국의 부산이 가지는 동북아 물류의 지위를 여러 요인들을 통해 생각해 보자.

지구의 바다는 하나의 거대한 흐름 띠를 형성하고 있는데 이 흐름 띠가 끊어지거나 멈추면 지구 기후에 엄청난 영향을 미친다고 한다. 구글에서 '(global) ocean conveyor belt'를 입력하고 이 시스템을 백지도에 따라 표시해 보자.

(조사활동)

구글에서 '투발루(Tuvalu)' 라고 입력하고 '지구온난화'로 인해 이 나라가 겪고 있는 문제를 조사해 보자.

4. 대기

대기(大氣)는 태양의 강한 복사(輻射) 에너지와 우주공간에서 날아오는 우주진(宇宙塵)과 같은 물체로부터 대기의 최하층인 대류권(對流圈)에 사는 지구 생명체를 보호해 준다. 인류는 이 대류권 안에서 숨을 쉬고 산다. 대기권의 고도에 따른 기온과 기압의 수직적 변화를 나타낸 모식도를 찾아보고 따라 그려보자.

대기 대순환도에서 대기의 이동인 지상풍의 주요 지대를 나타내고 각 지대의 이름을 적어 본다. 주요 바람이 부는 방향을 화살표로 나타내 본다. 바람의 방향이 왜 그렇게 되었을까?

(조사활동)

'온실기체(溫室氣體)'에 대하여 조사해 보자. 이들이 대기 중에서 어떤 작용을 하기에 지구 대기의 온도가 높아지는가?

5. 수용력과 생태계

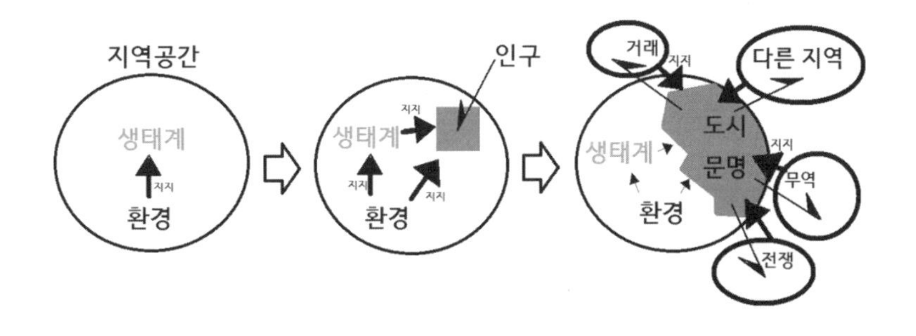

〈그림70〉 수용력과 지역문명의 성장

지구의 공간이 한정(限定)되어 있듯이 지구공간에 받아들일 수 있는 생명체의 수 역시 정해져 있다. 이를 수용력(收容力)으로 정의한다. 수용력은 특정공간이 어떤 종(種)을 유지할 수 있는 최대 개체수를 말한다. 사람은 물과 같은 자연환경요소와 삼림(森林)과 같은 생물자원에 의지하며 살기에 생태계도 인간의 삶을 지탱할 수 있어야 한다. 생태계(生態系)란 특정공간의 물리적 환경에서 사는 생물요소들을 총체적으로 표현한 것이다. 사람에 대한 한 지역의 수용력은 지역의 생태계가 유지되면서 지속적으로 인간의 삶을 지탱할 수 있는 특정공간의 부양능력이라 할 수 있다. 인간 이외의 종(種)들은 특정공간의 수용력 한도 내에서 생활한다. 그러나 사람은 그렇지 않다.

세계 각 지역은 고유의 수용력을 가지고 있다. 어느 지역에서 인간이 살기 시작한 것은 그 지역 생태계가 인간이 살아가는데 필요한 자원을 공급해줄 수 있었기 때문이다. 도시국가 문명의 성장은 그 지역 생태계가 기하급수적으로 늘어난 인간의 환경 및 생물학적 수요를 더 이상 감당할 수 없게 만들었다. 이후 급속히 성장한 문명을 지탱할 수 있도록 지역의 수용력을 키우는 방법이 형성되었는데 타 지역 공간의 수용력을 이용하는 방식이었다. 세계 각 지역은 그 지역의 문명이 필요한 모든 것을 다 생산하지 못한다. 그래서 한 지역의 문명은 다른 지역들과 교역을 하는데, 이는 다른 지역의 수용력을 이용하는 것이다. 이렇듯 교역은 새로운 수용력을 확보하는 주요 매개체가 되고 있다.

오늘날 도시의 물질적 수준은 인간이 문명생활을 하는 실질적 모습에 비례한다. 오지(奧地) 지역에서의 삶과 비교해 보면, 도시는 인간이 살기에 훨씬 편리하다. 그런데 이 편리함의 정도에도 수준이 있으며 최고 수준을 성취하기 위한 경쟁도 치열하다. 거대한 교역의 네트워크로 연결된 오늘날 전 세계의 도시들은 경쟁력 있는 국제적 인재들이 원하는 모든 것을 다 누릴 수 있도록 공간을 제공한다.

도시의 환경 자체는 '메마른 사막'과도 같다. 도시문명의 물질적 조건이 그 도시 환경 자체에서 나온 게 아니기 때문이다. 그러니 도시 자체의 수용력은 사막지역만큼 매우 낮다고 볼 수 있다. 오늘날 인간의 문명체계는 전 세계의 생태계 환경에 막대한 부담을 주면서까지 대도시권 밖 지역의 수용력까지 대단위로 소비하고 있다.

전 지구적 기후변화 이슈는 세계 곳곳의 지역 환경수용력의 변화를 의미한다.

문명의 주변부 지역에서 기후변화에 따른 지역 환경수용력의 변화가 뚜렷하게 나타남으로 인해 고향에서 살 수 없게 된 지역주민들은 문명의 중심부인 도시로 이주하는 쪽을 택했다. 그런 까닭에 수 세기를 이어온 전통문화가 사라지고 가족마저도 해체되고 있다. 또한 갑작스런 도시 인구의 증가는 도시의 수용력을 저하시키고 있다.

(조사활동)

구글어스를 통하여 세계 각 지역의 수용력에 대하여 살펴보자.

1. 일본 대도시 지역 주위를 살펴보자. 일본 대도시 지역은 공간의 수용력 이상으로 발달해 있다는 것을 볼 수 있다. 이로써 일본이 세계지역과 무역할 수밖에 없는 이유가 설명된다.
2. 수에즈운하 부근 지역은 나일강 삼각주(三角洲)의 수용력이 주변 사막 지역보다 높다는 것을 알 수 있다.
3. 히말라야 산맥 정상 지역에는 빙하(氷河)가 있다. 여기에 도시문명을 세울 수 없는 것은 자명(自明)하다.

6. 문명의 물적 토대

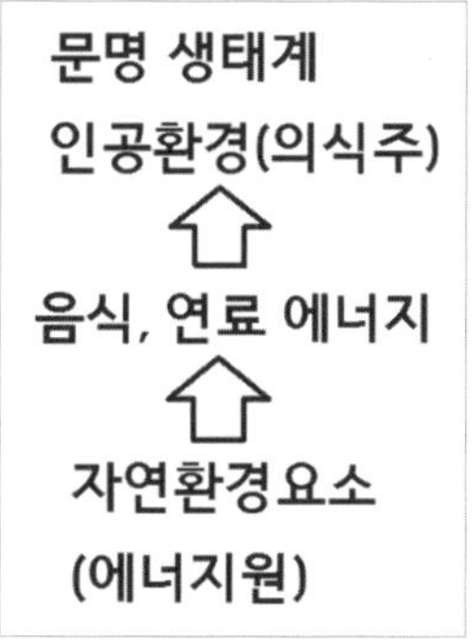

문명 생태계

인공환경(의식주)

⇧

음식, 연료 에너지

⇧

자연환경요소

(에너지원)

〈그림71〉 문명의 물적 토대

문명생태계란 문명끼리 또는 한 문명 내에서 상호작용하는 인간집단들을 통칭하는 말로 정신적 차원과 문명의 물적 조건을 모두 포함하는 개념이다. 오늘날 IoT(Internet of Things) 시대가 열려 모든 사물들이 연결되면서 인간의 새로운 삶의 형태가 나타나고 있으며 전 지구적으로 연결된 새로운 문명생태계를 형성하고 있다.

전 지구적인 문명생태계 시대에는 신(信) 개념이 중시된다. 아무리 극소수가 잘못된 상행위(商行爲)를 했더라도, 인터넷 전체 장터의 신뢰가 무너질 수 있는 것이다. 현대에 들어서 가상세계가 서로 연결되어 많은 거래가 이루어지고 있긴 하지만 여전히 대부분의 사람들은 '직접' 상품을 확인하려는 신뢰 검증 행위를 통해 물건을 사고 있다. 이는 백화점 등 오프라인 상점들이 사라지지 않는 이유이기도 하다. 특히 고가의 상품일수록 정품(正品)에 대한 검증 문제가 중시된다. 상품의 가격은 딱히 문제되지 않는다. 이것은 일반 식품시장에서도 마찬가지다. 재래시장에서 단골에 대한 지속적인 거래 유지의 바탕에는 신뢰 문제가 내재되어 있다. 믿을 수 있는 상인, 믿을 수 있는 소비자 등 신(信)은 거래관계에서 무척 중요한 요소다. 나아가 지구의 문명생태계 역시 서로를 신뢰할 수 없다면 인류 전체의 문명적 발전은 장담(壯談)할 수 없는 것이다.

문명생태계에도 수용력이 작동한다. 허균(許筠)의 『홍길동전(洪吉童傳)』에서 홍길동은 서자(庶子)로서 당시(當時) 서얼차별(庶孼差別) 문화에 대항(對抗)하지만 율도국의 왕이 된 이후 서얼차별(庶孼差別)을 철폐(撤廢)하지 않는다. 비록 소설(小說) 속 내용이긴 하지만, 당시의 조선의 문명생태계가 서자를 사람으로 대접할 수 없는 수용력이었음을 잘 보여준다.

문명은 영구히 지속되지 않고 불연속성이 강하며 동시대(同時代)에도 여러 문명형태가 존재한다. 문명의 공간적 확장은 도시의 성장과 함께 했는데 농업혁명에 의한 초기 도시의 형성과 도시국가 발전을 예로 들 수 있다. 도시국가는 전쟁 등의 수단을 통해 제국으로 발전하였으며 산업혁명, 의학혁명, 과학기술혁명, 신농업 기술혁명, 그리고 석유(石油)로 대표되는 화석연료(化石燃料) 에너지의 막대한 생산과 소비활동을 통하여 오늘날의 대도시 형성 및 지구 광역적 배후지(背後地)가 형성되었다. 배후지는 도시문명 등의 경제적 영향권에 포함된 도시문명의 주변지역을 의미한다. 도시문명은 성장하는 동안 성장 속도에 관성(慣性)이 붙게 된다. 전 지구적으로 연결된 대도시는 지구 광역의 생태계 및 지구의 자원을 소비하며 유지된다. 또한 각종 물자 운송체계가 형성되어 있으며 운송 속도를 높이는 노력을 통해 인간의 도시 문명이 지탱되고 있다.

지구 전체 생태계의 수용력이 언젠가 한계점에 도달할 수 있다는 점은 오늘날 의심의 여지가 없는 사실이다. 이 문제의 근원적 해결은 문명의 물적 토대를 이루는 자연환경요소, 즉 에너지원에 대한 소비를 크게 줄이는 것에 있다. 동시에 에너지원을 지구환경요소 밖에서 찾는 것도 포함한다. 이는 다른 행성의 자원을 에너지원으로 만드는 우주개척(宇宙開拓)을 말한다. 지구에서 생성된 음식과 에너지를 좀 더 효율적으로 사용하는 기술을 개발하거나, 태양열과 같은 신재생 에너지원을 개발(開發)하는 방법도 있다. 그러나 새로운 에너지원 또는 효율적인 에너지 소비방식의 개발행위는 대규모의 인프라 구축이 필요하다는 조건이 붙는다.

문명은 인공환경에 속하지만, 그 역시 지구환경이며 자연환경의 일부이다. 도시의 인공환경 속에서도 얼마든지 생명체의 놀라운 탄성(彈性), 복원력(復原力) 또는 생존지속성(生存持續性)을 확인할 수 있기 때문이다. 자동차가 지나다니는 포장도로의 갈라진 틈새에 고인 도시의 먼지 한 줌에도 어김없이 우리가 잡초(雜草)라 부르는 생명체들이 자라난다.

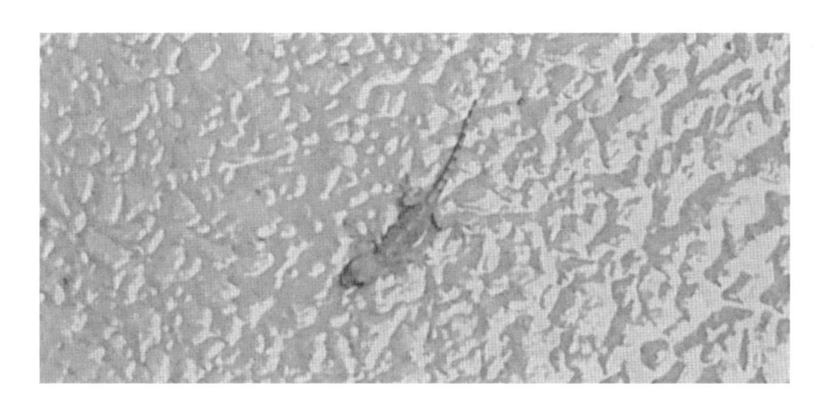

〈그림72〉 도마뱀?

부산 도심의 축인 동구 수정동 일대에서 발견된다.

2013년 6월 18일 촬영. 크기는 약 7cm이다.

(조사활동)

1. 한국에너지기술연구원 홈페이지(http://energium.kier.re.kr/)에 들어가 주요 에너지자원에 대하여 알아보자. 에너지자원의 소비형태와 소비량 등도 조사해 보자.
2. 세계의 식량문제에 대하여 자세하게 조사해 보자.

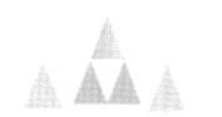

7. 인간과 땅

인간은 지구의 다른 생명체들보다 확연히 다른 삶을 향유하면서 그 다른 삶의 방식을 땅 위에 자취로 남긴다. 그 자취가 바로 인공환경이다. 사람은 인공환경(人工環境) 속에서 살아가며 개인적 인공환경인 '옷'을 비롯한 의식주를 마련한다. 개인의 의식주 활동은 주로 평평한 개활지(開豁地)에서 이루어진다. 만약 개활지에 집을 짓는다면 사람이 살기에 적합(適合)한 집이 되도록 인공환경을 조성(造成)한다. 주거지(住居地), 도로(道路), 공공시설(公共施設) 등이 들어설 자리에 자연적으로 경사(傾斜)가 진 경우에는 땅을 평평하게 만들기 위해 자연 지형을 변형(變形)시킬 수밖에 없다.

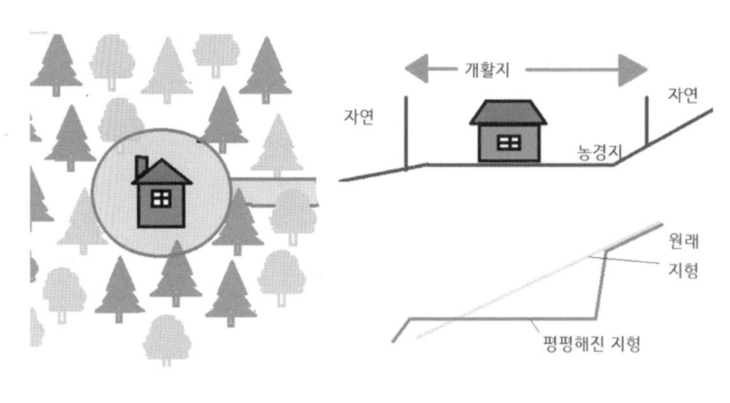

〈그림73〉 사람은 평평한 개활지에 산다.

이처럼 인간이 생존하기 위해서는 필요한 게 많다. 그래서 인간은 분업(分業)을 한다. 이 분업 활동이야말로 인간 문명이 질적으로 발전하는데 가장 큰 이유라 할 수 있다. 그러나 문제는 인간들 모두에게 만족스런 생활을 가능케 하는 즉, 자원이 넘쳐나는 지역이 거의 없다는 사실이다. 제한된 자원은 인간들끼리 서로 투쟁하게 만들며 대부분 집단적(集團的)으로 이루어진다. 물론 인간집단끼리의 투쟁(鬪爭)도 분업의 형태로 이루어진다. 다시 말해 싸우는 사람이 따로 정해져 있는 것이다.

인간은 지구의 자원에 의지하면서 인간문명을 이루어냈다. 말인즉 고대문명이든 현대문명이든 문명의 작동기제(機制)는 같다는 것이다. 이는 인간이 발 딛고 있는 땅에 대한 역학관계에 있어 근본적인 변화가 없었다는 사실을 의미하기도 한다. 오늘날의 화석연료문명은 자연환경을 인공환경으로 변화시키는 속도(速度)를 증가(增加)시켰을 뿐이다. 지구의 자원에 의지(依支)하는 인간의 문명적 활동방식은 지구의 타 생명들이 사는 방식과는 매우 다른 형태를 보인다. 유인원은 자연환경이 주는 그대로 의식주를 해결한다. 인간은 사회집단과 인공환경에서 의식주를 해결한다. 유인원(類人猿)은 작은 개체수여도 문제가 없지만 인간은 그 수가 작아지면 생존에 어려움이 생긴다. 유인원은 개체수가 클 때 이동한다. 그래야 산다. 그런데 인간은 엄청나게 그 숫자가 늘어나더라도 한 지역에 정착(定着)하여 계속 몰려 산다. 한 곳에 정착하여 몰려 사는 특성은 지역환경에 막대한 스트레스를 안겨준다. 이는 곧 지역의 수용력 한계를 초과(超過)하는 것이므로, 지역 외부로 수용력을 확장할 수밖에 없게 된다.

(옆길 생각)

- 인류가 '옷'을 입는 이유는 뭘까? 다른 유인원들은 천둥벌거숭이로 사는데 인간만 '옷'을 입는다. 왜 그런가?
- 유인원보다 훨씬 진화했다고 생각되는 인류가 다른 유인원들보다 지구환경에 덜 적응된 이유는 무엇일까?

8. 자연재해 및 인재

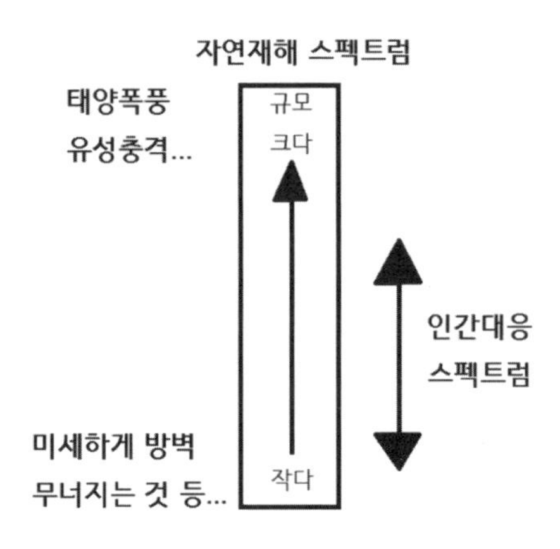

〈그림74〉 자연재해 크기와 인간대응 스펙트럼
인간대응 스펙트럼은 재해에 대한 '인간척도 매기기'의 결과다.

인간집단의 생존과 번영에 위협이 되는 현상은 크게 두 가지로 볼 수 있다. 하나는 자연작용의 형태로 인간집단에게 피해를 주는 자연재해(自然災害)이며, 다른 하나는 인간집단에서의 모순적 상황이나 문명 간의 투쟁인 전쟁 등에서 발생하는 인재(人災)를 의미한다. 인간은 이러한 다양한 위협에 대하여 개인적 수준에서부터 집단적 수준으로까지 광범위하게 대처(對處)해 왔으며, 여기엔 재해 규모에 대한 인간적인 척도가 존재한다.

인간척도(人間尺度, human scales)는 재해의 발생시기와 규모 예측에서 불확실성(不確實性)이 높은 데서 기인(起因)하였으며, 개인이나 집단이 재해의 규모와 시기를 가늠하여 만든 재해규모에 대한 가상(假想)의 잣대다. 한마디로 사람이 어림짐작(--斟酌)으로 정한 재해의 정도(程度)를 말한다. 또한 '인간척도 매기기'는 사람이 짐작으로 재해의 크기를 평가하는 행위를 뜻하는데, 이는 위협에 대한 경험(經驗)을 바탕으로 하며 위협에 대한 대응책(對應策)까지도 고려(考慮)한다. 인간이 정한 재해의 수준은 주로 재해에 취약(脆弱)하다고 인식하는 장소의 공간범위로 구체적으로 표현된다.

인간척도 매기기는 위협과 재해에 대한 경험, 인간집단의 정치, 사회, 경제, 문화의 작용 양상, 인간의 망각과 놓침 등을 모두 고려하며 재해에 따라 그 척도가 가변적(可變的)이며 역동적(力動的)일 때도 있다. 또한 행정책임(行政責任)을 담당(擔當)하는 자의 직업의식(職業意識)과 보통사람들의 세계관 및 해당지역에 거주하는 모든 사람들의 양심수준을 반영한다. 인생의 의의나 의미에 대한 사회집단의 가치판단(價値判斷) 수준을 보여주는 것이다. 인간척도 매기기에 결정적인 영향을 주는 것은 사회집단의 경제적 능력이다. 잘 살수록 인간척도 매기기가 까다로워지며 인간대응의 스펙트럼 또한 넓어지고 세밀(細密)해진다. 인간척도가 설정되면 인간집단의 대응이 뒤따르며 이 대응방식은 그 집단의 문명수준, 역사적 발전도, 정치발전상황, 개화도(또는 세계화도), 과학기술력, 경제상태 및 투자력(投資力) 등을 모두 여과 없이 보여준다. 즉 문명수준을 그대로 보여주는 셈이다.

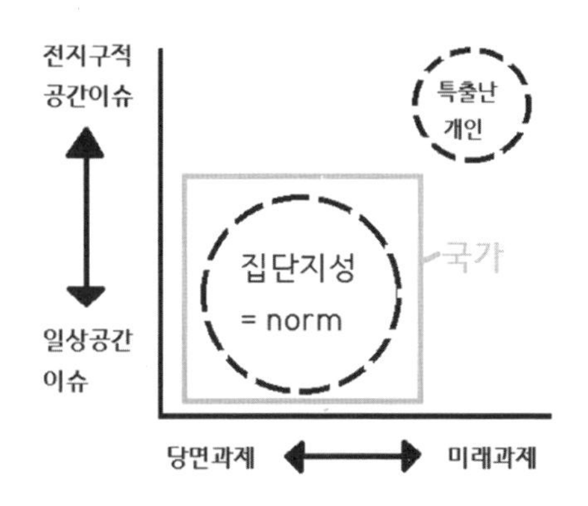

〈그림75〉 집단지성의 특성

사람들은 서로 따라하는 걸 좋아하며 다수가 좋아하는 방식이 있다면 그 방식을 따르는 경향(傾向)이 있다. 집단지성(集團知性)이란 새로운 상황에 대하여 이미 적응된, 일반화된 대처방식을 이용하여 어떤 과제(課題)를 해결하는 인간집단적 지적(知的) 능력을 말한다.

집단지성이 정상상태(定常狀態)일 때는 작동이 원활하지만 그 방식이 오히려 정상상태를 강화(强化)하는 심리(心理)를 조장(助長)한다는 허점도 도사리고 있다. 집단지성은 현재적이며 어떤 표준(norm)에 고정되는 경향이 있다. 이것은 정치분야에서도 볼 수 있다. 모든 정치적 사안(事案)은 단기적(短期的)이며, 예외적(例外的)인 경우에 대해서는 어떻게든 덮어두려는 경향이 강하다. 그것은 합의(合意)라는 형태로 위장(僞裝)된다. 전쟁과 같은 급변적 상태 즉, 비정상적 상태에 있어서는 비정상적 문제가 현안으로 되며, '뛰어난 개인들'에 의한 과학기술적 진보가 집단지성이 허용하는 범위 이상(以上)으로 실현될 수도 있다. 매우 예외적 상황에서 예외적 허용범위(許容範圍)가 잠깐 생기는 것이다. 그러나 문제 상황이 끝나면 정상상태로 되돌아간다.

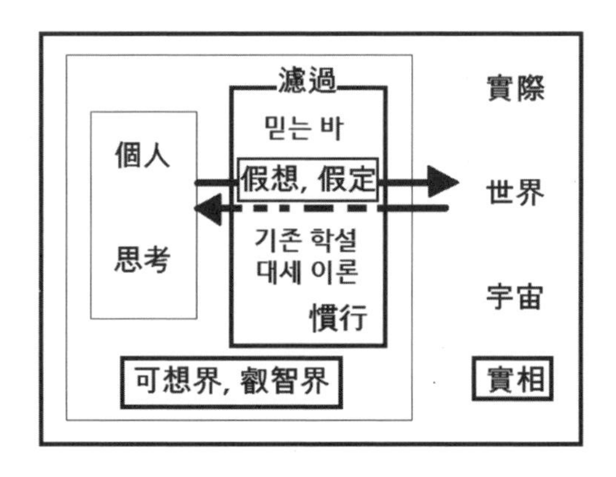

〈그림76〉 머릿속에 존재하는 여과 장치

과학기술분야나 학문의 세계에서도 대세이론(大勢理論)이라는 집단지성의 한 형태가 존재한다. 대세이론은 전공분야의 학자들이 절대다수로 믿으며 집단지성의 허용범위로 작동되는 거대한 생각의 흐름이다. 뛰어난 학자라도 새로운 이론을 제기할 때 대세이론의 상식 수준 및 허용범위를 벗어나는 것은 상당한 위험을 감수해야 한다. 대세이론을 대체(代替)하기 위해서는 보통의 실력을 갖추고서는 어림없다는 것이다. 집단지성에 변화를 가져오기 위해서는 인간의 본성과 사고의 작동방식에 대한 철두철미(徹頭徹尾)한 이해가 선행되어야 한다.

인간척도 매기기는 집단지성의 수준에서 미래의 재해 가능성과 그에 대한 대비수준을 정하는 것이기도 하다. 재해는 항상 상상을 초월하는 상태로 발생한다. 그래서인지 지금까지 대세이론이나 집단지성이 개입한 재해 중에서 그에 대한 대처가 잘 이루어진 전례는 없다.

인간척도 매기기는 사람의 머릿속 여과기(濾過器)를 거친 것이기도 하다. 사람은 실제세계를 그대로 보지 않는다. 사람은 자신이 믿는 바에 따라 혹은 자기 생각을 기준으로 세상을 본다. 기존의 학설과 대세이론은 사람들이 믿는 바를 구성하여 세상일을 볼 때 여과기 역할을 한다. 이는 인간은 머릿속에 가상계(可想界)를 형성하기 때문이다. 여기서 가상(可想)이란 옳다고 여기는 생각이다. 상(想)은 상(相)과 심(心)으로 구성되어 있다. 우리의 마음대로 되지 않는 게 실상(實相)으로, 심(心)이 개입되지 않은 상(相) 그 자체가 실제(實際)인 것이다.

개인의 사고를 실제에 적용하는 것은 여과과정을 거의 거치지 않는다. 믿는 바를 그대로 실제에 적용한다. 이 적용과정을 가상(假想) 또는 가정(假定)이라 한다. 가상은 사실이라 생각하는 것이며 가정은 임시(臨時)로 정하는 것이다. 그러나 실제세계의 일을 개인의 사고로 적용할 때는 반드시 여과과정을 거친다. 이것이 인간이 세상에 대해 하는 모든 사고의 특징이다.

문명의 기준도 여과과정에 존재한다. 인간이 실제로 행하는 것을 있는 그대로 보는 것만으로도 인간 문명의 본질(本質)을 이해할 수 있다. 사람들은 진리와 진실에 대해서는 확인하는 과정을 거치지만 자신의 마음에 들거나 번지르르하게 둘러대는 말은 적극적으로 따르는 경향이 있다. 진리와 진실을 추구할 때는 검증과정을 하는데 이는 여과과정을 테스트하는 것이다. 여과기를 통과하기가 상당히 힘들기 때문에 검증과정은 호락호락하지 않다. 그리고 사회 전반적으로 관행(慣行)이 만연된 상태에서는 진리나 진실은 무시(無視)될 수 있다. 그래서 진리나 진실은 항상 어렵게 깨닫게 되며 알고 난 후에는 씁쓸하고 충격적(衝擊的)인 형태로 다가온다. 자신의 머릿속 여과기를 극복하는 것이 그만큼 어렵다는 뜻이 된다. 그러니 이러한 여과과정에 대한 반성을 거치는 것이야말로 세상일을 즐기며 세상을 온전히 개선시킬 방도가 될 것이다.

다른 인간집단과 다른 문명의 위협에서는 보편성, 선도적(先導的) 문명 요소의 다수 정도, 위협 대처능력에 따라 여러 대응 방안이 있다. 오늘날에는 집단체제, 동맹관계 형태를 띤다. 그러나 자연재해에 대해서는 확실한 대비책이 아직 없기 때문에 거의 무방비(無防備)한 대처를 보이는 경향이 있다. 물론 우리는 자연환경의 막대한 위력을 평생 동안 한 번도 경험하지 못한 채 살 수도 있다. 게다가 인간은 인공환경조차도 제대로 된 통제를 못 하고 있지 않은가. 여하튼 인간집단은 자신들이 설정한 인간척도에 따라 예방적(豫防的) 조치(措置)를 한다. 예를 들어 지역주민들이 가지는 해당지역에서의 재해유형과 그 공간적 범위에 대한 인식 및 실질적 대응형태는 가시적으로 나타난다. 이 경우 자연재해에 대한 인간의 대응형태를 살펴보는 것으로도 지역공간에서 어떤 부분이 주민들에게 중요하게 작용하는지 알 수 있으며, 그 지역사회의 경제적 능력, 의사결정과정과 실천능력, 공간에 대한 가치평가와 공간인식에 대한 역사적 변천과정도 알 수 있다.

인류의 문명은 위태하게 유지되고 있다. 수천 년간 지속되고 있는 물적 조건을 구축한 적도 없었고 지금도 못 하고 있는 실정이라 에너지 활용이 상당히 비효율적(非效率的)이다. 그런데다 미래세대에게 모든 문제를 당연한 듯 물려주려는 생각이 팽배(澎湃)하여 책임감도 없다. 잠시 편하면 그만이라는 생각이 대부분인 것이다. 무엇이든 겪은 뒤에야 비로소 대책을 찾기 시작하는 인류의 가장 치명적인 결점 역시 문명의 퇴화를 부추기고 있다. 게다가 망각(忘却)이라는 결점도 있다.

9. 문명 주인의 기록

기록되지 않은 문명은 존재하지 않았던 것과 같다. 문명의 수준은 지극히 기록의 수준, 기록물의 정보수준과 질에 따라 평가되고 결정되며, 기록물(記錄物)은 문명의 주인들이 남긴 유산(遺産)을 말한다. 오늘날의 문명에서는 어떤 면이 기록될 것이며 어떤 면이 그 존재마저 잊힐 것인가? 오늘날 학문의 세계로 들어선 젊은 대학생들은 문명의 주인으로서 살아가는 삶의 의의를 하루빨리 깨달아야 할 것이다.

인류는 유사 이래(有史以來) 압도적으로 노예의 삶을 살아왔다. 그래서 우리는 노예의 삶에 대하여 너무나도 잘 알고 있다! 우리가 노예를 싫어하는 이유는 온전한 사람으로 대우받지 못하고 자기 소유물을 가질 수 없기 때문일 것이다. 오늘날에도 노예라는 단어는 금전의 노예, 사랑의 노예 등과 같이 어떤 이기적(利己的) 목적을 위해 자신의 인격(人格)을 스스로 저버리는 사람의 뜻으로 쓰인다. 이기적인 것은 인류 역사에 항상 있어 왔다. 오로지 자신의 생존만을 위해 살아온 노예의 삶은 역사에 기록될 가치가 없는 것이다. 그런 반면 자유문명인(自由文明人)은 스스로의 인생을 책임지며 뜻하는 바를 이룩하여 인류 문명에 이바지한다. 그중에서도 우리는 가장 본보기가 되는 업적을 기려 역사에 기록한다. 문명생태계에 큰 발전을 이룬 업적 역시 기록되어 문명 발전의 역사 기록으로 길이 빛나게 된다.

우리 대한민국은 위대한 문명의 길을 걸은 역사기록을 가지고 있다. 국가기록원, 대통령기록관, "축첩(蓄妾)을 범법으로 명시한 대통령 기록은–축첩방지법 제정의 건(http://www.pa.go.kr/online_contents/record/1325380_6619.html)"에서, 1949년 이승만 대통령이 축첩방지법을 지시한 것을 볼 수 있다. 또한 국가기록원의 사진과 영상으로 보는 오늘의 기록 (http://theme.archives.go.kr/next/daily/photoCalendar.do?year=2013&month=8&day=23&mode=current), 2013년 07월 29일, "5급 공무원 시험 현장, 1961, 공보처, 관리번호: CET0045473"에 따르면, "5.16직후 병역기피

(兵役忌避), 축첩(蓄妾), 부정행위(不正行爲), 정치관여(政治關與)를 한 공무원(公務員)을 감축하였다"는 기록이 있다. 이는 모두 대한민국이 선진문명국으로 성장하게 되는 기틀을 잡았던 위대한 순간을 기록한 것으로써 공무원들에게 강력한 도덕적 의무를 개인 생활에서까지 지키도록 하였다. 그 옛날 서자라는 인간도 아닌 존재를 만드는 구악(舊惡)을 세종, 정조 때에도 고치지 못하여 결국 조선문명의 기둥이 썩어간 것이다. 대한민국에서 축첩을 없애버림으로써 모든 사람을 차별 없이 대하는 선진문명적 의식기준을 마련하였으며 모든 이가 똑같은 국민으로 우리 대한민국 문명발전의 주역(主役)이 될 수 있게 하였다. 그럼으로써 계급차별의 병폐를 한순간에 몰아내고 개인의 양심적 수준에서부터 사회적 제도로까지 확대하여 인간 평등의 새 시대가 열린 것이다. 이는 미래 세대에게 반드시 알려야 할 자랑스러운 우리 문명 기록 중의 하나다.

(조사활동)

집단지성을 새로운 상황에서 이미 적응된 방식으로 대처해나가는 인간 집단적 지적 능력이라 정의하였다. 집단지성을 사람들이 모여 만들어 낸 지적 성과물로 볼 수 있는데, 최근 위키피디아와 같은 인터넷 가상공간의 발달로 인한 집단지성의 창출특성에 대한 관심이 증대하고 있다. 인터넷 가상공간에서 개별적이지만 많은 사람들이 자발적으로 참여하여 만들어내는 지적 성과물인 집단지성의 특성과 그 생성과정에 대하여 자세하게 조사해 보자. 가상공간에서의 집단지성과 실제공간에서의 집단지성 간에는 어떤 차이가 있는가?

자료기술 및 객관적 지표

資料記述 및 客觀的 指標

오늘날 전 세계 국가들은 명명척
도 자료에서부터 비율척도 자료까
지 다양한 수치자료들을 생산한다

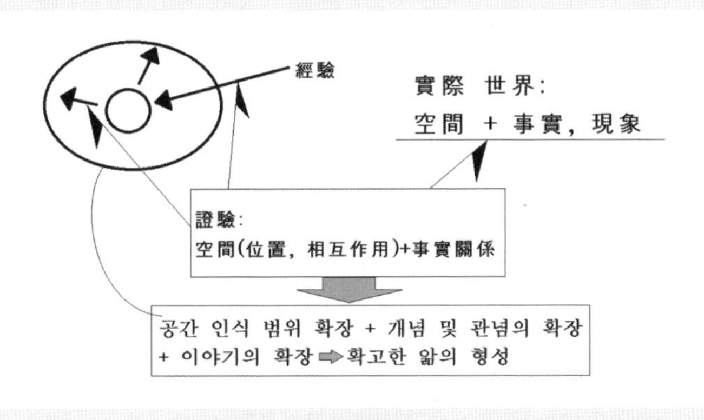

〈그림77〉 증험

확고한 앎은 실제세계의 사실(事實)과 사실관계(事實關係)에 기초한 증험(證驗) 활동을 통해 달성된다. 증험단계에서 수치로 표현된 자료를 다룰수록 객관적인 지식이 된다. 오늘날 사물인터넷시대는 제공된 수치자료의 신뢰성 문제가 중요한 화두(話頭)로 등장했다. 수치자료 및 객관적 자료의 제공, 검증방법 제시 등은 자료의 신뢰성 문제를 증험할 수 있게 한다.

한 국가의 전반적인 상황을 파악할 때 지형, 기후, 해양관계, 인구특성, 경제특성, 사회특성, 정치 체계, 정부조직, 산업구조, 교육체계, 문화적 특성, 자원 분포 등의 수치자료를 바탕으로 하는 객관적 지표를 먼저 보게 된다. 일상에서도 수치자료는 사건이나 현상에 대하여 정확하고 객관적인 인식을 가져온다.

사람이 이해한 사물의 각종 성질이나 현상의 특성에 대한 기술이 자료(資料)이고, 정보는 문제를 해결하는데 도움이 되는 자료들의 결합(結合)이다. 정보를 통해 문제해결방식을 알게 되기에 의미가 있게 된다. 정보의 의미가 객관적으로 평가될 수 있다면 정보의 가치는 높아진다. 수치자료는 수학공간 질서와 약속체계를 따르기에 전달하고자 하는 바를 정확하게 하고 정보해석에서 왜곡(歪曲)을 없애며, 자료 자체를 제삼자가 객관적 기준에 따라 다시 검증할 수 있게 한다.

수치자료에도 질적 차이가 있으며 이를 자료의 척도 개념으로 설명한다. 자료의 측정수준이 명명척도에서 비율척도로 갈수록 정보의 질이 높아진다. 그리고 수치자료의 측정수준이 높아질수록 대화에서 다루는 정보 수준이 높아진다. 사실에 근거한 수치자료를 통해 논리적인 대화가 가능하게 되는 것이다. 수치자료에 근거한 정보의 형성은 어떤 현상에 대하여 추정만 하는 단계에서 벗어나 보편적이고 타당한 수학체계를 기준으로 여러 대안들을 비교 검증하여 올바른 의사결정을 하게 만든다. 정보에 근거한 의사결정(Informed Action)은 수치자료를 바탕으로 할 때 명확하게 할 수 있다. 수치자료를 수집할 때부터 공간위치도 기록한다면 자료를 사실적으로 표현할 수 있다.

지구모형은 공간수치자료를 사용하기에 적합한 곳이다. 수치자료는 사람들마다 주관적으로 볼 수 있는 개별현상을 통일된 척도를 통해 객관적으로 볼 수 있게 한다.

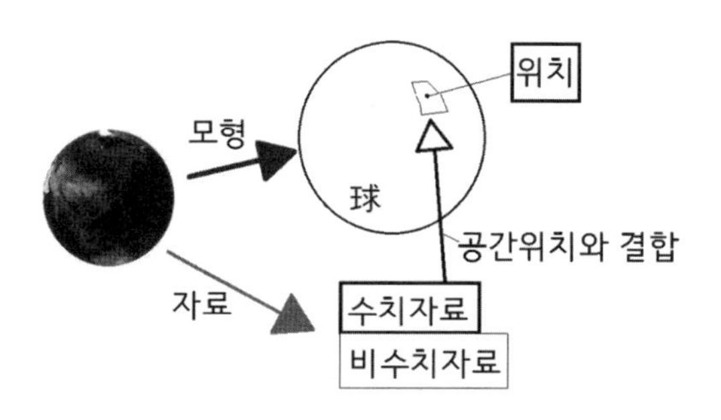

〈그림78〉 지구모형과 공간수치자료

수치자료는 공간위치와 결합되어 공간수치자료로 변환된다. 공간수치자료는 사실적으로 표현되며 자료의 질도 높다.

〈표10〉자료의 척도

척도(尺度)의 수준(水準)	漢字	뜻과 음(音)	의미(意味)	설명(說明)
	尺	자, 길이 (척)	자를 만드는 규칙의 수준	잴 수 있는 기준의 정도=측정수준(測定水準)
	度	법도, 정도 (도)		
	水準	물 (수), 수준기, 법도, 평평할 (준)		
명명척도 命名尺度	命	목숨 (명)	이름을 주는 측정 기준	분류, 집단(집합)으로 나누는 것, 대상을 명시, 명목척도(名目尺度) 예) 예(1)/아니오(0), 여자/남자
	名	이름 (명)		
서열척도 序列尺度	序	차례 (서)	순위를 정하는 측정 기준	크고 작은 정도, 높고 낮은 정도, 서열화 예) 선호도, 좋아하는 물건을 순서대로 나열한다.
	列	반열, 줄, 줄지을 (렬)		
등간척도 等間尺度	等	등급 (등)	동일한 간격으로 측정하는 기준	차이를 동일한 간격으로 측정 예) 온도 0℃는 절대0점이 아니다. 100℃가 10℃보다 열 배 따뜻하다고 할 수 없다.
	間	사이 (간)		
비율척도 比率尺度	比	견줄 (비)	양적으로 비교하는 측정기준	비율계산이 가능, 절대영점 예) 거리, 100m는 10m의 열 배 거리이다.
	率	율 (률)		

오늘날 전 세계 국가들은 명명척도 자료에서부터 비율척도 자료까지 다양한 수치자료들을 생산한다. 각 국가의 수치자료는 여러 국가들 간 서로 비교할 수 있도록 객관적 지표로 변환되며 지구모형에 국가별 객관적 지표를 표현할 수 있다.

지표들은 크게 인구, 경제, 사회, 환경 분야로 나눌 수 있다. 우리나라 국가

지표에는 어떤 것이 있는지 관련 웹사이트(e-나라지표, http://www.index.go.kr)를 참고해 보자. 단 여기서는 일부 인구, 경제, 사회지표를 소개해 본다.

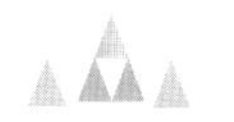

1. 인구지표

전 세계 국가상태를 볼 때 최우선적으로 고려하는 것은 각국의 인구특성이다. 우선 인구수와 인구성장률이 얼마인지부터 시작하여 인구가 어떻게 구성되어 있는지를 본다. 인구구성은 남녀 성별, 연령별로 구분된 인구피라미드(population pyramid)로 표현할 수 있다. 그리하여 세계 각국의 인구피라미드는 대표적인 유형으로 나눌 수 있다. 인구피라미드 유형별로 대표국가를 백지도에 선택해 표시하고 그 국가의 인구피라미드를 간략하게 그려보자.

(조사활동)

1. 일본의 인구피라미드를 구해보고, 그러한 형태를 나타내는 인구 및 사회경제적 특성을 기술해 보자. (추가자료) 한국방송공사(www.kbs.co.kr)에서 『다큐콘서트 명견만리』'인구 쇼크, 청년이 사라진다' 방송을 보고 방송 내용을 자세하게 정리해 보자.
2. 아프리카 사헬지대 국가들의 인구피라미드 유형은 어떠하며, 그러한 인구피라미드 형태를 가지게 된 인구 및 사회경제적 특성을 조사 및 정리해 보자.

합계출산율은 가임여성이 낳을 수 있을 것이라 생각되는 평균출생아수를 뜻하며 해당국가의 인구성장에 대한 정보를 준다. 부양인구비는 총인구 중에서 생산가능연령층(15~64세) 인구수에 대한 비생산연령층(0-14세 인구와 65세 이상 인구의 합) 인구수의 비율이다. 생산가능연령층이 가지는 경제적 부담을 수치로 나타낸다. 인구피라미드 유형에서도 부양인구비를 추측할 수 있다. 또한 각국의 국토공간이용 정도에 대하여 알 수 있게 하는 인구밀도 지표도 있다. 이를 통해 사람들이 밀집해서 사는 서울의 경관과 사람들이 거의 살지 않는 미국의 와이오밍주의 경관에서 인구밀도가 공간이용에 작용하는 영향을 알 수 있다. 이제 세계 각국의 인구밀도를 백지도에 그려 보자.

2. 경제지표

경제지표(經濟指標)는 한 나라의 국부(國富)를 나타낸다. 국내총생산은 한 국가 내에서 최종적으로 생산한 재화와 서비스의 총량이며 경제성장률은 국내총생산 성장률을 의미한다. 각국은 경제성장률을 자국의 연간 경제활동의 목표로 세운다. 그리고 국민총소득은 국내총생산에다가 해외 국민순소득을 합한 것이다. 세계 각국의 산업별 고용비율과 국내총생산을 같이 백지도에 표시해 보자.

성공적인 산업활동은 산업의 입지분석(立地分析)에 달려 있다. 입지분석은 특정장소에서 경제활동이 발생하는 이유와 그 정도를 알아내거나 산업별 최적의 경제활동이 이루어지는 장소를 물색(物色)할 때 쓰는 공간분석기법의 일종이다. 물색은 어떤 기준에 알맞은 것을 고르는 것이다. 지형 등의 자연환경 요소, 숙련된 노동자수 등의 인문적 요소, 수자원과 같은 산업에 필요한 물적 자원요소, 교통통신망, 전기시설 등의 각종 사회경제적 하부구조 등에서 설정되는 각각의 기준에 따라 산업활동에 최적의 장소를 선정할 수 있는 것이다. 이렇듯 모든 인간의 활동에서 최적의 장소를 설정하는 것은 경제적 이익에 큰 영향을 끼친다.

산업(産業)의 구조(構造)는 1차, 2차, 3차 산업으로 나뉜다. 차수가 높은 산업의 비중이 커지면 커질수록 고급지식기반 산업이 중심이 된다. 고급지식기반

산업이 중심이 될수록 고등교육에 대한 수요가 늘어난다. 모든 차수의 산업들이 제 역할을 충실히 할 때 그 국가의 산업과 경제는 발전하게 된다. 그리고 그런 국가 기반 활동이 바로 공교육 활동이며 국가의 모든 산업이 제 역할을 잘 할 수 있게 하는 데 직접적 책임을 지는 직업이 교직이다.

(조사활동)

1. 'EU Industrial Structure Report(http://ec.europa.eu/enterprise/policies/industrial-competitiveness/competitiveness-analysis/eu-industrial-structure/index_en.htm)'를 인터넷으로 찾아보고 유럽연합의 전반적인 산업구조에 대하여 정리해 보자.
2. 'World Input-Output Database(http://www.wiod.org/new_site/home.htm)'에 접속하여 이 경제자료 데이터베이스의 중요성을 정리해 보자.

(생각할 점)

영어에서 routine이란 단어는 틀에 박힌 일, 일과(日課), 기계적 수법, 정례적(定例的)인 일, 관례(慣例) 등으로 번역된다. 틀에 박힌 일이란 대부분의 직업이 갖고 있는 매너리즘이다. 그래서 사람들은 틀에 박힌 일을 하면 의기소침해진다.

우리나라의 공무원이나 교사들은 그 길에 오르기 전까지는 공부는 물론이고 창의성도 있는 인재들이었다. 그러나 국가시험에 합격하고 공직사회에 몸담으면서 줄곧 틀에 박힌 일만 한다. 매일같이 이런 똑같은 일을 하기 위해 그 힘겨운 전철을 밟았나 싶을 만큼 말이다. 그러나 매너리즘에 빠지는 것보다 더 큰 문제는 공직을 서비스 산업의 일종으로 보았을 때 서비스 직책이 틀에 박힌 일이 되면 봉사하고자 하는 정신이 사라진다는 점이다. 관례처럼 된 공직의 일은 요령을 키우고 책임을 교묘하게 회피하는 수단으로 쓰인다. 달라진 게 없는데 서비스의 가격만 높아지는 것이다. 이는 사회 전반적으로 육체 및 정신노동의 강도에 따른 적정수준의 보상체계를 무너뜨린다. 공직과 교직을 안정된 수입원으로 여기는, 왜곡된 열망을 가진 사회는 이미 불공정한 상태에 접어든 것이다. 오늘날과 같이 기계가 단순서비스 노동을 대체하는 시대에는 틀에 박힌 일을 하는 직업인들의 설 자리가 점점 사라질 것이다. 과학기술의 발달에 따라 단순노동을 기계가 할 수 있어 구조적 실업현상이 점차 세계화되고 있다. 과거의 기계는 틀에 박힌 일을 하는 일자리의 일부만 대체해왔지만 오늘날에는 아예 사람 자체를 대체하고 있다. 더불어 기계가 사람의 창의적 사고활동까지 할 수 있도록 개발되고 있다. 언젠가는 기계가 대부분의 산업활동을 하는 날이 온다는 것이다. 그러나 우리 공교육은 전혀 대비하고 있지 않다. 공공분야의 일에 시장의 원리를 도입하는 것은 이미 세계적 현상으로 자리 잡고 있지만 우리나라 공직자들은 전혀 준비되어 있지 않다. 그렇다면 공직을 원하는 대학생들은 과연 어떤 시장 경쟁력을 갖춰야 할까? 우리나라 교사들의 가장 큰 문제는 교육시장의 상황에 대하여 무지(無知)하다는 데 있다. 많은 아동들이 가족과 생이별하면서 해외 교육시장으로 나가고 초·중·고등학교는 명문대 진학, 국가고시 합격자 수를 자랑하기 바쁘다. 이는 판검사 외의 직업을 가지는 수많은 졸업생들은 그들의 논외 대상이라는 걸 단적으로 증명한다! 그러나 한 번 더 생각해보라. 교사들이 그토록 자랑하는 졸업생들이 실제 사회에서 하는 일이 무엇인가? 매일같이 틀에 박힌 일을 하는 그들은 자랑거리가 될 수 없다!

지금 현재, 우리나라 10년 후의 미래의 산업변화와 직업세계의 변화에 맞는 교육을 실시하는 실력 있는 교원들이 몇 명이나 될까? 그들은 30년 후의 산업세계를 제대로 파악하고 분석할 필요가 있으며 그에 대한 대비책이 절실히 필요한 때이다.

1인당 국민총생산은 한 국가의 국민총생산을 총인구수로 나눈 것이다. 국가의 구성원 개인의 평균적 경제상태를 알 수 있으며, 세계 국가들의 경제상태를 서로 비교할 수 있다. 각국의 1인당 국내총생산을 백지도에 나타내 보자. 인구밀도 지도와 비교해 볼 때 서로 상관하는가? 많은 인구수, 혹은 높은 인구밀도 수치는 국가경제에 어떤 영향을 미치는가? 적은 인구수 또는 인구밀도 과소는 국가경제에 어떻게 작용하는가? 1인당 국민총생산 또는 1인당 국민총소득이 높은 국가들은 어디에 분포하는가?

자랑스러운 우리나라, 大韓民國

(조사활동) 구글에서 "몬이의 블루마블 선진국을 향한 의미 있는 한 걸음! 20~50클럽 가입"이라 입력하고 해당 웹페이지(기획재정부 공식블로그, http://bluemarbles.tistory.com/1890)를 찾아 그 내용을 자세히 읽어 정리해 보자.
우리의 20~50클럽 가입은 열심히 불철주야로 일하며 다음 세대의 교육에 투자하신 우리 부모 세대의 희생(犧牲)의 결과라고 할 수 있다. 우리들은 의(義)로운 민족이며, 이러한 국민들의 심성을 잘 펼치도록 국가를 이끌어왔던 국가지도자들의 역할도 컸다. 20~50클럽에 먼저 가입한 나라는 미국(美國), 일본(日本), 덕국(德國), 불란서(佛蘭西), 영국(英國), 이태리(伊太利)다. 이들은 2차 대전의 연합국(聯合國)과 추축국(樞軸國)을 이룬 핵심멤버들로 종전 후 미국을 중심으로 자유진영(自由陣營)을 형성하여 번영하여 왔다.
식민지에서 독립했던 당시의 신생국가들은 대부분 공산사회주의 노선을 걷거나 고립주의적 노선을 걸었다. 신생 대한민국은 미국을 중심으로 하는 자유진영을 택했고 시장경제를 적극적으로 우리 생활 곳곳에 정착시켰다. 시장경제에서는 오로지 경쟁력과 실력만이 통하기 때문에 우리 부모 세대들은 기반부터 차곡차곡 쌓아가야 했다. 그래서 불철주야(不撤晝夜) 열심히 일했다. 그리고 마침내 식민지에서 독립한 국가가 20~50 클럽에 가입하는 인류 역사 초유(初有)의 대업(大業)을 이루었다. 누구처럼 남의 나라를 침략하여 식민지로 만들고 그들의 부(富)를 빼앗아 이룩한 것이 아니다. 순전히 우리 부모 세대들이 성실한 삶을 살아가면서 이룩한 것이다. 이 얼마나 자랑스러운가! 우리는 우리 스스로에 대하여 자랑스러운 마음을 가져야만 한다. 그런 자격을 우리 부모세대에게서 물려받았기 때문이다. 그리고 항상 우리 부모 세대의 희생(犧牲)적 삶에 감사하고 후손들이 우리 부모를 자랑스럽게 여기도록 가르치자.
우리는 기필(期必)코 대한민국을 세계적 선진문명강대국으로 만들 것이다.
그러나 그 전에 한 가지 꼭 해결해야 할 문제가 있다. 바로 저출산 문제와 인구 고령화 문제다. 최근 대중인기영합주의(大衆人氣迎合主義)를 부추긴 과거 정권의 영향으로 국가부채와 가계부채 문제가 상당히 심각하다. 오래전 우리 부모들의 희생을 떠올리며 우리가 각고의 노력을 펼친다면 이 문제를 하루빨리 극복할 수 있지 않을까 생각해 본다.

(조사활동)

1. ‘경제발전경험 공유사업(KSP)’에 대하여 자세하게 조사해 보자 (http://www.ksp.go.kr, http://www.ksp.go.kr/kr/ksp/ksp.jsp).
2. 협력대상국을 지도에 표시해 보고 지속가능한 발전과의 관련성을 알아보자.
3. ‘KSP Brochure’를 읽어보고 주요내용을 개념도로 그려보자. KSP Brochure의 어떤 부분에서 자신이 기여할 수 있겠는가?

3. 사회지표

사회지표(社會指標)는 경제지표처럼 단일한 분야의 수치자료를 바탕으로 하기보다는 다양한 분야의 수치자료를 종합하여 만들어진다. 인간개발지수(HDI)가 대표적 사회지표인데 소득, 기대수명, 국민총생산, 교육수준, 고용, 환경 등 여러 지표를 고려하여 산출한다(http://hdr.undp.org/en/content/human-development-index-hdi). 성평등지수는 여성의 생식건강, 여성권한, 노동참여도, 모성사망률, 청소년 출산율, 여성의원 비율, 중등 이상 교육받은 인구, 경제활동 참가율 등의 여러 지표를 통해 성불평등을 측정한다(http://www.index.go.kr/potal/main/EachDtlPageDetail.do?idx_cd=2842).

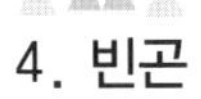

4. 빈곤

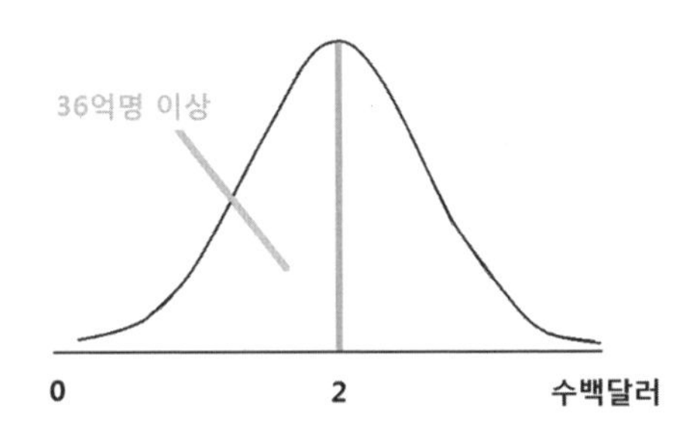

〈그림79〉 하루 생계비에 대한 가상의 인구정규 분포
빈곤현상이 얼마나 심각한지 알 수 있다. 빈곤은 세계적 현상이다. (http://www.worldbank.org/en/news/video/2013/09/09/how-is-poverty-measured)

세계은행에서는 하루 생활을 2달러 미만으로 이어가는 것을 빈곤으로 정의한다(http://www.worldbank.org/ 또는 http://www.worldbank.org/en/topic/measuringpoverty). 이 수치는 하루 생계비를 차례대로 놓고 사람들의 분포를 정규분포로 가정한다면 인류의 절반에 위치한다는 것이다(World Bank, "World Development Indicators 2010", http://data.worldbank.org/data-catalog/world-development-indicators/wdi-2010). 빈곤은 세계적 현상이다. "당신은 매끼 식사량의 반을 가난한 사람에게 나눠줄 수 있는가?" 한두 번은 그렇게 할 수 있을 것이다. 그러나 평생을 해야 한다면 대부분의 사람들은 그렇게 할 수 없다. 또한 식사량의 반을 세계의 가난한 지역 사람들에게 나눠 줄 수도 없다. 아무리 우리가 선량한 생각을 가지고 있더라도 현실적으로는 어려운 것이다. 35억 명 이상이 가난한 상태에 있는 것은 전체 지구공간으로 보자면 가난한 사람들이 광범위하게 흩어져 있다는 걸 의미한다. 이는 빈곤의 원인과 과정 분석도 중요하지만, 빈곤한 세계 사람들이 재빨리 그 지옥에서 벗어나게 하는 대책이 실시되어야 한다는 걸 시사한다. 그러기 위해선 먼저 빈곤을 지리적 문제로 만드는 방법이 있다. 가난한 사람들이 처한 그 지역의 상황에서 재빨리 벗어날 수 있도록 하는 방법과 실천행위가 중요하기 때문이다. 빈곤에서 벗어나는 최적의 방법은 그 지역 사정에 맞게끔 외부에서 지원해 주는 방식이다. 지역의 공간구성요소와 공간지지구조를 고려한 적정기술의 보급과 지원은 하나의 현실적인 방안으로 점차 부각되고 있다. 여기서 '현실적'이라는 말은 빈곤의 발생공간의 범위 자체가 광범위하다는 지리적 사실을 반영한 것이다.

(생각할 점)

하루 3달러로 어떤 음식을 사먹을 수 있을까? 하루 3달러 미만으로 사는 세계의 인구는 얼마나 될까? 우리는 이것으로 세계의 많은 인구가 가난(=간난艱難)하게 산다는 것을 알 수 있으며 수치적으로 생각할 때 현상의 심각성을 정확하게 인식할 수 있다.

5. 비수치적 자료의 표현

사상(思想) 개념은 수치적으로 표현이 가능한가? 문화(文化), 종교(宗教), 예술(藝術), 풍습(風習)은 또 어떠한가? 우리는 이 개념들을 통틀어 문화로 생각해 볼 수 있다. 문화는 사회집단에서 습득되며 공유와 전달이 가능한 생활양식(生活樣式)이다. 한 사회집단의 문화는 사람들끼리의 행동방식과 세계와 상호작용하는 방식을 보여주는 동시에 공간적으로 다양한 문화가 존재하며 시간적으로 문화는 진화한다. 또한 문화는 어떤 공간요소나 조건으로 정의되지 않고 공간에서 작용하는 과정으로 정의된다. 제사(祭祀)를 지내는 것을 예로 들어보자. 제사는 제사를 준비하고 행하기 위해 들어가는 음식이나 옷차림과 같은 겉모습으로 정의될 수 없다. 제사는 신령(神靈) 또는 사자(死者)의 넋에게 정성(精誠)을 표하는 예절(禮節)로 정의된다. 그리고 특정시기의 공간에서 나타나는 하나의 행동양식이며 과정이기도 하다. 제사의 본질은 정성이며 우리가 계속 그런 정성을 다하는 삶을 살아간다는 하나의 다짐으로 볼 수 있다. 그러나 현대에 와서 사람들이 겉치레를 중시한 탓에 제사문화의 본질이 흐려져 오늘날 많은 젊은이들이 제사를 지내지 않게 되었다.

요즘의 제사 문화를 보면 우리들 삶에 어떤 질서와 형식을 강요하는 양 비춰지기도 한다. 그러나 제사 문화는 생에 대한 반성 속에 인생을 반추하고 즐기는 과정을 표현한 의식일뿐이다. 즐길 수 없거나 어떤 강요의 조건으로 문화가 실행된다면 그것은 이미 문화가 아니다! 문화가 우리들 삶에 어느 정도 질서를 부여하는 것은 그러한 질서 속에서 우리는 제대로 된 생을 즐길 수 있기 때문이다. 요새는 전통명절 날이 오면 해외여행을 가기 바쁘다. 분명한 것은 명절마다 해외여행을 가는 것에는 한계가 있다는 점이다. 문화는 사회 전체가 즐길 수 있을 때 개인에게도 큰 의미로 다가온다. 문화생활 역시 같이할수록 그 의미도 커진다. 즉 같이 즐기고 놀고, 같이 쉬는 것이 문화생활인 것이다. 그러니 전통문화를 현대식으로 재발견하여 다 같이 즐길 수 있는 문화코드를 만드는 것이 시급하다고 볼 수 있다.

문화는 사람들끼리의 상호작용 과정 속에 있다. 그런 의미에서 사회구성원 모두가 같이 놀 수 있는 기회, 같이 쉴 수 있는 기회, 그리고 같이 즐길 수 있는 기회의 제공은 오늘날 국가적인 중대사가 되었다고 해도 과언이 아니다. 우리는 국경일을 마냥 쉬는 날로 생각하는 게 아니라 한데 모여 그날을 즐길 수 있는 문화풍습을 마련해야 하는 것이다. 즐길 줄 모르는 사람은 경쟁력이 없다. 같이 즐길 수 있는 명절이 없는 나라는 문명국이 아니다. 국가교육에서도 문화생활을 할 수 있는 능력, 다 함께 즐길 줄 아는 능력, 함께 놀 줄 아는 능력, 같이 쉴 줄 아는 능력은 중요한 교육활동임에 틀림없다. 같이 놀 수 있는 환경이 조성된 국가가 바로 문명국인 것이다. 그러나 안타깝게도 오늘날 우리 대한민국의 교육은 이런 교육을 전혀 배양하고 있지 않다. 아이들에게 노는 방식을 가르치지 않는 사회에서는 그저 삭막한 감성의 후예들만 길러질 뿐이다.

미래의 교육자들이 교육대학교 4년을 다니는 동안 교사로서의 지녀야할 자질과 태도의 발전에 대한 다면적 평가는 이루어지지 않는다. 다만 단 한 번의 시험만으로 임용이 결정된다. 이는 어떻게 보면 매우 합리적으로 보이지만 실은 시험을 본다는 과정 자체에 대한 근본적 이해가 없는 졸렬한 사회적 인식을 적나라하게 보여준다. 이런 우리 사회문화는 질적인 부분에서 개선의 여지가 많다. 최근TV오락프로그램에서는 여자연예인들이 출연해 군대체험을 하는 것이 전파를 탔는데 이런 방송을 보면 한국 특유의 문화적인 허점이 잘 드러난다. 제대로 뛰지도 못하고 군대 명령조차 못 알아듣는 사람을 부사관으로 임용한다! 우리 사회가 선진문명적이었다면 자격미달(資格未達) 훈련생을 퇴소(退所) 조치했을 것이다. 나라 지키는 일은 신체와 정신이 건강한 사람만이 할 수 있다. 연예인들이라고 편법적으로 얼렁뚱땅 넘어가는, 장난스러운 방송 행태는 우리 사회의 특혜의식이 얼마나 미개한 것인가를 단적으로 보여준다. 구태여 우리나라의 군대가 사람의 처지나 대중인기도(大衆人氣度)에 따라 차별 대우한다는 것을 온 세상에 떠벌릴 필요는 없는 것이다. 이러한 봐주기식 관행은 반드시 고쳐져야 할 것이다.

다시 본론으로 돌아와 비수치자료는 주로 있다 또는 없다 식으로 표현하는 명명척도로 표현될 수 있다. 문화경관요소와 같이 보이는 문명요소로 그 존재를 표시할 때 명명척도를 사용하는데 예를 들어 특정종교를 믿는 사람들의 분포지역을 지도상에 표시할 때 그 공간 이름을 종교의 이름으로 부를 수가 있는 것이다. 세계의 종교 분포를 백지도에 표시해 보자. 인구밀도지도에서 사용했던 비율척도와는 어떤 면에서 차이가 나는가?

세계지역과 세계 각국의 객관적 지표와 비수치자료들을 상호 비교하는 것은 궁극적으로는 우리나라의 문화나 사회 체제의 본질에 대해 여러 각도에서 객관적으로 평가해 보기 위해서다. 세계지역을 구분할 때는 자연지리적 지표도 사용하며 기후나 지형의 특색, 천연자원 부존량, 소비량 등으로 구분할 수 있다. 이는 각 지역의 천연자원과 인적 자원 등을 비교 파악하여 우리 국가에 필요한 연구자료로 이용하고 우리 국가의 이해관계에 영향을 주는 지역을 구분해내기 위해서다. 세계의 주요 화석연료 분포도를 백지도에 표시하여 보자.

6. 뭔가를 가지고 있다는 것에 대하여

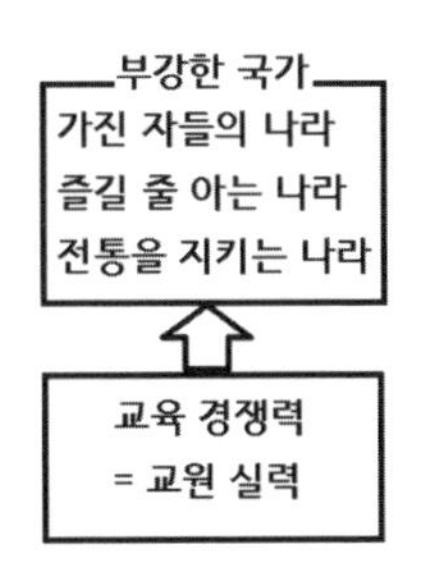

〈그림80〉 가진 자들의 나라

무엇인가를 소유(所有)한다는 것은 사람이 세상을 살아가는데 자신감(自信感)과 책임감(責任感)을 가지게 한다. 인생을 즐길 수 있는 수단을 가지는 것이다. 직업(職業), 결혼(結婚), 자녀(子女), 학력(學歷), 부동산(不動産), 동산(動産), 지식(知識), 경험(經驗), 여유(餘裕), 꿈 또는 장래희망(將來希望), 봉사(奉仕) 등을 가질 수 있도록 사회시스템과 국가의 인재 선발이 이루어진다면, 각 개인이 스스로 인생(人生)을 설계(設計)하고 영위(營爲)하는 수단과 목적을 이룰 수 있는 원동력이 될 것이다. 모든 국민이 스스로 원하는 삶을 영유할 때 국가나 사회 전체가 시스템적으로 발전하게 된다.

한 국가의 모든 사람들이 어느 한 가지를 가지게 되는 방식은 국부의 증가와 관련이 깊다. 원래 가지고 있는 국부(國富)의 양이 아니라 국부의 증대에서 비롯되는 것이다. 새로운 산업의 형성과 경제활동의 효율성 증대는 국부의 증대를 가져온다. 국부의 증대에 대한 자세한 과정은 애덤 스미스의 『국부론』에 잘 설명되어 있다. 국부의 증대는 국민들의 재고(在庫)를 늘리는 데 있는데 고정적인 재고에는 유용한 생산도구, 기계, 건물, 주택, 토지, 농장의 개량, 유능한 재능의 습득 등이 있다. 오늘날 교육과 견습과정을 통하여 습득되는 사람의 유능한 재능은 모든 선진국 교육에서 강조하고 있는 바다. 모든 국민들이 쓸 만한 것을 많이 가지거나, 거래할 수 있는 자료를 많이 가질수록 그 나라는 부유한 것이다. 또한 국가 공교육은 국민들이 잘 살 수 있도록 재능과 재고를 많이 가지도록 하는데 있다.

'가진다'는 의미에 대한 교육활동은 필수적이다. 지식 습득 역시 가지는 것의 일종으로, 지식을 이루는 자료나 정보의 질은 곧 그 지식활동의 수준을 결정짓는다고 볼 수 있다. 우리 교육이 추구하는 것도 질 좋은 지식을 개개인이 많이 가지게 하는 것이며 그것을 개인 스스로가 구축할 수 있는 방법을 가지도록 하는 것이다. 이는 먼저 시민의 자질을 갖추는 것이며, 정보에 기반을 둔 의사결정을 행동으로 실천하는 것이며, 자신이 바라는 삶을 살아가는 즉 경제적으로는 중산층(中産層)이라고 불리는 삶의 방식을 배우는 것으로 해석할 수 있다. 교사의 기본(基本)적인 임무(任務)는 바로 이러한 자유민주시민, 똑똑한 소비자, 중산층을 많이 양성하는 것이라 할 수 있다. 교원은 한 나라의 문명 핵심으로 교사 개혁은 국가 문명의 질적 발전을 가져오는 국가개조의 핵심활동인 것이다.

국가가 잘 살고 국민 개개인 모두가 가진 게 많을수록 자기 자신은 물론 다른 사람들의 삶까지 귀하게 여기게 된다. 위험에 대한 인간대응체계는 국가와 국민 개개인이 잘 살아야 좀 더 세밀하게 실시된다. 사람들이 상부상조할 수 있는 것도 도와줄 수 있는 여건과 능력을 가지고 있을 때야 가능하다. 가진 게 있어야 어려운 처지의 남도 도와줄 여력이 생기는 것이다. 각종 재해가 생겼을 때 우리는 안전시설확충 및 안전대책, 안전보호 및 응급대처체계, 안전행동요령 숙지 교육체계와 사회복지기반시설 설치 및 복지 분야 인력육성과 운용체계 등으로 다양하게 도움을 주게 되는데, 여기엔 모두 막대한 자금(資金)이 필요하다. 이는 국민 전체가 가진 것이 많고 잘 살아야 해결 가능한 것이다. 선진국일수록 이 부분이 잘 뒷받침되어 있기에 국민의 재력이 곧 국가경쟁력 및 국가 사회의 지력(智力)을 나타낸다고 볼 수 있다.

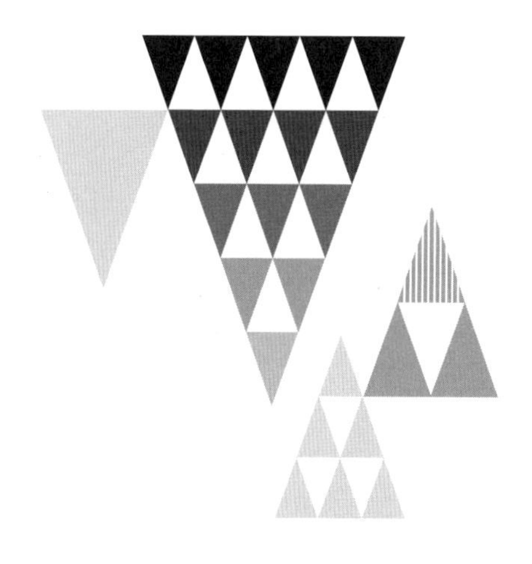

기록과 데이터베이스

記錄과 데이터베이스

인간은 빛을 통하여 많은 시각정
보를 분석하며 정보 확인 및 검증
작업을 거친다

원격탐사는 멀리서 볼 수 있는 것을 기록하고 사물을 구별하는 과학기술분야다. 세계의 강대국은 국가기본 정보획득방법으로 원격탐사를 활용해 왔다. 원격탐사분야는 막대한 자금이 투자되고 많은 인적 자원 및 물적 자원을 소비하는데, 대단위 지역을 관찰할 수 있고 기후변화 연구에서 중요한 이미지 자료를 제공한다. 그리고 천연자원의 상태와 분포에 대한 연구에서도 원격탐사자료는 지대한 역할을 한다. 원격탐사분야의 발전은 세상을 보는 시야의 발전을 가져오며 자료획득 도구의 발달은 자료로부터 정보를 추출하는 분석 및 종합적인 과정에까지 영향을 끼친다. 이처럼 정밀한 공간해상(空間解像) 기술을 보유하고 장기간의 빅데이터를 축적하고 분석할 수 있는 고급과학기술분야의 발전은 앞으로의 과학이론에 있어 무궁한 발전을 가져올 것으로 기대해볼 수 있다.

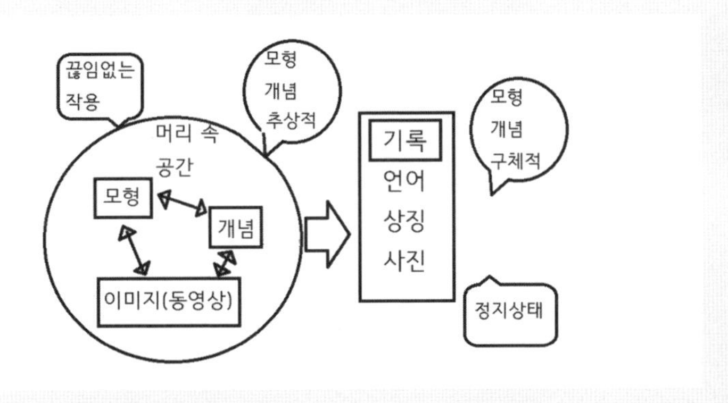

〈그림81〉 기록

인간의 머리는 많은 양의 정보를 저장할 수 있지만 잘 잊어버리기도 한다. 개념으로 만들어지지 않은 머릿속의 이미지들은 잘 잊히고 개념으로 만들어졌더라도 개념들 간의 논리적 관계를 따지고 글쓰기 연습 등을 하는 반복연습을 거쳐야 잊어버리지 않는다. 그래서 나중에 확인할 수 있도록 기록으로 남기게 된 것이다. 생각이 개념으로 정리되어 체계적으로 기록된다면, 머릿속의 관념들과 이미지들은 정지 상태로 남게 된다. 기록은 찬찬히 앞뒤 논리적 관계를 볼 수 있게 하며, 증거(證據)로도 활용될 수 있다. 디지털 가상지구 역시 정지된 상태로 보여줄 수 있다. 이로써 사람은 정지된 상태의 모형에 집중하여 일련의 논리적 생각을 할 수 있는 것이다.

태양이 엄청난 양의 전자기파(電磁氣波)를 지구로 보내 지구생명체는 영향을 받는다. 이때 인간은 빛을 통하여 많은 시각정보를 분석하며 정보 확인 및 검증 작업을 거친다. 태양의 표면온도는 5,780K로, 플랑크 곡선에 따르면 태양이 방출하는 최대 파장대는 우리가 '빛'이라 말하는 가시광선대다. 대기의 최하층에 사는 인간의 눈은 태양이 제일 많은 에너지를 보내는 가시광선대인 빨강, 녹색, 파랑의 스펙트럼에 적응해 왔다. 이는 쉽게 에너지를 얻을 수 있기 때문이다. 이처럼 우리는 보는 것에 많은 감각을 할당(割當)한다. 심지어 육안으로 보이는 것만 믿는다는 인식으로까지 발전했다.

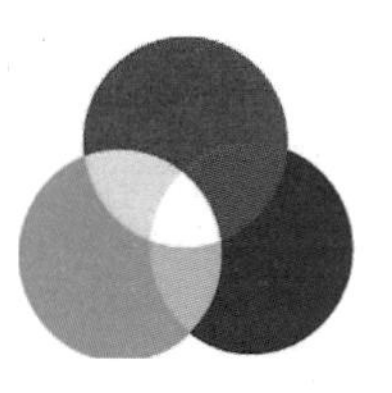

〈그림82〉 빛의 삼원색과 합성

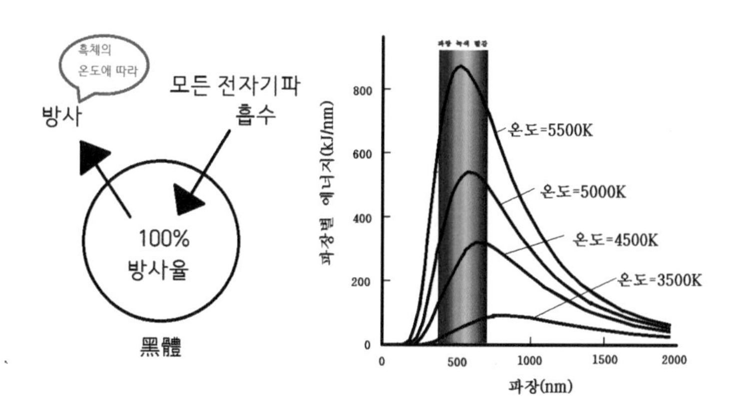

〈그림83〉 온도별 흑체 복사 에너지량을 보여주는 플랑크 곡선 (위키피디아에서 수정)
흑체는 방사율이 100%로, 모든 전자기파를 흡수한다. 흑체가 방출하는 전자기파는 흑체의 온도에 따른다.

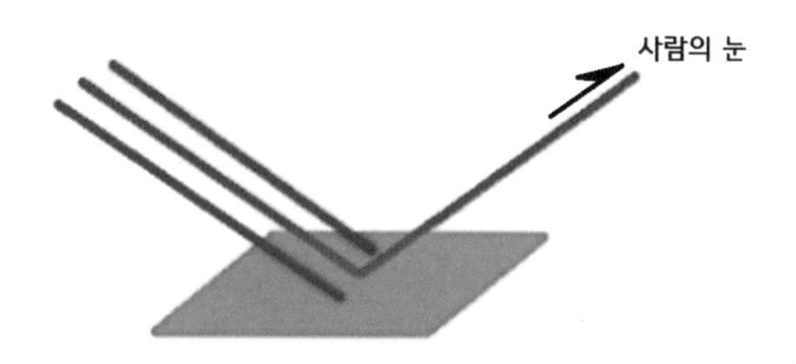

〈그림84〉 물체의 가시광선 파장별 반사 모식도

우리의 눈은 가시광선대를 파장별로 구별하여, 눈으로 들어오는 가시광선대의 파장별 에너지 양으로 빛의 삼원색 합성원리에 따라 색깔을 구별한다.

1. 원격탐사

모든 사물은 가시광선대에서 파장별로 다양한 반사율을 보인다. 어떤 사물이 녹색인 것은 가시광선대에서 녹색 파장대의 전자기파만이 표면에서 반사되어 우리의 눈이 있는 방향으로 진행되었기 때문이다. 사람은 대상물에서 사람의 눈으로 반사되어 오는 전자기파 중에서 가시광선 영역에서 파장별 에너지양의 차이를 가지고 색깔을 구별한다. 지표면의 파장대별 다양한 반사율은 지표면의 특성을 가늠할 수 있게 한다. 이 원리를 이용하여 원격탐사는 물체에서 반사(反射)되는 전자기파의 양을 분석하여 사물을 구별하고 그 특성을 밝힌다. 전자기파에는 가시광선대 외에도 전자기파가 존재한다. 마이크로 파장대, 적외선 파장대 등을 예로 들 수 있는데 이들 파장대의 전자기파는 우리의 눈으로는 볼 수 없다. 우리는 이들 파장대에 반응하는 눈을 가진 동물이 아니기 때문이다.

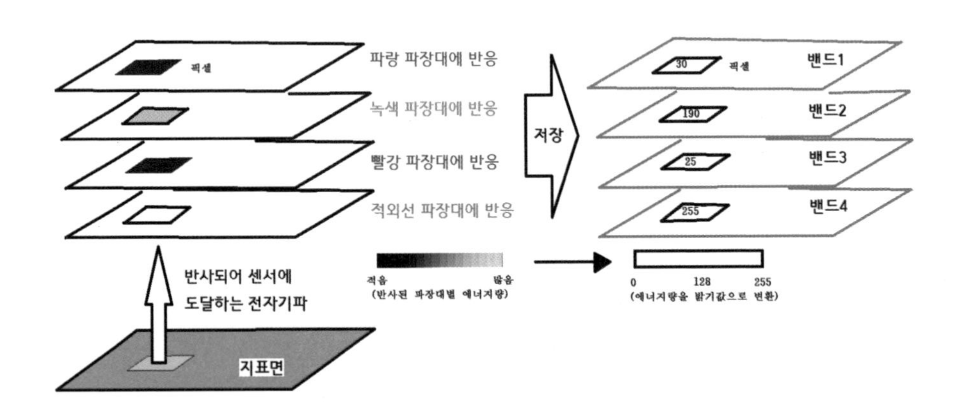

〈그림85〉 원격탐사 자료의 생성

지표면에서 반사되는 에너지를 특정 파장대에 반응하는 센서별로 에너지량을 측정하여 에너지의 양을 밝기값으로 바꾼 뒤, 각 밴드별로 밝기값을 저장한 것이 원격탐사자료다.

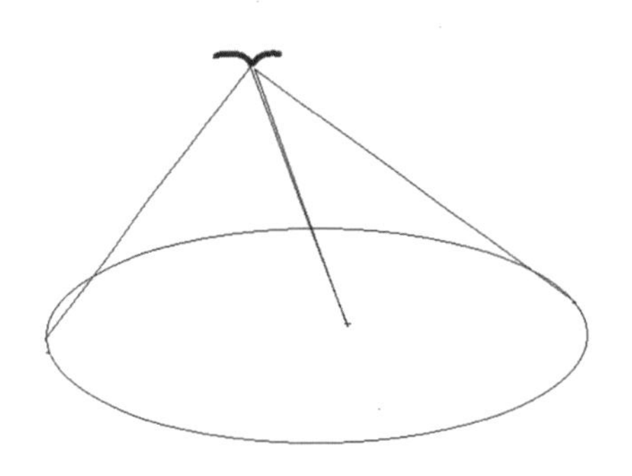

〈그림86〉 새가 하늘 높이 날면서 지상을 바라볼 때의 가상도

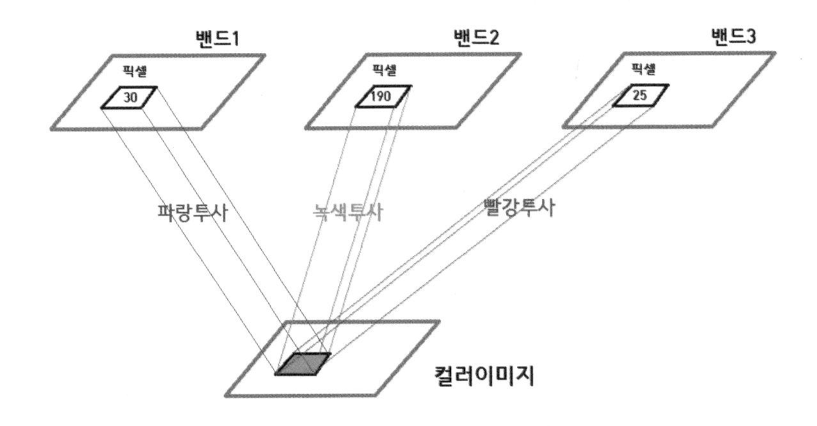

〈그림87〉 원격탐사 자료 처리의 간단 모식도

밴드별로 저장된 픽셀별 밝기값은 그 값만큼(0~255의 경우) 빛의 삼원색 각각의 투영 밝기 값으로 적용된다. 녹색 투영 밝기값, 빨강 투영 밝기값, 파랑 투영 밝기값은 빛의 삼원색 합성으로 컬러로 표현된다. 〈그림87〉의 경우 파랑30값, 녹색190값, 빨강25값이 합쳐진 색을 전자화면(電子畵面)의 픽셀에 나타낸 것이다.

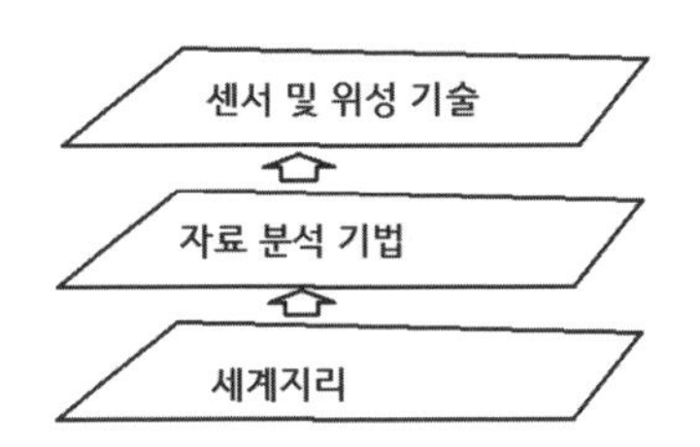

〈그림88〉 원격탐사의 기반인 세계지리

새가 하늘 높이서 지상을 내려다볼 때 얻을 수 있는 이점은 많다. 그래서 우리 인간은 새처럼 날지 못하는 대신 인공새를 만들어 하늘로, 그리고 우주로 보낸다. 우리 인간은 인공새를 통해 광대한 지역을 다양한 목표를 갖고 볼 수 있다.

오늘날 인공위성의 눈인 센서의 공간해상도(空間解像度)를 높이려는 과학기술적 경쟁이 첨예하게 벌어지고 있다. 지표상의 사물을 좀 더 자세하게 구별하기 위해서다. 그런데 보이는 것만으로는 실제 그 지역에서 일어나는 일을 '제대로'

알 수 없다. 그래서 그 지역의 실제에 대하여 어느 정도 미리 알고 있을 필요가 있다. 그런 면에서 세계지리는 원격탐사의 기초인 것이다. 원격탐사자료에서 유용한 정보를 획득할 때는 세계지리 지식이 요구된다. 원격탐사자료는 사물의 겉모습을 나타내는 것뿐이기에, 겉모습에 대한 지리적 설명이 뒷받침되어야 한다. 원격탐사자료를 분석, 종합 및 해석하는 것은 세계지역의 사실과 사실관계에 대한 지식을 바탕으로 한다. 즉 세계지리적 안목이 없으면 원격탐사를 잘 할 수 없다! 선진강대국이란 원격탐사활용이 많으며 세계에 대한 지적 역량이 강한 나라인 것이다.

원격탐사(遠隔探査)는 센서, 로켓과 위성(衛星)에 대한 최첨단 과학기술의 집약체계에서 얻어진 자료를 바탕으로 하며 많은 과학기술인력(科學技術人力)을 동원한다. 오늘날 원격탐사는 국가안보(國家安保)의 첨병역할을 하며 지구환경(地球環境)에 대한 정보를 제공(情報提供)한다. 또한 자원안보(資源安保)에도 원격탐사의 역할은 지대하다.

2. 망각

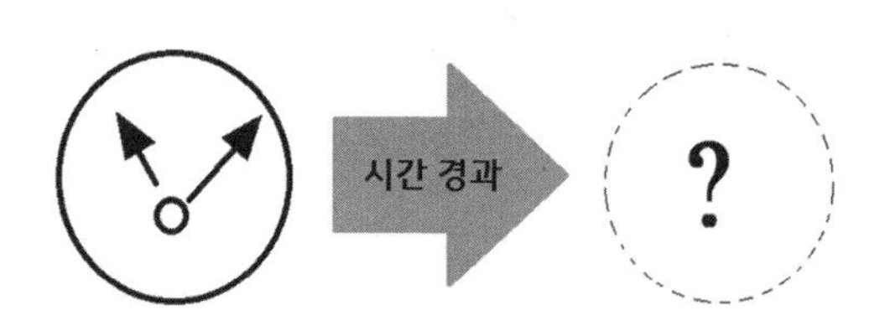

〈그림89〉 망각, 머리의 특성

사람이 가진 중대한 특성의 하나인 망각(忘却)에 대하여 우리는 항상 인식할 필요가 있다. 망각에 대하여 깨어있다는 것은 기록을 습관적으로 한다는 뜻이다. 기록을 하면 망각에서 자유로워지며 생각이 나지 않아 괴로운 것을 상쇄시킬 수 있다. 더불어 마음의 평화를 가지게 된다. 또 기록은 눈으로 확인할 수 있다. 망각에 대한 인식은 모든 것을 머리에서 처리하지 않게 만든다. 머릿속의 생각은 시간이 경과할수록 아예 존재한 적이 없었던 것처럼 사라지기 때문에 기록은 이런 우리의 망각을 보완해 준다. 단 자신이 기록하지 않으면 자신은 물론 아무도 모르게 된다.

우리가 '확인(確認)한다'는 것은 '기록된 것을 보는 것'을 의미한다. 우리는 말로 하는 것보다는 글로 남겨진 것을 더 신용한다. 예(例)를 들면 계약서(契約書)가 그것이다. 글로 남기면 글을 적을 당시의 생각을 다시금 확인해볼 수 있다. 특히, 원자료와 그 자료에 대한 해석을 글로 남기면 300년 후라 해도 다시 확인할 수 있는 것이다.

기록을 할 때는 시간, 장소, 사물의 이름, 위치, 지도에 위치를 표기하여 나중에 확인할 때 도움이 될 수 있다. 사진을 찍은 후에도 날짜, 시간, 장소, 누가 찍었는지에 대한 기록, 사진에 대한 간단한 기술 등을 남기면 확인하는데 도움이 된다. 우리는 이러한 원자료와 기록을 바탕으로 이야기를 만들어낸다. 원자료와 기록을 체계적으로 정리한 것을 데이터베이스라고 한다. 데이터베이스의 예로는 학점의 근거가 되는 엑셀파일 기록, 유전자 등이 있다. 모든 생명체는 유전자라는 데이터베이스 기록대로 생장한다. 최근 부산의 경관에 대한 사진자료를 훑어보면서 기록의 한 형태를 살펴보자.

〈그림90〉 빌딩 주소

2014년 4월 6일 촬영한 부산 중구, 한 빌딩의 주소가 부산 직할시로 되었으며 도로명 주소가 아니다.

〈그림91〉 부산 연안여객터미널에서 바라본 국제여객터미널

2014년 6월 25일 촬영한 국제여객터미널은 언젠가는 국제여객업무가 끝날 것이다. 새로운 국제여객터미널이 지어지고 있기 때문이다.

〈그림92〉 부산 세관 옆 담장 벽화, 통신사 행렬도 일부

2013년 6월 7일 촬영한 통신사 행렬도는 왜인(倭人)들이 난장이였으며, 그들의 아랫도리가 자연상태였음을 보여주고 있다. 2014년 8월 현재, 칠이 벗겨지자 다시 덧칠을 한 상태다. 본래의 모습이 많이 사라졌다.

〈그림93〉 부산 남포동 노점

2014년 5월 10일 촬영한 부산 남포동 노점상(露店商)은 원초적이지만 경쟁력 있는 국제적 관광 상품이다. 노점은 과거에는 환경미화(環境美化) 등의 이유로 철거조치 되었다. 노점이 철거되자 시장 자체가 사라진 지역이 많다. 있는 그대로 보이는 것을 두려워했기 때문이다. 그런데 있는 그대로를 잘 보여주는 것이 가장 세계화된 관광전략일 수 있다는 사실을 알아야 한다. 저렴하게 먹을 수 있는 음식은 관광에서 제일 중대한 요소다. 먹고 보고 즐기는 관광의 핵심요소를 제공해주는 곳이 대도시의 길거리며, 그 길거리의 주인이 바로 노점상인 것이다. 단지 위생상태에 대한 기준 마련과 준수(遵守) 감독, 깨끗한 상하수도(上下水道) 시설에 대한 정부의 지원이 필요할 뿐이다. 관광객 유치를 위해 억지 경관을 만드는 대규모 재개발 사업이 많은데, 억지 경관은 세계무대에서는 통하지 않는다. 있는 그대로를 보여주면서 관광객들의 눈과 귀를 사로잡는 것이야말로 진정한 세계적 경쟁력인 것이다.

〈그림94〉 부산 1호선 지하철 광고

2014년 5월26일 촬영된 지하철 광고는 특이하다. 세계적 관광유적지인 마추픽추를 모르는 사람들이 있겠는가? 물론 비교해서 알기 쉽도록 하기 위한 전략이라는 것을 안다. 그러나 우리의 자연 및 문화유산의 이름들이 다른 나라의 지하철에서 이런 식으로 쓰인다면 과연 세계적 영향력을 발휘할 수 있겠는가? 그냥 있는 지명 그대로 문화마을의 특징을 살려 선전하면 안 되는가?

〈그림95〉 부산역에서 바라본 대한민국 국제화 진행상황

2013년 10월 3일의 부산 국제화에 대한 현황 사진을 보자. 이 사진에는 가까운 미래에 엄청난 수익을 기대할 수 있는 부산역 인근의 국가사업이 담겨 있다. 명백하게 국가 전체에 막대한 이익을 가져온다고는 예상하지만 실제로 공사 진행은 느릿느릿 꾸물거리고 있는 모습이다. 왜 그럴까?

지금까지 부산의 일부지역에 대한 사진과 기록을 보았다. 오늘날에는 인터넷 공간에서도 이런 자료들을 많이 볼 수 있다.

3. 데이터베이스

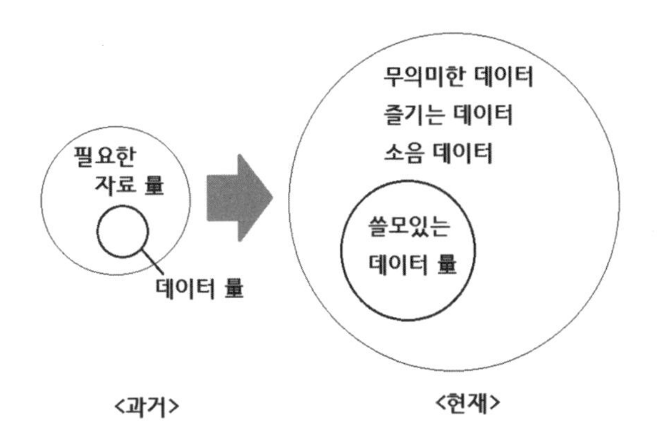

〈그림96〉 빅데이터 세상

인터넷 자료는 2차 자료다. 2차 자료란 연구자가 직접 조사하여 얻은 1차 자료 외의 모든 자료를 말한다. 인터넷 자료의 대부분은 2차 자료라 할 수 있다. 2차 자료는 그의 출처가 신뢰받을 수 있어야 하는데 국제기구 및 국가기관의 통계물과 보고서, 국가연구소의 보고서, 대학교 연구소 및 대학 연구실적물 등이 믿을 만한 출처에 해당된다. 또한 인터넷에서 구한 자료를 쓸 때에는 자료를 생산한 측정기법이나 수치자료화 기법, 그리고 지표인 경우 그 지표를 산출한 과학적 통계기법과 수학적 방법에 대하여 자세하게 알고 난 뒤 사용할 수 있다.

인터넷은 정보의 바다답게 자료가 넘쳐난다. 이것을 빅데이터(Big Data)라고 부르는데 기하급수적으로 증가한 데이터 홍수사태를 표현한 용어다. 빅데이터는 필요한 정보를 제공할 자료의 양이 쓸모없는 소음 자료들보다 적다는 특징이 있다. 진짜 중요한 정보를 가진 자료의 양은 과거에 비해 그다지 증가한 것 같지 않다는 것이다. 이런 상황에서는 유용한 정보를 추출하는 패턴분석기법 활용능력과 자료를 분석할 수 있는 수학적 지식, 그리고 전문분야에서의 지속적인 데이터베이스 축적이 요구된다.

빅데이터에서도 유용한 정보를 뽑아낼 줄 알며 올바른 판단을 할 수 있는 능력은 많은 경험과 전문적 지식 축적을 필요로 한다. 전공분야 지식과 고전에 대한 해박한 교양지식이 있을수록 정확한 정보 선택과 의사 결정을 할 수 있다. 이는 인터넷상에서 다양한 지식생태계를 형성하는데 주도적 역할을 하는 사람들이 꼭 갖추어야 할 필수 소양이기도 하다. 진짜 전문가들이 분업 형태로 각각의 전문분야에서 최고의 정보를 만들어 그 정보를 전파 및 공유하는 것이다. 그야말로 다양한 분야에서 고급정보들을 생산하고 공유하는 가상 지식공동체를 형성하게 된다. 인터넷의 발달은 이러한 다양한 지식공동체들이 모여 거대한 지식생태계를 형성하고 있다. 어떤 문명이 인터넷 지식생태계의 주도권을 잡을 것인가 하는 문제로 이미 발전한 것이다.

얼마 전까지 우리는 제한된 자료에 근거하여 모형을 사용한 정보추출과 미래예측을 해왔다. 오늘날의 자료홍수시대에는 빅데이터에서 어떤 패턴과 원리를 잡아내는 새로운 자료처리방법이 필요하게 되는데 빅데이터를 잘 분석한다면, 아주 가까운 미래에 대해서도 예측이 가능하다.

쓸모 있는 진짜 정보를 구별하는 문제는 언제 어디서나 나타난다. 쓸모 있는 자료를 구별하는 방법도 전문분야의 자료들을 데이터베이스로 구축해온 전문가가 만드는 것이다. 현재 대학에서 전공을 공부할 때에도 전공과 관련된 자료를 체계적으로 정리하고 데이터베이스로 구축하는 연습을 많이 해둘 필요가 있다. 자신이 관심이 있거나 좋아하는 분야에 대해서도 체계적인 전문 데이터베이스 구축을 하면 많은 즐거움을 가질 뿐 아니라 나중에 실력이 쌓여 전업(專業)으로 발전할 수도 있다. 앞으로의 시대는 특정전문분야에 대한 데이터베이스를 신나게 잘 구축한 사람이 경제적 주도권을 가지게 되기 때문이다. 국가도 마찬가지다. 미래의 부강한 국가란 다양한 전문분야에서 활동하는 전문가들이 각각의 분야에서 데이터베이스를 많이 구축하고, 다양한 지식생태계를 많이 가진 나라인 것이다.

인터넷상에는 모든 차수의 산업자료가 이미 전 지구화된 상태에 놓여 있다. 특히 미국은 인터넷 종주국으로써 인터넷과 관련된 산업분야에서는 모든 것을 쥐락펴락하고 있다. 오늘날 지식은 전 세계로 퍼져 있기 때문에 마음만 먹으면 세상에 존재하는 모든 지식을 습득할 수 있다. 이러한 새로운 세상에서는 옛날식의 기업 활동 및 교육 활동에 얽매이는 것 자체가 낙후된 생각일 수 있다. 이제는 모든 산업분야에서 개방된 사고와 공유 가능한 정보들이 깔려 있는 공통된 무대에서 '진심으로 대화할 수 있는 능력'이 중요하게 된 것이다. 단 우리나라에서만 잘 나가는 것은 별 의미가 없다. 언제든지 세계적 시장을 가진 다국적 기업 또는 국제적인 대학교 등에 지배권을 넘겨줄 수 있기 때문이다. 가장 최선의 방법은 공통된 사고활동과 정보공유에 대한 기반 체계를 확립하는 것이며 우리가 가진 현재의 지식생태계의 수준을 세계적 수준으로 끌어올리는 것이다. 우리가 가진 지식생태계 안에서 우리의 정신문화가 존재한다. 인간 본연의 따뜻한 마음, 한마음, 오상에 바탕을 둔 가치관 등으로 세계적으로 경쟁력 있는, 다양한 문명요소와 정보들을 수용할 수 있는 것이다. 그래서 우리는 이러한 품질 높은 세계의 문명요소와 정보를 올바르게 선택할 수 있다. 우리가 스스로 구축한 정신문명에 기초한 지식생태계를 계속 확장해 나가는 것이야말로 새천년 시대를 열어갈 수 있는 가장 중요한 경쟁력인 것이다. 대화만이 정답이다.

(생각할 점)

스마트폰은 1990년대의 486 PC보다 성능이 훨씬 뛰어나다. 그런데도 장난감으로 주로 사용된다. 스마트 기기는 정보소비 기계이기 때문이다. 교육 및 수업 활동에 사용될 경우 오락적인 면으로 흐를 수 있다. 그러므로 스마트 기기 사용에 있어 교사의 면밀한 교수계획이 요구된다. 스마트 기기를 사용한 미래의 교육활동은 경제적 효과까지 창출할 수 있다. 빅데이터의 활용방안과 함께 스마트 기기의 교육적 사용에 대하여 한 번 생각해 보자. 그리고 실제수업에서 스마트폰에서의 올바른 정보 획득 방법 및 정보 활용 방안에 대해서 공부해 보자.

4. 개념도와 데이터베이스

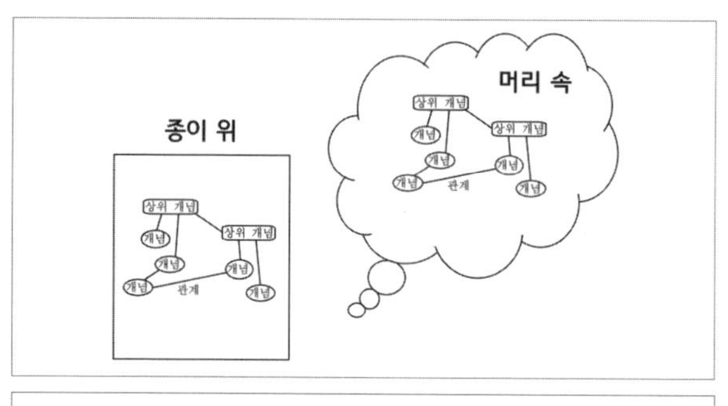

〈그림97〉 종이 상의 개념도와 머릿속의 개념도

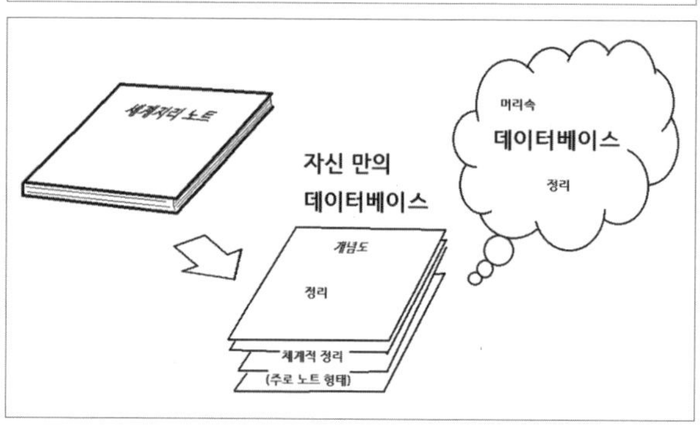

〈그림98〉 개념도의 역할
머릿속 개념들은 자신의 지식(知識)이다. 개념도는 자신의 머릿속 개념들을 정리하고 지식체계로 만든다. 데이터베이스도 지식체계이다.

마음은 생각을 일련의 영상으로 처리한다. 개념은 이런 일련의 영상을 구체적으로 집약하고 표현한 것이며 종이 위에 기록될 수 있다. 개념들과 그 관계를 종이에 적으면 우리 머릿속 개념들의 체계를 확인할 수 있다. 개념도를 그리는 것은 우리 머릿속을 정리하는 것과 같으며 이는 곧 지식(知識)이 된다. 또한 자신만의 지식체계 혹은 데이터베이스를 구축하는 작업이기도 하다.

개념도는 남이 사용하는 개념들을 쉽게 자신의 것으로 만들어 준다. 예를 들면 『세계지리 노트』를 한 번 읽고 그냥 이해하고 지나가면 저자의 생각을 단순히 이해한 게 되지만 거기서 멈추지 않고 주요개념들을 뽑아낸 후 그 개념들을 정리해 보고 개념들 간의 논리적 관계까지 이해할 수 있다면 이는 단순한 이해를 넘어서서 완벽하게 자신의 것으로 만든 게 된다.

달리 보면 개념도(概念圖)는 자신의 머릿속 생각의 흐름을 정지시켜 보는 것으로써 생각에 대한 하나의 모형이라 할 수 있다. 그래서 개념도를 보면서 글을 적어보면 어떤 부분에서는 뭔가가 많이 부족하고 어떤 부분에서는 넘치는 경우를 발견할 수 있다. 이런 식으로 여러 번의 개념도 수정과 글쓰기 연습을 통하여 점차 자신만의 지식체계를 세우게 된다. 세상일은 너무나 광범위하다. 우리는 어떤 전문분야를 선택할 수밖에 없으며 우리가 즐길 수 있는 분야를 전문적으로 공부할 수밖에 없다. 그런 부분에서 개념도 그리기와 개념도에 근거한 글쓰기 연습은 전문적 지식을 쌓는데 많은 도움을 준다.

개념도는 정해진 유형이 따로 없다. 생각나는 대로 주요개념을 적고 서로 간의 관계를 선으로 연결하면 그만이다. 상위개념과 하위개념으로 그룹을 지을 수 있으며 일단의 생각(=관념)을 간단하게 적어도 된다. 개념들과 관념들의 연결선은 그들 사이의 논리적인 관계를 나타낸다. 이런 연결선에다 사실, 사물의 사정, 생각들을 길게 늘려 적는 것이 글쓰기다. 개념도를 자주 사용하면 생각 정리가 수월하고 훨씬 논리적인 글을 쓰게 된다. 그러니 이제부터 글을 쓰기 전에 개념도를 작성하는 습관을 들이자. 개념도를 통하여 자신이 명백하게 모르는 부분이 드러나게 되며 자신의 주장하는 바대로 글을 쓰는 순서까지 정할 수 있다.

자신의 스마트폰 녹음 앱 또는 노트패드 앱을 사용하여 자신의 생각을 녹음해 놓거나 간략하게 노트해 둔다. 또는 작은 노트나 카드를 사용하여 자신의 생각을 간단히 메모해 놓는다. 매일 혹은 일주일에 한 번씩 시간을 내어 자신이 녹음한 내용과 카드의 기록을 개념도로 정리해 보고 그 개념도를 바탕으로 꾸준한 글쓰기에 돌입한다. 다른 사람과 토의하거나 다른 사람의 발표를 들을 때에도 개념도를 사용하여 토의 및 발표 내용을 정리하는 습관을 가진다. 그렇게 되면 나중에 개념도를 보면서 논리적으로 글을 정리하는 게 가능해진다.

(공부할 때)

항상 국어사전을 옆에 두고 한다. 공부할 때 잘 모르는 단어가 등장하면 반드시 국어사전을 펼쳐 찾아 단어의 뜻을 명백히 한다. 단어의 용례 등을 따라 크게 소리내어 읽어보자! 언어는 입에 익히는 것이기 때문이다. 오늘날 스마트폰을 통해 전자국어사전을 언제든지 펼쳐 볼 수 있다. 많이 애용하자. 국어 단어 중 한자 기원인 경우에는 한자를 카드 등에 옮겨 적은 후 시간나는 대로 많이 적어 보자. 그래서 국어문맹이라는 미개에서 벗어나도록 하자.

수치기록과 기후변화

數値記錄과 氣候變化

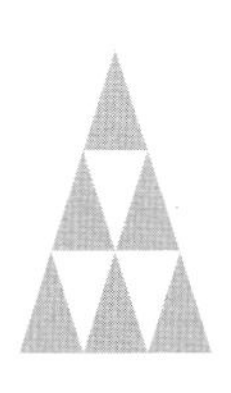

대기의 평균적 상태인 기후의 변화는 인간 문명에 지대한 영향을 준다

인간(人間)은 대기(大氣)의 대류권(對流圈) 안에 살면서도 대기에 대해선 잘 모른다. 대기는 직접 기록을 남기지 않기 때문이다. 대기의 평균적(平均的) 상태(狀態)인 기후(氣候)의 변화는 인간 문명에 지대(至大)한 영향(影響)을 준다. 그런데도 기후가 어떤 영향을 주는지에 대해서 정확하게 아는 사람은 드물다. 그런데다 역사적 기후 기록만으로는 기후변화를 이해하기가 쉽지 않다. 역사적 기후자료는 제한된 공간을 대상으로 하며, 수치로 기록되지 않은 경우가 많다. 예를 들어, 강설(降雪)에 대한 기록이 있다면 '얼마나' 많이 내렸는지에 대해서는 기록되지 않는 것이다. 또 명확한 공간 위치 정보가 부재할 때가 많다. 수치 기후 자료는 문명의 부침(浮沈)에 따라 측정 단위의 변경 및 유실, 잘못된 측정법 등 다양한 불연속성이 존재한다.

현재 IPCC(Intergovernmental Panel on Climate Change, 기후 변화에 관한 정부 간 패널)는 모든 국가가 힘을 합쳐 기후변화과정의 정확한 이해와 그에 대한 대처를 범지구적으로 해결하려 한다. 기후는 한 나라의 문제가 아니라 전 세계의 문제다. 그런데 현재의 기상 및 기후 측정 네트워크는 그만큼의 전 지구적인 시스템을 갖추고 있지 않다. 지구 지표면의 대부분을 차지하는 해양에는 관측시설이 부족한 실정이며 가까운 미래의 기후변화에 따른 결과도 제대로 예측하지 못하고 있다. 그러니 여기에서 모형의 중요성을 말하지 않을 수 없다. 모형의 성공은 지구 공간 관측체계의 해상도(解像度) 문제의 해결, 모형의 변수 선정 문제의 해결, 기후자료 측정 네트워크의 전 지구적 구축(構築) 달성에 달려 있는데 이를 위해서는 통일된 측정단위와 전 지구적 관측체계, 장기간(최소 30년 이상)의 기후 수치자료가 필요하다.

(생각할 점)

기후변화에 대한 대책은 전 세계적으로 이루어지지만 지질재해(地質災害)에 대한 관측과 대비책은 각 국가별로 이루어진다. 영토 문제가 작용하기 때문이다. 알다시피 우리는 대규모 지질재해의 규모와 발생시기(發生時期)에 대하여 정확하게 모르고 있다. 전조현상(前兆現象)을 통한 대비책을 강구하거나 재해 발생 이후 신속한 대응만이 지금으로선 최선의 대비책이라 볼 수 있다. 현재는 각국의 실정에 따라 경보체계(警報體系) 및 야전교범(野戰敎範)을 갖추고 있는데 문제는 이러한 경보체계와 야전교범이 제대로 실천되는가에 있다. 특히 교사를 포함한 모든 공직자들은 경보체계의 규칙과 작동시기에 대해 잘 알고 있어야 하며 재해발생 시 습관적으로 야전교범에 의한 행동요령을 실천할 수 있도록 숙지 훈련을 반복적으로 받아야 한다. 이는 안심하게 살아갈 수 있는 문명의 조건을 건설하는 것과 관련되며, 공직자들의 제대로 된 경보체계 및 야전교범의 실천이 이루어지지 않는 나라는 그 국가의 문명 수준이 낮다는 걸 보여주는 것이라 할 수 있다.

토의 연습 및 기록 연습

討議 練習 및 記錄 練習

세계에 있는 지역의 이름을 들을
때 우리는 그 지역의 실제에 대해
서 사실은 잘 알지 못한다

1. 서술에 대해

당위적(當爲的) 서술은 실제 일어난 일을 전제로 하지 않는다. "해야 한다" 또는 "이래야 된다" 라는 발언을 함으로써 타인(他人)의 행동을 유도하게 되는데 주로 정의감에 불탄 타인이 일을 저지른다. 이때 행동의 결과가 잘못되면 그 행동을 한 타인의 잘못이 되겠지만, 결과가 좋은 경우엔 그 발언을 한 사람이 잘한 게 된다. 당위적 발언을 한 사람은 손 하나 까딱하지 않고 대단한 인물 혹은 훌륭한 인격체로 비춰지게 되는 것이다. 그러나 당위적 발언을 잘하는 사람과 훌륭한 인격체란 개념은 전혀 상관이 없다! 우리는 분명히 그 점을 인식할 수 있다. 그러나 현실은 전혀 다르다.

당위적 발언을 한 사람에겐 어떤 경우에도 책임이 없다. 실제 근거가 없기 때문이다. 자유민주국가의 교육이념은 남의 정의감을 이용해 사익을 극대화하려는 당위적 발언이 통하지 않는 민주시민을 대량으로 생성해내는 것이다. 즉 당위적 발언에 속지 않는, 주인(主人)된 사고 및 판단력을 키우는 것이 공부의 주요활동이라 할 수 있다.

"이웃국가는 ~해야 합니다" 라고 할 때, 이는 우리의 입장에 근거해 희망하는 바를 말한 것일 뿐이며 이웃국가가 우리의 당위적 주장을 따를 필요는 없는 것이다. 그리고 이러한 당위적 주장은 이웃국가에 대해 잘 모르고 있다는 것을 증명할 뿐이다. 그렇다면 사람들은 왜 이런 당위적 주장을 하는 것인가?

바로 당위적 발언에는 책임성이 없기 때문이다. 어떤 올바른 주장을 하는 것과 이웃국가의 실제 행위 사이에는 아무런 접점이 없고 스스로를 애국자로 보이게도 만든다.

"영어를 잘해야 한다" 라는 당위적 주장을 살펴보자. 국제화 시대에 영어를 잘하는 것은 분명 의미가 있다. 그러나 잘해야 한다 라는 것과 실제로 영어를 잘하는 것과는 아무런 관련이 없다. 당위는 허상(虛想)이며 영어를 잘하는 건 실제(實際)이다. 그러므로 영어실력이 뛰어난 사람은 절대로 영어를 잘해야 한다 라는 당위적 발언을 하지 않는다!

언론에서는 "큰 파장이 예상된다" 라는 어떤 당위적 예상(豫想)을 주장하는 표현을 자주 사용한다. 기사를 본 사람들은 반드시 파장이 있을 것이라고 생각하지만 실제로는 아무 일도 일어나지 않는 경우가 태반이다. 또 "세상은 이래야 된다!" 라는 당위적 발언이 있다. 그런데 이 문장 속 '세상'의 의미는 현실세계가 아닌 가상(假想)세계다. 단지 그런 세상을 원한다는 것뿐이지 그런 세상이 반드시 오리라는 확신을 두고 하는 말은 아니라는 소리다. 모름지기 세상의 모든 일은 실제를 바탕으로 해야 결과에 대한 책임이 있게 되며, 해결의 실마리가 있게 된다. 당위적 발언은 허울 좋은 얘기만 늘어놓는 꼴이므로 앞으로의 발전에 도움이 되지 않는다.

마지막으로, "강풍이 예상되오니 대비하셔야겠습니다" 라고 하는 말을 살펴보자. 주로 우리나라의 기상캐스터가 스튜디오에서 날씨 정보를 알려줄 때 잘 쓰는 표현으로, 실생활에 아무런 도움이 안 되는 치명적 결함을 가지고 있다. 계속해서 이런 당위적인 일반대책만 떠들어대면 오히려 사람들이 재해상황에 무감각해지는 결과를 불러올 수도 있다.

당위적 서술을 일삼는 사람은 점차적으로 현실세계와는 완전히 다른 가상세계를 구축하고 그 안에서 자기중심적이 되며, 현실세계에서의 언행에 있어서 자가당착(自家撞着)을 보이는 경우가 많다. 그래서 말을 할 때나 글을 쓸 때는 물론 평소 생각을 할 때도 당위적 사고에서 벗어나도록 하는 교육활동이 꾸준히 실시되는 것이다. 과학적 실험과 논리적 사고에 의한 사실과 사실관계 파악훈련 등이 그것이다. 당위적 생각이 위험한 또 한 가지 이유는 남의 얘기를 듣지 않는다는 것이다. 그렇게 되면 자연히 세상일을 제대로 볼 수 없게 된다. 그러므로 아까도 말했듯 우리는 평소에도 개념도를 그려보고 개념들의 명확한 정의와 함께 개념들 간의 논리적 관계를 꾸준히 연습할 필요가 있다.

존재론적 서술은 실재하는 일이나 행동을 있는 그대로 적는 것이다. 간단한 예를 들면, "그렇다", "그렇지 않다", "이웃국가는 이런 행동을 하고 있다. 그래서 우리는 다음과 같이 대응한다", "영어공부는 영어식 사고방식으로 공부하면서 영어문장 전체를 수백 번 읽으면서 입에 익히는 것이다.", "***와의 FTA로 인해 우리나라 산업 어떤 분야에서 이익이 있으며 어떤 분야에서는 손해를 어느 수치로 볼 것으로 예상됩니다. 그에 대한 대처를 이렇게 하면 어느 수치 정도로 될 것으로 봅니다", "강풍이 시작되는 시간은 언제부터이고 어느 정도 지속되며 주로 어느 지역에 해당되겠습니다. 그런데 이 지역에는 도심이라 거리에 많은 광고판과 현수막 등이 있어 강풍에 날릴 위험이 있으니 건물 안으로 당분간 옮겨놓는 편이 좋을 것 같습니다" 등을 들 수 있다. 이는 전문분야에서 진정한 실력을 갖추고 있어야 할 수 있는 발언들이다. 즉 발언에 대한 책임을 질 수 있는 사람이, 수치화된 근거자료를 들어 서술하는 방식인 것이다. 이는 민주시민이 반드시 갖춰야 할 발언형태로 볼 수 있다.

2. 논술(論述)에 대하여

논(論)이란 옳고 그름을 논의 또는 단정하는 체다. 그래서 논술을 무엇이 옳고 그르다는 것을 직접적으로 밝히는 것으로 오해하곤 한다. 그러나 정작 논술(論述)에서 중요한 것은 술(述)에 있다. 술(述)은 사실이나 사실관계를 자세하게 말하는 것 또는, 사물의 사정이나 생각을 차례대로 기술하는 것이다.

사리의 옳고 그름은 자신의 글을 읽는 사람이 판단하는 것으로써 주장이나 논거의 자료인 사실과 사실관계, 사물의 사정과 생각의 순서대로 충분하게 표현하여 다른 사람이 제대로 판단하게 만드는 것이 바로 논술이라 하겠다.

글 속에 옳고 그름에 대하여 직접 표현할 수 있다는 것은 이미 판단이 섰다는 것을 의미한다. 법원의 재판(裁判)을 예로 들어보자. 원고와 피고, 그리고 판사가 있는 가운데 재판 심리(審理)가 이루어진다. 원고와 피고는 각 편의 입장에 대한 각종 사실 증거자료를 가지고 그 관계를 증명해 나간다. 충분하게 모든 심리과정이 끝나면 판사는 가장 자연적이고 사회질서에 부합되는 주장에 옳다는 판단을 한다. 만약 판사가 재판이 시작될 때부터 원고나 피고의 한쪽만이 옳다고 결정을 먼저 한 상태라면, 모든 심리과정 자체가 무의미해진다. 그러므로 논술이란 판사가 판단하는 단계 바로 직전까지의, 원고와 피고가 사실과 논리적 관계를 보여주는 심리과정에 해당된다고 볼 수 있다. 또한 논술은 사실과 그 논리적 관계에 대한 글들로 주장하는 바가 표현되며, 판단은 글을 읽는 제3자가 제시된 주장의 근거인 사실과 사실관계를 보고 하는 것이다.

3. 지명을 들으면

〈그림99〉 마음속에 생성된 하나의 공간개념
지명은 알고 있으나, 실제 그 지역에 대해서는 모르는 상태다.

세계에 있는 지역의 이름을 들을 때 우리는 그 지역의 실제에 대해서 사실은 잘 알지 못한다. 이 점은 세계지역의 각종 이슈를 다룰 때 중요한 접근태도로 생각해봐야 한다. 보통 세계지역에서 발생한 이슈는 관련 지역에 대해서 충분히 습득한 뒤 다루어져야 마땅하다. 지역의 공간위치관계, 자연환경 및 문명 개관, 지역의 관련 국가들의 객관적 지표 등을 정리해 보는 것이다. 그리고 이런 과정이 끝난 후에 그 지역공간에서의 사실과 사실관계를 통하여 검증을 거치게 되면 그때야 비로소 그 지역의 '일부'에 대해 알기 시작했다고 말할 수 있다.

(개념도 작성 및 글쓰기 문제)

1. ‘세계평화지수’ 또는 GPI에 대하여 조사하여 보자. ‘평화로운 세상’은 어떤 세상을 말하는지 개인의 일상생활 수준으로까지 범위를 넓혀 구체적으로 논하여 보자.

2. ‘글로벌 인력’을 정의해 보자. 그런 세계적 인력을 키워내는 교육활동은 어떤 형태인지를 실제 초 · 중등학교 수업활동 수준으로 토의해 보자.

3. ‘문화 다양성’, ‘종의 다양성’과 같은 개념들이 ‘지속가능한 발전’과 어떤 연관을 가지는지 토의해 보자.

4. ‘강대국’의 지리적 조건에 대하여 토의하여 보자.

5. 동대문표, 남대문표 등의 상표를 세계적 수준의 명품으로 키우는 전략을 만들어 보자.

6. 앞집 주부(여자 또는 남자)는 호주산 쇠고기 값이 올랐다는 텔레비전의 장바구니 정보를 듣고 원래 호주산보다 값이 비싼 미국산 쇠고기를 시장에서 선택했다. 반면 옆집 주부(여자 또는 남자)는 시장에 가서 무조건 제일 싼 쇠고기를 구입했다. 이 두 주부의 소비행태의 장단점을 토의해 보자.

(귀띔)

정보에 근거한 행동(informed action)에 관한 문제다. 이성적 인간에 근거한 합리적 소비행동과 정보에 근거한 행동을 서로 비교해 보는 것이다.

7. 집단적자위권(集團的自衛權, right of collective self-defence)과 집단안전보장(集團安全保障, collective security) 개념들을 조사해 보자. 자주독립국(自主獨立國)으로 이루어진 세계에서 이 개념들이 중요하게 다루어지는 이유를 토의해 보자.

8. 인터넷 가상공간의 여러 유형을 생각해 보고 실제공간과의 차이를 정리해 보자.

9. 우리나라 농수산업 및 축산업의 세계적 성장가능성을 토의해 보자.

10. 우리나라가 원조해 주었거나 원조하고 있는 나라들을 조사해 보자. 우리 국군을 유엔평화유지군의 일환으로 해외파병을 보내었거나 보낸 국가들을 조사해 보자. 원조의 형태, 원조를 해주는 이유 및 평화유지군 파견의 이유에 대하여 자세하게 정리해 보자.

11. 세계의 닭, 돼지, 소의 1초당 도살수를 찾아보고 이를 조사하는 이유에 대해 토의해 보자.

12. 세계적 이슈인 기아, 비만 문제의 실태와 해결에 대해 토의해 보자.

13. The Slow City Movement(Cittaslow movement)에 대하여 조사해 보자. 이 운동이 왜 발생했으며 어떤 성과가 있는가?

(귀띔)

쉬는 것, 여가활동, 방학, 휴가, 가정일에서 잠시 벗어나는 것의 중요성이 무엇인지 전체 국민 모두를 대상으로 생각해 보자. 아무 음식이나 먹으며 건강을 해치는 행위에 대해서도 생각해 보자. 이는 국가의료 및 건강보험에 어떤 영향을 미치는가?

14. 유통업의 세계화에 대하여 그 현황과 영향에 대하여 논하여 보자. 세계 해운업계 순위를 조사해 보고 최근의 변화에 따른 그 영향을 평가해 보자.

15. 푸드 마일리지(Food Mileage)에 대하여 조사해 보자.

16. 관광자원에는 어떤 것이 있으며, 관광의 세계화 현상에 대하여 토의해 보자. 특히 관광자원에 대한 개발투자의 입장에서 봤을 때 어떤 식으로 최적의 투자를 할 것인지에 대해 토의해 보자.

(귀띔)

관광은 일하러 가는 것이 아니므로 일상생활을 하는 것과 비슷한 행위로 볼 수 있다. 먹고 자고 놀면서 쇼핑하고 즐기고 돈을 쓰는 것, 이것이 바로 관광행위라고 할 수 있는 것이다. 우리는 이런 관광행위가 자연스럽게 이루어질 수 있는 관광요소들을 개발해야 한다. 세계적 관광명소는 의외로 대도시인 경우가 많다. 그 이유는 위치적 조건이 유리하기 때문에 잘 곳이 많고 맛있게 먹고 즐길 수 있는 장소가 넘쳐나기 때문이다. 이처럼 관광은 여가활동의 일환으로써 관광객들로 하여금 그 자체가 매우 '편안하게 느껴지도록' 만들어야 한다. 관광을 투자와 수익 창출이라는 입장에서 한 번 생각해 보자. 어디를 투자해야 하겠는가?

17. 세계의 주요 금융도시를 조사해 보고, 금융의 세계화가 미치는 영향을 장단점으로 구분하여 정리하여 보자. 그럼 다음 세계 25대 은행들을 조사해 보고 은행의 소속국가를 조사해 보자.

18. 전 세계 조혼풍습과 여성학대, 여성인권 실태를 조사하여 보자.

19. 자유주의 시장경제에서의 고도화된 분업구조에서 인간이 얻는 이익은 어떤 것인지 상세하게 토의해 보자.

20. 구글에서 '유네스코'와 '문맹자'를 입력하고 관련기사를 자세하게 읽어보고 정리해 보자.

21. 지구적 규모에서, 대기 중 메탄가스량의 변화 추세를 조사해 보자. 대기 중 메탄가스량에 대한 감시가 중요한 이유는 무엇인가?

22. TOE, Ton of Oil Equivalent, 석유환산톤에 대하여 조사해 보자.

23. 신재생에너지란 무엇이며, 그 종류를 조사해 보자. 경제성이라는 측면에서 신재생에너지 개발과 생산시설 확충 및 유통체계 확립에 대한 전략을 만들어 보자.

24. 물 부족 현상에 대하여 조사해 보고, 점점 심해지는 세계 현상으로서의 물 부족 현상에 대한 대비책을 심도 있게 토의하여 보자. 대한민국의 경우는 어떠한가?

(추가자료)

구글에서 'EBS 하나뿐인 지구 사막 난민'을 입력하고 관련동영상을 본 뒤 간단하게 중요한 내용을 글로 남겨본다. 그리고 지도를 펼쳐 어디에서 발생했는지 확인해 본다.

25. 지구온난화로 인한 대한민국의 기후 변화와 이상기후 발생에 대하여 조사해 보고 대한민국 문명에 어떤 영향을 주는지 정리해 보자.

26. 세계 각국의 전통달력에 대하여 조사해 보자. 공통된 점이 있는가?

27. 우리나라 국적의 시민이 갈 수 있는 국가와 갈 수 없는 국가에 대하여 조사해 보자. 갈 수 없는 나라는 어떤 상태에 있는가?

(귀띔)

"해외안전여행" App을 스마트폰에 설치해 보고 한 번 이용해 보자.
또는 외교부 해외안전여행 웹사이트(http://www.0404.go.kr/)를 방문하여 자세하게 관심이 가는 정보들을 읽어보자.

28. 해외취업에 대하여 조사해 보자. 어떤 직업들이 주로 관련되는가? 또 국제기구에 채용되면 어떤 좋은 점이 있는가? 지금부터 어떻게 준비하여야 해외기업 및 국제기구에 채용될 수 있겠는가?

(귀띔)

국제취업박람회가 열리면 놀러 가보자. 가서 그냥 둘러보지 말고 반드시 부스마다 찾아가서 당당하게 그 회사는 무엇을 하며 뽑는 인재는 어디서 어떤 일을 하는지 등을 물어본다. 그리고 어떻게 하면 그 회사에서 꼭 채용하고자 하는 인재가 될 수 있는지 그 방법도 물어본다. 대부분 친절하게 설명을 잘해주니 당당하게 물어보자.

〈그림100〉 부산지하철 1호선 광고

2014년 6월 1일 촬영한 사진이다. 사진 속 채용광고를 눈여겨보자. 왜 전동차 안에서 광고를 하고 있을까?

29. 해외여행 가기 전에 꼭 해야 할 일은 무엇인가? 해외여행 시 공항이나 호텔 등에서 대단히 주의해야 할 점은?

30. 플라톤의 '국가'를 읽은 후, 철인(哲人)과 국가의 정체(政體)에 대해 정리해 보자. 그런 다음 세계화 시대 혹은 국제화 시대의 세계적 철인(哲人) 또는 전 지구적 범위의 세계국가의 정체(政體)를 토의하여 보자.

31. 공자의 '논어'를 읽은 후, 군자(君子)라는 개념이 세계화 시대에서 가지는 의의를 토의해 보자.

32. 빅데이터의 교육적 적용과 활용방안에 대하여 논하여 보자.

33. 오늘 먹은 음식들이 얼마나 많은 사람들의 노력(즉 힘든 노동으로 인한 고통)과 얼마나 많은 시간을 투자하여 자기 입으로 들어갔는지를 생각해 보자. 그리고 음식을 만들기 위해 수많은 육체적 고통과 인내의 시간을 들여야 했던 사람들을 중심으로 생각해 보자. 예를 들어 파인애플 피자와 같은 경우 그 음식의 여러 재료들의 생산, 유통, 제조 과정에서 얼마나 많은 사람들이 관여되었으며 얼마나 많은 시간과 노력이 투자되었는지 수치적으로 알아본다.

34. 세계적 무대에서 각종 전문분야들에는 어떤 규칙이 존재하는가?

(귀띔)

규칙은 질서유지를 위해 존재한다. 일이 진척되어 서로 평화롭고 행복해지기 때문이다. 규칙은 명시적인 것과 암묵적인 것으로 나눌 수 있다. 즉 상거래 규칙, 돈 거래 규칙, 게임 규칙 등은 거래질서, 금융질서, 게임질서를 위한 것이다. 인간사의 모든 면에서는 이러한 규칙이 존재하며 우리는 이것을 바탕으로 질서를 형성한다. 우리가 서로를 믿을 수 있는 것은 서로가 정해진 규칙을 따른다고 믿기 때문이다. 다시 말해 오늘날 인간이 모여서 행복하게 살 수 있는 것은 서로 간에 규칙을 지킨다는 신뢰가 뒷받침되어 있기 때문에 가능한 것이다.

35. 인간은 집단(전체)을 이루고 살아간다. 그런데 나치즘이나 공산주의와 같은 전체주의에 인류가 저항하는 이유는 무엇일까. 한 번 토의해 보자.

36. '아동 불법노동' 또는 '아이들 불법노동' 현상에 대해 조사 · 정리해 보자.

37. 구글에서 '아프리카 새마을 운동'을 입력하고 관련 기사들을 정리해 보자.

38. 최근 중국의 불량식품에 관한 뉴스가 자주 나온다. 그렇다면 중국에서 영업하는 세계적 프랜차이즈 음식점(예, 맥도널드, 버거킹 등)에서는 안심하고 음식을 먹을 수 있겠는가? 만약 신뢰할 수 있다면 그 이유는 무엇인가?

39. 경제적으로 풍족한 사람들은 못사는 사람들을 깔보는 경향이 있다. 그러나 못사는 사람들이라고 잘사는 사람들을 깔보지 말란 법은 없다. 자유통일을 이룬 뒤, 과거의 북한주민들이 대한민국 사람들을 어떻게 바라볼 것이며 우리 대한민국 사람들은 북한 동포들을 어떻게 평가할 것 같은가? 북한과 남한의 특징을 살려 생각해 보자.

40. 사물을 헤아리는 능력을 지력(智力)이라 한다. 국민들이 가진 지력을 그 국가의 힘, 즉 국력(國力)으로 볼 수 있는지 토의해 보자. 또한 구체적으로 국민들의 지력을 향상시키는 방법론과 국민들의 지력을 측정할 수 있는 방법에 대해서도 토의해 보자.

41. 인권, 평화, 행복 추구 등의 보편적 가치들이 실행되지 않는 현실적 이유에 대하여 토의해 보자.

42. 앞으로의 인류는 대부분 오래 살 것으로 예상된다. 고령화된 사회에 새로운

경제적 기회를 마련할 수 있을 것인가? 고령화된 사회를 대비하기 위한 교육활동은 어떤 것들이 있을지 토의해 보자.

43. 희토류(稀土類, REE)란 무엇이며 어디에 주로 사용되는가? 주요 분포지를 찾아보자.

44. 불법어업, 불법어획, 불법조업, 남획 등의 세계적 현상에 대하여 자세하게 조사해 보자.

45. IMO, International Maritime Organization(http://www.imo.org)에 대하여 자세하게 조사·정리해 보자.

46. 이클레이 세계총회에 대하여 알아보자.(http://www.icleikorea.org/main.htm)

47. 'www.gap.go.kr'를 방문하여 주요 내용을 개념도로 그려보자.

48. 유엔 지명 표준화 회의에 대하여 자세하게 조사해 보자.

49. 우리나라 학교급식(學校給食), 대중급식(大衆給食) 중 식중독(食中毒) 사건(事件)들을 상세(詳細)하게 조사(調査)하고 정리(整理)해 보자. 우리나라는 식중독 무사고(無事故)인 세계적(世界的) 고급음식문명(高級飮食文明)을 어떻게 본받아 달성(達成)할 수 있겠는가? 그리고 음식물의 생산지를 속이는 선진국의 사람들이 있는지 조사해 보자. 불량식품(不良食品) 발생건수(發生件數) 만으로 각 나라 국민의 선진성(先進性)에 대하여 논할 수 있겠는가?

50. 실제로는 악습일지도 모르는 관행이 존재하는지 조사해 보자. 악습이라고

분류할 수 있는 기준은 무엇인가? 악습과 관행이 지속되는 이유는 무엇인가? 선진국에도 악습과 관행이 존재할까?

51. 기계가 인간처럼 생각을 자유자재로 할 수 있을 때 인간은 어떤 삶을 살게 될 것으로 보는가? 기계가 인간의 노동력을 상당 부분 대체하는 시절을 맞이하여 사회구조적으로 어떤 근본적 변화가 발생할 것이며 그에 대비한 교육활동은 어떤 것인지 구체적으로 토의해 보자. 만약 입사면접을 기계가 보는 날이 온다면 어떨 것 같은가?

경쟁력과 실력 및 수준

競爭力과 實力 및 水準

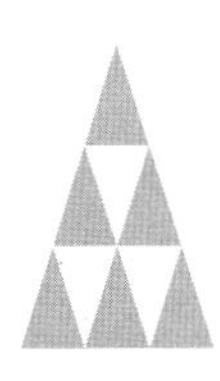

인생에서의 물질적 가치와 정신적 수준의 향상에 경쟁력이라는 개념은 중요한 역할을 한다

세계적 수준의 전문가(專門家)는 전 세계에서 환영(歡迎)받는다. 그는 정체성(正體性)이 뚜렷하며, 언행(言行)이 일치한다. 그리고 매사(每事)에 당당(堂堂)하며 많은 사람들이 그의 삶을 본(本)받으려 한다. 그렇다면 평소 어떤 마음가짐을 갖춰야 세계적 전문가가 될 수 있겠는가? 논어(論語)의 학이(學而) 편과 이인(里仁) 편(篇)에는 각각 다음과 같은 구절이 있다.

子曰 不患人之不己知 患不知人也

공자께서 말씀하셨다.
"남이 자신을 알아봐 주지 않는다고 고심하지 말고,
내가 남을 알아보지 못하는 것을 걱정하라."

子曰 不患無位 患所以立 不患莫己知 求爲可知也

공자께서 말씀하셨다. "직위가 없다고 걱정하지 말고 그 직위에
맞은 실력을 갖추려 하며, 남이 자기를 알아주지 않는다고
고심하지 말고 남이 자신을 알아보도록 실력을 갖추도록 하라."

남을 알아보거나 남이 자신을 알아봐 주는 것은 지극히 자신의 실력에 달려 있다. 실력이 있으면 언젠가는 귀한 사람이 되기 마련인 것이다. 그러므로 언행일치, 당당함, 정체성과 본보기에 관한 것은 개인이 갖춘 능력 차로 볼 수 있다. 좋은 직업은 사람들이 앞다투어

도전하며 경쟁이 심하다. 그리고 대개는 직위에 맞는 실력을 갖춘 사람이 선발되어 기업과 사회 전체에 많은 이익을 준다. 문제는 그 직위에 맞는 실력이 진짜 갖추어져 있는가에 있다. 인생이 경쟁으로 점철(點綴)되는 것은 인간의 생존본능에 따른 것이며 더 잘 먹고 잘살겠다는 인생의 목표가 있기 때문이다. 더 나아가 우리 후손들의 보다 윤택한 미래의 삶을 위해 잘 먹고 잘사는 방법을 강구하고 수단을 전수함으로써 경쟁력 있는 부강한 나라를 만들기 위함인 것이다. 우리가 후손에게 물려주고자 하는 것은 세계적 수준의 문명적 삶이다. 지금까지 선진문명국의 사람들은 경쟁에서 공정한 평가체계의 설정과 규칙을 준수하며 공정하게 경쟁하는 사회환경을 건설해 왔다.

경쟁으로 인한 스트레스를 다룰 수 있는 것만으로도 우리는 뭔가를 배우게 되고 실력을 다지게 된다. 공상(空想)으로는 의식주 문제를 해결할 수 없다. 오직 실제 세계의 수많은 경쟁의 틈바구니 속에서 기회를 잡고 위기를 잘 헤쳐나가야 잘 먹고 잘사는 방식이 생기는 법이다. 경쟁에 대한 올바른 사고형성교육은 정신개혁문제로 귀착된다. 이는 세상을 경쟁력 있게 살아가도록 실력을 갖추게 하는 교육문제이기도 하다. 그리고 공정하게 이루어진 경쟁의 결과에 승복하는 자세도 경쟁력이라 할 수 있다.

하나의 문명은 타 문명과 경쟁한다. 문명의 실력과 수준은 바로 거기에서 드러나는 것이다.

1. 인간의 활동과 경쟁력

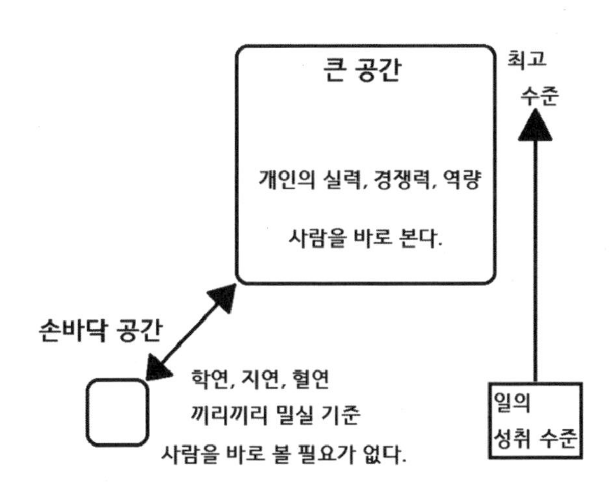

〈그림101〉 공간규모에 따른 사람 선정기준의 차이

손바닥만 한 공간에서는 사람의 직무수행능력보다는 소규모 집단적 시각과 밀실 판단기준으로 사람을 선정한다. 손바닥 공간이란 손바닥 같은 좁은 공간 속에서 끼리끼리 어울린다는 그 협소한 공간인식범위를 의미한다. 즉 같은 지역 출신, 같은 학교 출신 등으로 사람을 선정한다는 얘기다. 국제적 인력시장에서 사람을 구할 때는 사람을 보는 시야 자체가 광범위하여 사람이 만드는 재화나 서비스의 가치를 객관적으로 평가한다. 그래야 기업이 국제무대에서 경쟁력 있게 사업할 수 있기 때문이다. 그러니까 국제무대에서의 경쟁력이란 사람을 바로 볼 줄 아는 사람들의 수라 할 수 있다. 앞에서도 여러 번 언급했지만 교원(教員)들이 바로 여기에 해당된다. 사람을 전문적인 식견으로 제대로 볼 줄 알아야 하는 것이다. 또한 사람의 가능성이 최대한 실현되도록 교육할 수 있는 교원들의 실력은 무척 중요하게 여겨진다.

세계화는 국민 개개인의 있는 그대로의 실력을 바탕으로 한다. 국민 모두의 실력이 세계적일 때 우리 국가의 번영이 보장되는 것이다.

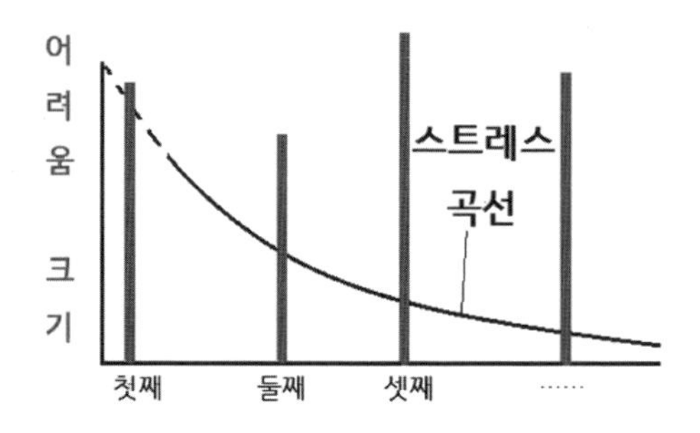

〈그림102〉 경쟁 극복의 효과에 대한 가상 모식도
큰 어려움을 극복하면 앞으로 그 이상의 것도 극복할 수 있다. 지금은 어렵기만 한 대학공부지만 대학 졸업 후 사회에 진출하게 되면 그때의 학업경쟁이 '장난'이었음을 깨닫게 된다. 바로 이것이 우리가 열의를 갖고 대학에 다녀야 하는 이유인 것이다.

선의의 경쟁이 있어 인생은 참 살만하다. 그러나 경쟁은 스트레스를 유발한다. 이런 스트레스를 감당할 수 있는 능력이 크면 클수록 더 높은 지위에 오를 가능성도 커진다. 그러니까 스트레스를 잘 극복할수록 실력 있는 것이고 강한 경쟁력을 가진 것이다. 교육은 경쟁으로 인한 스트레스를 감당할 수 있는 능력을 키운다. 세상사에 존재하는 거의 모든 것들은 경쟁을 통해 이루어진 것이다. 다른 것과 비교해서 더 좋은 것을 향유하려는 인간의 바람은 경쟁을 만든다. 만드는 행위, 소비하는 행위, 소유하는 행위, 즐기는 행위, 돈을 불리는 행위, 사람을 키우는 행위, 배우는 행위 등에서도 그 행위를 한 만큼 바라는 바가 생기며 그 이상의 것을 이루고자 한다. 그러니 인간의 행위는 경쟁력과 관련될 수밖에 없다. 인생에서의 물질적 가치와 정신적 수준의 향상에 경쟁력이라는 개념은 중요한 역할을 한다.

공부하는 것에도 공부경쟁력(工夫競爭力)이 작용한다. 공부경쟁력은 시험성적을 잘 받는 것만으로는 나타나지 않는다. 배운 것을 검증하여 자신의 지식체계로 만들어 실제세계에 응용할 수 있는 실천행위로 나타나는 것이다. 달리 보면, 공부를 즐길 줄 아는 능력이라 할 수 있다. 공부를 즐기는 구체적 모습은 수업시간에 질문하는 것, 발표하는 것, 토론하는 것, 대화하여 공동으로 문제를 해결할 줄 아는 것으로 일련의 배움의 과정에서 드러나는 바람직한 학습자세라 볼 수 있다.

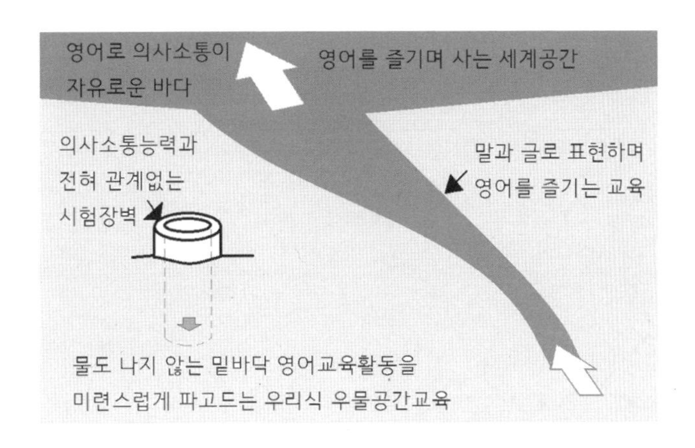

〈그림103〉 물 한 방울 없는 우물 밑바닥 파기인 우리나라식 영어교육

원어민(原語民) 수준으로 말할 수 없는 영어교사에게서 영어를 배운 학생이 영어를 잘 할 수 없다는 것은 자명(自明)하다. 그러나 우리나라 영어교육의 목적은 영어를 원어민처럼 하는데 있지 않고 단순히 문법을 한국어로 교육하는데 초점이 맞춰져 있다. 이런 식의 교육이 이루어짐에도 영어로 말 한마디 못하는 졸업생들에게 미안한 감정을 갖고 있는 영어교사는 찾아볼 수 없다. 오히려 뻔뻔스러울 정도로 엉터리식 영어교육이 예나 지금이나 지속되고 있다. 대명천지(大明天地)에 이런 미개한 짓이 세상 어디에 있겠는가! 국제경쟁력? 도대체 말도 제대로 못하는 사람에게 무슨 국제적 수준을 따질 수 있겠는가? 책임감 없고 실력 없는 교사들이야말로 교육계의 적폐(積弊)이다.

공부경쟁력과 관련하여 우려(憂慮)되는 점은 오늘날 우리나라에는 국어문맹자(國語文盲者)가 많다는 것이다. 국어교육이 대실패(大失敗)했다는 증거는 우리 대학 강의실에서도 확인할 수 있다. 수업시간에 한자(漢字)로 개념의 정확한 의미를 설명하면, 어렵게 가르친다고 학생들이 따진다! 한자사용은 학생들의 반감

(反感)까지 부른다. 그러나 이때 영어를 쓰면 분위기는 완전히 반전(反轉)된다!!! 자신의 이름조차 한자로 적지 못하고 주민등록증을 직접 보고 적어도 그것마저 틀리게 적는 학생들이 말이다! 이에 대한 책임은 누가 몽땅 져야 하는가? 말할 것도 없이 교사들이다.

〈그림104〉 강의실 국어사용의 실태

도대체 언제부터 기본적인 국어단어도 못 알아듣는 학생들을 졸업시켰는가? 교사들은 왜 책임지지 않는가? 그들은 도대체 무엇을 가르친단 말인가?

세계적 수준의 전문가는 그가 속한 전문분야에서 발생하는 문제상황에 대하여 해결책, 개선책을 제시하고 실행하여 문제를 기어코 해결하는 사람이다. 교직을 수행하는 사람들이 전문가여야 하는 것은 지극히 당연하지만 현실은 그렇지 않다는 것이다. 요즘 시대에는 광대한 인문사회과학적 교양과 함께 자연과학과 수학세계에 대한 기초지식이 확고한 사람이 세상의 주역으로 등장하고 있다. 세계 환경이 그렇게 변했다. 그런데 수백만의 우리 대학생들은 제대로 된 기초 국어단어도 모르고 있다. 교사들은 이 문제들을 개선했어야 했지만 그렇게 하지 않았다. 지금까지의 교육개혁이 교사들의 교육실력을 바탕으로 주도된 것이 아니란 뜻이다. 게다가 학원에서 배웠으니 그냥 넘어가겠다고 한다거나 학원에 가서 배우라고 하는 초중등학교 교사들도 만만찮게 등장하고 있다. 그러나 그렇다고 국가가 사교육을 단속하는 것은 자유시장경제시대에 어울리지 않는다. 국가가 단속할 수 있는 대상은 오직 교원들뿐이다. 교원들이 실력 있게 가르친다면 학생들이 과연 사교육 시장으로 가겠는가 말이다! 국가가 학교의 교원들을 집중적으로 단속한다면 사교육 문제도 어렵지 않게 해결될 것이다. 교육개혁의 초점은 공교육을 하는 교원들의 제대로 된 실력 평가에 있다. 우리나라의 공교육이 국제적 수준에 발맞추려면 자화자찬(自畵自讚)의 각종 겉치레 구호와 공허한 선전선동에서 빨리 벗어나, 학생들의 공부경쟁력 향상이라는 현실문제에 집중하는 교육내실 개혁으로 움직여야 한다! 사범대와 교육대 학생들의 실력을 집중적으로 배양하는 것은 물론 한 분야의 걸출한 전문인을 양성하는데 귀 기울여야 할 것이다. 또한 적당히만 하면 졸업할 수 있겠지 하는 안일한 대학 풍토 역시 개선하여야 할 것이다. 그럼으로써 대학에서 뼈 빠지게 공부하는 것 자체가 실력이 되고 경쟁력이 되며 인생에서 가장 보람 있고 즐거운 순간이라는 걸 스스로 알아나가는 것이 중요하다.

2. 공돌이

사람은 뭔가를 만들어내는 존재다. 우리는 타인이 만들어낸 것의 가치를 매기고 만든 사람, 만드는 기법, 기술까지 평가한다. 여기서 평가된 최고의 기술은 바로 표준이 된다. 표준기술을 가진 사람은 존경의 대상이 되며 역사에 기록되고 전승체계를 통하여 후대에까지 전해진다. 그런 식으로 문명은 지속된다. 문명도 만들어지는 것이기 때문이다. 표준기술 수준이 높아지면서 문명도 발전했다. 문명은 당대 최고기술을 자취로 남기는데 문명을 건설하는 사람들을 고상하게 기술자, 엔지니어, 공학자 등으로 말하며, 시쳇말로 '공돌이'라고 친근하게(?) 부르기도 한다.

고대 유적지를 살피는 이유 중에 하나는 그 유적을 세웠던 공돌이들의 기술수준과 당시 사람들이 세상 공간에 부여한 의미와 가치를 알아보려는 것이다. 문명은 건설 당시의 인간 정신의 현재적 상태를 보여주며, 문명 유적을 통하여 건설 당시의 문명수준을 추측할 수 있다. 공돌이의 실력이 곧 문명의 수준인 것이다. 즉 문명의 실질적 주인공은 공돌이라고 말할 수 있다. 공돌이에 대한 사회적 대우(待遇)는 그 문명의 질적 수준을 보여준다. 오늘날 우리 대한민국은 문명의 경제적 발전상태와 동등하게 공돌이를 대우하고 있는가? 우리나라를 선진국으로 만드는 데 누가 제일 기여했는가?

공돌이를 잘 대우하는 사회는 과학기술에 대한 이해와 수학적 기초가 탄탄한 사회다. 고대 유적들은 정교한 수학적 계산에 따라 건설되었다. 역사 유적지들은 그 당시 지역의 공간요소들인 천문상태, 대기상태, 지형의 윤곽, 지표수 및 지하수의 흐름과 방향에서부터 시선의 흐름 및 사람의 이동특성에 이르기까지 모든 면을 고려한 과학적 공간분석기법을 사용하였다. 건축물의 배치에서도 미적 가치와 당시의 세계관을 형상화하고 있다. 이는 과학기술적인 면만이 아니라 역사, 문화전통에 대한 기본 토대가 확고하였던 공돌이들이 있었다는 것을 암시한다. 공돌이들의 문명적 식견(識見)은 오랜 도제(徒弟) 기간과 함께 여러 차례의 시험을 거치면서 실력을 인정받는 과정을 통해 형성된다. 문명건설 기술자들은 바람직한 인성(人性) 형성교육과 오랜 기간 동안 전문적 도야(陶冶)를 통하여 발현된 실력을 바탕으로 체계적으로 다음 세대를 교육한다. 즉 고대 유적들은 오랜 기간 거쳐온 실력 테스트의 결과이며 최상의 기술력을 가진 장인들의 흔적인 것이다.

문명이 경쟁의 산물이라면, 오늘날의 문명 또한 경쟁의 산물일 것이다. 그렇다면 경쟁력을 문화력, 창의력으로 표현할 수는 없는가? 환경에 대한 인식과 가치 평가, 유구한 역사전통의 계승과 발전 노력도 경쟁력으로 볼 수 있지 않을까? 깨어 있는 시민들의 소통능력은 어떠한가? 사람은 누구나 문명 건설에 참여하고 있지 않은가?

인간은 각자가 아닌 집단적으로 경쟁한다. 그리고 하나의 사람집단이 차지할 수 있는 공간의 크기가 커질수록 더 강한 경쟁력을 가진다.

3. 지역화

세계적 문명은 지역규모의 공간을 형성한 뒤 타 문명요소들과 경쟁을 하여 성장한 것이다. 여기서 지역이란 대륙 크기의 공간을 의미하며 지역화는 대륙 크기 정도의 공간영역으로 하나의 문명지역이 넓어지는 것을 의미한다.

지역화된 문명의 요소들은 경쟁력을 가지고 있다. 하나의 문명이 대륙 크기 정도의 공간을 형성할 때, 지역 내부에서 경쟁력 있는 문명요소들이 보편성을 획득하기 때문이다. 또한 지역적 규모의 문명은 해체되지 않는 특성이 있다. 그러므로 지역화된 문명 속의 사람들은 자신들의 문명을 기준으로 타 문명을 평가한다. 한자 문명권의 경우 아직도 유교와 불교의 전통은 지속되고 있다. 이들 전통은 이미 지역화(地域化)가 된 것이다.

〈표11〉 지역화와 관련된 개념정리

이름	설명
지역화(regionalization)	지역적 규모(대개 대륙 크기)의 공간 확보, 전 지구화 또는 세계화로 발전
지방화(localization)	지방의 고유성 확보, 다양성, 지속발전의 토대
전 지구화(globalization)	현상의 대상화, 대상의 공간적 확산에만 집중, 반대대상 및 현상 적대시, 성과 중심, 예) 서구화, 근대화, 대학교육 및 교육제도, 과학기술 표준체계
현지화(localization)	경영 · 경제면에서 전 지구화의 전술형태, 특화(特化)
국제화(internationalization)	국가단위의 전 지구화
세계화	개화(開化), 실상(實相)을 보는 것, 삶의 내용 질적 변화, 지역화 된 세계문명과 세계 지방문명들의 공동번영 추구

지역화는 세계화 또는 전 지구화(全地球化)의 전 단계(前段階)다. 세계지역은 과거에는 제국, 오늘날에는 유럽연합과 같은 공간규모를 가진다. '국제질서'의 장에서 언급된 세계화 개념은 개인적 수준과 세계공간이라는 개념에서 논의되었지만, 이 장에서의 세계화는 대륙 규모의 지역 문명이 세계적으로 성장해나가는 문명발달수준 면에서 다루어진다. '국제질서' 장에서 언급된 세계화는 전 지구화 개념을 포함한다. 그러나 문명의 지역화를 다루는 이 장에서는 전 지구화와 세계화 개념은 구별된다.

지역문명의 세계화는 문명들 간의 발전적 교류를 가정(假定)한다. 세계의 다양한 지역문명들이 세계적 수준으로 발전하여 공동번영하는 것이다. 이는 세계문명들이 타 문명을 서로 존중하고 인정하는 것을 바탕으로 하며 세계화는 각 문명의 보편적 요소들이 성장하여 다른 세계 지역문명들에게도 인정받고 통용되는 이상적 상황을 지향한다. 그러나 타 문명요소를 인정하는 경우가 매우 드문 편이다.

한편 전 지구화는 현실적으로 벌어지고 있는 현상이다. 그런 면에서 볼 때 영어의 'Globalization'은 '세계화'로 번역하기보다 '전 지구화'로 쓰는 것이 좀 더 정확한 표현에 가까운 것이다.

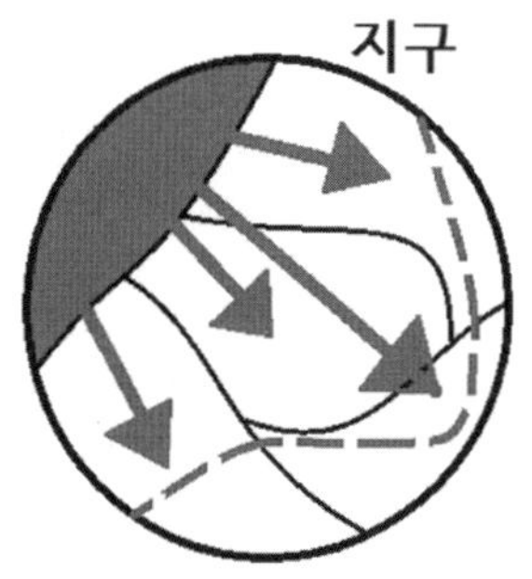

전지구화
각 문명의 특성 무시
대상의 공간확산만 집중

세계화
각 문명의 본질 유지
각 문명 공동 번영 추구

〈그림105〉 전 지구화 대 세계화

전 지구화는 실제로 발생하지만 세계화는 인류가 실현하려는 이상(理想)적 운동이다. 세계화는 세계의 문명이 타 문명을 인정(認定)하는 데서부터 출발한다.

우리가 문제시하는 현상은 특정지역 문명의 전 지구화다. 전 지구화는 대상화 과정을 거친다는 특징이 있다. 대상화란 어떤 현상을 실체처럼 대상(對象, object)으로 만드는 것인데 이때 대상은 생각이나 행동 및 일의 상대(相對)를 말하거나 어떤 목적을 말한다. 다시 말해 대상화란 객관화(客觀化)와 관련된 것이고 객관화란 제삼자의 입장에서 생각이나 행동을 보는 것이다. 이것으로 미뤄봤을 때 전 지구화는 대상의 공간적 확산만을 객관적으로 보는 현상으로 볼 수 있다. 이때 대상과 반대되는 대상에 대해서는 적대적(敵對的)으로 대한다. 공간 영역을 확장하고자 하는 대상과 적대적 대상 간에 분명한 구별이 있는 것이다. 여기서 대상의 공간적 전파나 확산범위는 객관적으로 평가할 수 있다. 객관적으로 평가된 대상의 공간 확산 정도에 따라 성과(成果)로 변환되어, 그에 따른 보상체계도 쉽게 세워진다. 시장 확대에 따른 보상체계를 예로 들 수 있다.

오늘날 대학교육과정은 전 지구화된 서구적 가치체계 및 과학기술체계와 사물이나 현상을 대상으로 인식하여 객관적으로 볼 줄 아는 교육활동을 중심으로 한다. 우리가 서구 학문과 과학기술을 배우는 것은 빈곤(貧困), 억압(抑壓), 구속(拘束), 무지몽매(無知蒙昧)한 상태를 벗어나게 하고 지력(智力)의 발달을 가져오는 최적의 방식이라 믿기 때문이다. 우리 공교육은 서구의 가치체계와 과학기술의 표준을 잘 배워 잘 먹고 잘살겠다는 목적을 가지고 있다. 사회체제와 정치제도에서도 서양의 문물과 제도가 적극적으로 도입되어 실행되고 있다. 이를 서구화(西歐化) 혹은, 서구적 근대화(近代化)라 부른다. 근대화란 합리성을 존중하는 근대적 상태를 대상으로 만들어 전근대적 사고방식을 몰아내는 과정이며, 후진적 상태에서 선진적 상태로 나아간다는 의미도 내포한다. 또 근대화란 서구 문명의 전 지구화이기도 하다. 그런데 서구화를 적극적으로 이룬 오늘날 우리 사회는 전통문화나 가치체계를 적대시하는 경향이 있으며, 가치관의 혼란에 빠져 있다. 이는 서구화가 우리 가치체계를 몰아내는 과정을 객관적 성과중심의 평가체계로만 강조한 데서 기인한 것이다. 서구문명의 평가체계는 객관적이며 성과에 대한 보상도 명확하다. 달리 생각할 점은 서구적 평가체계를 우리 사회가 공정하게 실시하고 있는 가다.

세계지역보다 작은 지방공간을 다루는 현상을 현지화와 지방화라 일컫는다. 여기서 지방(地方)이란 한 방면의 땅, 국한된 땅이란 뜻과 함께 전 세계를 중심-주변부로 나누었을 때의 주변부를 말한다. 서구화가 진행되는 전 세계지역의 중심을 서구문명(즉 서유럽과 북미문명)으로 둘 때, 서구 근대화를 겪고 있는 다른 세계지역을 주변부로 볼 수 있다. 지방이란 아직까지 서구화에 편입되지 않았거나 서구적 근대화의 정도에서 뒤처진 곳이 된다. 현지화는 중심-주변부 관계에서 정의되는 지방의 뜻을 사용한다. 이는 경영 및 경제면에서 사용되며, 지역특성에 맞춘 전 지구화의 전술형태이다. 전 지구적 음식체인점이 세계 각 지역의 실정에 맞게 음식을 개발하는 것을 현지화의 예로 들 수 있다. 지방화는 전 지구화에 대한 대응 혹은 대항운동이라 할 수 있다. 지방화는 국한된 땅이라는 지방개념을 사용한다. 지방의 고유성을 보존하고 세계 각 지방들의 다양성을 발전시키려는 운동이다. 오늘날 지방화는 지속발전의 토대로 인식되며, 지방주민들의 생활의 질 향상을 도모하고 있다. 지방도 얼마든지 발전할 수 있는 것이다. 그러나 지방화는 지역화를 이루어야 성공할 수 있다. 전 지구로 서구문명이 전파됨에 따라 세계 곳곳 지방원주민들의 생활양식이 해체되고 있다. 이에 대한 반성으로 세계 각 지방의 고유문명을 지키려는 운동이 있다. 사라져 가는 지방의 문명요소를 지키려는 필사적 노력인 것이다. 오늘날은 지방 사람들도 자신들의 고유한 지방문화를 잘 지키지 않는다. 사라져 가는 지방의 문명요소를 보존하기 위해서는 각별한 노력이 필요한 것이다. 우리나라의 용인민속촌, 대학의 한국전통문화연구센터, 전통예술과 문화를 국가적으로 선별하여 지원해주는 제도, 전통농수산물 지키기 운동, 국가제사 및 고궁행사 시행, 세계문화유산 등재 노력, 영화세트장 등을 그 예로 들 수 있다.

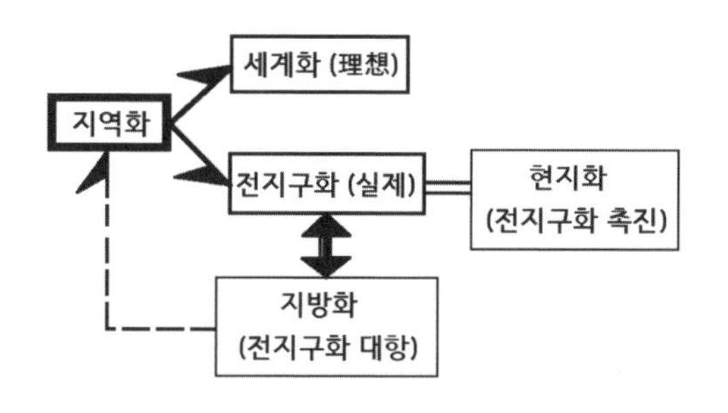

〈그림106〉 지역화 관련 개념들 간 관계도

한자문명권, 이슬람문명권, 인도문명권 등은 문명의 지역화 예가 된다. 지역화된 문명권에 들어가면 그들의 생활양식이 상당한 공간을 통해 유사하게 나타난다. 지역화는 일이 년 만에 이룩된 게 아니라 수백 년 이상이라는 역사적 시간과 경험을 바탕으로 한다. 지역화된 문명의 생활방식 및 전통은 지속된다. 동양문명권의 경우 명절에 고향을 찾는 연례행사, 인의예지신에 기초한 삶을 영위하려는 노력 등은 지속되고 있다. 우리나라의 경우에도 조상의 제사를 지내는 행위, 어른과 스승 및 어버이를 존중하는 문화, 수천 년을 기록한 한자 역사책 읽기, 한자 중심의 우리 국어 사용 등이 있다.

전 지구화는 대상화된 현상의 공간적 확장만을 강조하며 현상이 퍼지는 상대 지역문명의 특성은 고려하지 않는다. 우리나라 언론방송에서 자막 등이 영어로 나오는 것, 농협은행 등 금융기관이 영어로 표기된 것, 도심 번화가(繁華街) 광고판과 간판이 영어로 쓰인 것도 우리나라 사람들이 자국어 사용을 무시하는 대표적인 예가 된다. 의약품 특허 및 각종 국제무역 관련 법규가 영어로 기록된 국제법에 따르는 것, 국제기구에서 보편적으로 통용되는 서구식 가치기준, 서구에서 기원된 국제적 도량형, 지형도의 약속체계, 수학과 과학 그리고 서구식 인문사회과학 체계 등도 예가 될 수 있다. 한 국가문명의 국제화는 국가수준의 전 지구화 현상이며 국가 간 국제법을 만들고 각 나라별로 국제법의 강제적 실행을 하는 것이다. 여기서 국제법이 표준화된 서구의 가치체계를 바탕으로 하기 때문에 전 지구화의 일종인 것이다. 그리고 서구의 가치체계의 전 지구적 확산을 각 국가별로 국제규약과 국제법으로 받아들이는 현상이 바로 국제화인 것이다.

지역 고유의 문명은 그 지역사람들이 지키는 것이다. 그 지역사람들이 자신들의 고유문명을 버리면 그것으로 그 문명은 끝난다. 지역사람들은 그들의 생활에 타 문명의 요소가 어떤 편리를 가져오거나 이득이 될 때 받아들이는데 반해, 원주민이 버린 문명은 평가조차 하지 않는다. 지역 고유의 문명이 공간적으로 대륙 크기로 넓어질 때야 비로소 세계지역 사람들이 관심을 가지게 되는 것이다. 지역화는 지역의 사람들이 평소에 살아가는 방식에서 보편적 가치나 특성을 가지기 때문에 이루어진다. 그래서 반드시 지키고자 하는 정체성(正體性)을 띠며 정체성이 뚜렷한 지역문명요소를 타 문명 사람들이 본받는 것이다. 한 문명의 확고한 정체성 형성이야말로 지역화, 세계화 및 전 지구화의 전제 요건이다. 한 문명의 정체성은 오랜 기간 지속된 전통(傳統)을 기반으로 한다. 서구문명은 고대 그리스와 로마문명을 자신들의 역사적 전통으로 만들어 자신들의 본질적 특성으로 만들었다. 고대 그리스 지역의 역사마저도 자신들의 역사로 만들고 존중해 주고 있다. 서구문명 전 지구화의 바탕이 된 것이다.

오늘날 우리는 창조(創造)라는 개념을 중요하게 생각한다. 게다가 창조를 이 세상에 없는 것에서 갑자기 새로 만들어 내는 것으로 오해하고 있다. 이 세상에 없는 것은 없는 것이며, 있는 데서 뭔가 새로운 것이 나올 수 있는 것이다. 어떤 존재하는 것으로부터 새로운 가능성과 기능을 도출해내는 것뿐이다. 논어(論語) 위정(爲政) 편(篇)에는 다음과 같은 구절이 있다.

子曰 溫故而知新 可以爲師矣

공자께서 말씀하셨다.
"옛것을 익히고 그것을 미루어 새로운 것을 안다면
다른 사람의 선생이 될 수 있다."

선생은 교사이자 지도자며 부모이며 어르신이다. 모두 통틀어 본을 보이는 자인 것이다. 그리고 선생은 세상의 이치와 작동방식에 대해 잘 아는 자로 정체(正體)가 정립(正立)된 사람이다. 그들은 대부분 품격 높은 삶을 살아간다. 또한 선생은 뭔가 새로운 것을 끌어내 가르침을 주는 자로서 새 세대(世代)의 가능성을 제대로 펼칠 수 있게끔 이끌 수 있는 혜안(慧眼)과 지도력이 있다. 혜안은 과거의 경험으로부터 배우고 익힌 데서 나온다. 지혜로운 자가 되거나 새로운 세대를 가르치거나 여러 사람을 지도하면서 살고자 한다면, 옛것을 익혀야 하는 것이다. 옛날 사람들도 세상일에 대하여 질문을 했으며 그들의 삶을 통해 경험한 것들 중 최고 최선의 진리만을 후손에게 남겼다. 대학에서 고전을 읽는 이유가 바로 여기에 있는 것이다. 우리는 고전 읽기를 통해 무슨 일이든 크게 이룰 수 있는 혜안을 얻을 수 있다.

인류의 모든 학문행위란 과거의 경험을 재구성하고 과거의 지식을 새로운 체계로 만드는 것이다. 수천 년 동안 인간의 지식 습득과 활용방식은 변한 게 없다. IoT시대와 빅데이터 세상에서도 과거의 고급지식에 대한 지속적이고 체계적인 정리 작업은 모든 지식활동의 기초이자 핵심과정인 것이다. 뭔가를 알아야 새로운 것을 만들 수 있다. 단지 어떻게 체계적으로, 그리고 효과적으로 만들 수 있는가에 따라 차이가 날 뿐이다.

때때로 안 되면 되게 해야 하는 상황이 발생한다. 안 되는 상황은 위기상황으로 창의적(創意的) 해결을 요구한다. 이때 되게 하는 것은 사람이며, 그를 지도자라 한다. 이 지도자의 지혜는 아까도 말했듯 옛 기록에서 응용하여 나온다. 위기상황을 과거기록의 새로운 조합으로 해결해 나가는 것이다. 학교의 모든 교육활동은 이 옛것을 바탕으로 한다. 고급지식전승 역시 옛것의 기록을 기반으로 한다.

오늘날 창조개념이 강조되는 것은 세계화시대에서 우리가 세계를 선도하고 싶은 열망이 강하고 하루빨리 잘 먹고 잘살기를 바라는 조바심이 있기 때문이다. 그런데 창조란 전통과 옛것에 기반을 둔다는 것이다. 옛것을 익히는 데는 집중적인 학습과정이 필요하다. 또한 응용과정은 많은 토의활동을 통하여 공동으로 배워야 한다. 대학 4년이 바로 그 시간인 것이다.

옛 것은 전통으로 남으며 결국 정체성을 형성한다. 진짜 경쟁력은 정체성에 대한 확고한 개념 정립(正立)에 기초하는 것이다. 오늘날 논어, 맹자 등의 동양고전에 대한 학구열은 정체성 정립과 경쟁력 제고라는 인간적인 노력의 결실이다. 스스로의 정체성을 찾고 나서 세상에 나선다는 의미다. 이미 서구문물이 전지구화된 상황에서 자기 정체성에 기반을 둔 지역화 방식이 도입된다면 미래의 세상에서 강력한 경쟁력을 형성할 수 있다. 공산중국(共産中國)도 공자와 노자 등의 옛 성현에 대한 제고(提高) 운동이 국가적으로 전개되고 있지 않은가. 그러면 우리나라는 현재 어떤 상태인가?

4. 정체성

우리나라 교육은 서학(西學)이 대세다. 그렇다고 해서 서구 문물에 대한 근본을 완전히 배우는 것도 아니다. 단지 모방하는 수준인데도 우리 전통의 계승과 정체성(正體性)에 대한 교육활동이 거의 없기 때문에 서구 문물에 대한 과소비가 맹위를 떨치고 있다. 완전히 서구화된 것도 아니면서 우리의 것을 경시하여 우왕좌왕(右往左往)하고 있는 형편이다. 이런 상태에서는 우리의 세계관과 가치관을 세계 공간으로 확산할 수 있는 문명적 활동은 꿈도 꿀 수 없다. 개인 자신은 물론 우리 문명의 경쟁력이 떨어지게 되기 때문이다. 서구문명의 전 지구화에 편입될 뿐, 세계적 문명의 한 축으로 작용하는 지역화는 이룰 수 없다. 지금처럼 외국인들의 사정에 대해서도 잘 모르고 있는 상태에서는 더더욱 그러하다. 자신에 대해 잘 모르는 사람이 다른 사람을 잘 알 수는 없는 노릇이다.

정체성은 자기 존재에 대한 본질적 질문과 관련되며, 인간본성(人間本性)과 학문활동의 기저인 이성(理性) 또는 성리(性理)의 기반이다. 정체성과 같은 개념들은 가르침을 받는다거나 최소한 어디에서 공부할 수 있는지에 대해서 지도(指導)를 받아야 하는데, 그런 교육을 현재 초중등학교는 물론 대학에서조차 하지 않는다. 오늘날 절대 다수의 한국인들은 자신을 어떻게 알아가야 하는지에 대한 교육을 받아본 적도, 생각해 본 적도 없을 것이다.

정체성(正體性)이란 글자 그대로를 보면 '바른 몸가짐의 특성'이라 말할 수 있다. 바른 몸가짐은 바른 몸가짐을 실천하는 사람에게서 배우거나 고전을 통하여 습득한다. 우리가 정체성 교육을 받아야 하는 이유는 정체성이 결여된 사람의 특성에서 미루어 알 수 있다. 정체성이 결여된 사람은 올바른 몸가짐에 대한 기준이 없기에 남이 잘되는 것을 무조건 따라하는 행동특성이 있다. 무조건적인 모방행위는 대부분의 사람들이 달가워하지 않는다. 남의 행동에 작용하는 근본적 마음가짐에 대한 깊은 이해도 없이 겉만 따르기 때문이다. 그리고 정체성이 없는 사람들의 삶은 겉치레에 집중한다. 우리가 서양문물을 맹신하는 그릇된 습관이 생긴 것은 우리의 근본에 대한 정립(正立)이 없는 가운데 서양 문물의 본질적 특성과 장단점을 제대로 파악하지 못하여, 오로지 서양의 겉모습만을 무조건적으로 따라하는 것을 문명적이라 오해하기 때문이다. 이 얼마나 미개한 생각인가!

개인은 자신이 속한 사회집단에서 그의 정체성을 키운다. 그가 속한 사회집단이 지향하는 바가 세계공간 전체를 대상으로 할수록 정체성 확립이 뚜렷해진다. 대학의 학문세계는 세계공간을 대상으로 한다. 그래서 우리는 대학교육에서 확고한 정체성을 가지게 된다. 다양한 사회집단과의 경험, 다양한 세계국가 사람들과의 만남은 자신의 정체성에 대한 반성활동을 가져온다. 대화를 통한 공간인식범위가 커가면서 생명체인 나 자신에 대한 근원적 반성활동도 증가한다. 자신의 본(本)에 대한 정립이 이루어지는 가운데 당당하게 세상을 살아가게 되는 것이다.

우리나라가 선진국으로 발전한 바탕에는 유학(儒學)에 기반을 둔 강력한 정신적 뿌리가 있다. 이는 틀림없는 사실이다. 우리는 유학의 가르침대로 가족, 이웃, 사회와 국가를 위해 성실하게 일한다. 부모를 공경하며 선생을 공경한다. 친구와의 의리 문제에서부터 사회계약에 이르기까지 유학적 가치기준을 내세운다. 심지어 법리(法理) 해석에 있어서도 최후 수단으로 유학에 근거를 둔다. 그런데도 한국인의 모든 생활의 뿌리가 유학에 있다는 그 자체를 한국인은 알지 못하고 있다! 자신의 본질적 특성은 이미 자기가 가지고 있기 때문에, 반성적 교육활동을 하지 않으면 잘 모르게 된다. 오늘날 성당과 교회를 다니는 한국인, 모스크를 가는 한국인, 절에 가는 불교신도들의 공통된 행동양식은 철저히 '유학적'이라는 점이다. 유학은 이미 수천 년을 통해 대한인(大韓人)의 정체성으로 작용해 왔다. 우리의 정체성은 유학(儒學)에서 말하는 기본적 인간 됨됨이로 표현되어 있다. 구체적으로는 역사책에 기록되어 있다.

우리의 역사책은 우리의 정체성 형성과정을 기록한 세계적 문명자산(文明資産)이다. 역사책 읽기는 우리가 누구인지를 알려준다. 우리 역사책의 내용은 무엇인가? 도대체 무슨 이유로 선조들은 역사를 기록했으며 후손들이 볼 수 있게끔 남겨두었는가? 삼국사기(三國史記), 삼국유사(三國遺事), 고려사(高麗史), 고려사절요(高麗史節要), 조선왕조실록(朝鮮王朝實錄), 난중일기(亂中日記) 등은 모두가 세상을 바르게 살아가는 큰 뜻을 전하고 있다. 조선왕조실록은 천 년의 반이라는 긴 시간을 기록하고 있다. 이런 기록물은 우리 민족이 얼마나 정의롭게 살아왔는가를 증명한다. 역사책을 읽으면서 우리는 정정당당해지며 정신적으로도 성숙해진다. 그러면서 차츰 자신의 본질과 정체성에 대하여 생각하기 시작한다. 고로 역사책은 고급문화지식 전승체계의 핵심이다. 고급문화지식은 특출 난 게 아니다. 자기 자신에 관한 것일 뿐이다. 옛 사람들도 오늘날 우리처럼 학문을 갈고닦았다는 것을 역사(歷史) 속에서 알 수 있지 않은가. 이처럼 선인들의 학문활동의 정수(精髓)가 수많은 세월의 검증과정을 거쳐 고전(古典)으로 남아 있다. 고급문화지식의 핵심활동은 계고(稽古)이다. 계고는 옛날의 학문활동을 자세하게 고찰하는 것으로, 옛사람들의 본(本)을 자세하게 아는 것이다.

사람에게는 공통적인 정체성도 있지만 사람마다 별다른 능력이 있기 때문에 그 능력을 십분(十分) 발휘하도록 도와주어야 한다. 바로 사람을 볼 줄 아는 것이 사람을 키우는 핵심과정인 것이다! 세상일에 대한 이해범위가 넓을 뿐 아니라 다양한 삶의 형태에 대한 식견이 있어야 사람을 제대로 볼 수 있다. 사람은 자기가 잘 할 수 있는 일을 할 때 그 일을 즐기면서 하게 된다. 개인의 가능성을 한눈에 알아볼 수 있는 능력을 지닌 교육자의 능력이 그래서 중요하다.

우리 사회의 다원화는 선진문명국이 되기 위한 중요한 과정이다. 그러나 우리 사회는 이 과정을 소홀히 하며 변화를 싫어하는 소위 기득권(旣得權)에 있는 자들의 아집으로 인해 다원화의 움직임이 쉽지 않은 상황이다. 그런 면에서 보면 고급문화지식 분야는 가장 무시(無視)당하고 홀대(忽待)받기 쉬운 분야라고 할 수 있다. 당장의 이익과는 거리가 멀기 때문이다.

오늘날 우리 역사책은 교조적인 강단 사학자 일부가 장악하고서는 일반인이 접근하기 어려운 방식으로 교육하고 있다. 그러나 우리 조상들은 극소수 강단 사학자들에게만 보여주기 위해 역사책을 남기지 않았다. 후손과 모든 인류에게 남긴 것이다. 우리 모두는 조상이 남긴 역사책이란 유산의 정당한 상속자이며, 역사책을 읽으면서 주체적인 삶을 살아야 할 의무가 있다. 우리 조상들은 매일 매일 역사책을 읽었다. 그런데 그런 자랑스러운 조상의 문명적 삶이 어째서 전승되지 못하였는가? 만약 매일 역사책을 읽는 것이 시대에 뒤떨어진 고리타분한 짓이라고 생각한다면, 이스라엘인의 삶을 한 번 살펴볼 필요가 있다. 그들이 세계를 정신적으로 지배하는 이유가 무엇인지 그들의 도서관에 가서 확인해 보라. 그들이 고리탑탑하게 역사책을 매일같이 옆구리에 끼고 사는 이유를 알게 될 것이다.

그에 비하면 우리나라의 상황은 어떠한가. 우리 민족은 한 세기가 넘도록 역사책 읽기를 하지 않고 있다. 심지어 공교육에서조차 우리 선조들이 물려준 역사책을 읽지 않는다! 일제강점기의 우리 민족을 비하하여 구성된 역사체계로 쓰인 국사책을 건성으로 교육할 따름이다. 아직도 일제에 놀아나고 있는 것이다. 선조들이 남긴 역사책을 읽지 않는 순간부터 모든 문명은 멸망의 길로 들어선다는 걸 명심해야 할 시기이다.

우리는 역사책에 기록된 진실 된 삶을 본받아 우리의 정체성과 우리의 본을 정립해 왔다. 이러한 본을 대표적으로 나타낸 것이 유학(儒學)에서의 오상(五常)이다. 오상 개념은 동양에서 오래 전부터 보편적으로 해왔던 사람의 본성(本性)에 대한 정리로써 지역화에 성공하였으며 오랜 시간 동안 검증된 것이다. 세계화 시대에 발맞춰 인류 전체의 삶의 향상에 많은 기여를 할 것이다. 오상의 인의예지신(仁義禮智信)에 대해 자세히 살펴보도록 하자.

인(仁)은 생각의 씨앗이자 시초이다. 씨앗은 말 그대로 생명이며 사랑받으며 큰 따뜻함을 간직하고 있다. 그래서 인은 모든 사람이 가진 따뜻한 마음 혹은 따뜻한 마음씨를 뜻한다. 사람들을 '우리'라고 말할 수 있게 하는 한마음이 바로 인(仁)인 것이다. 인간은 모두가 따뜻한 마음을 가졌기에 서로 사랑하는 것이다. 애(愛)는 원래 '아낀다', '소중히 여기다'란 뜻이며 생명활동의 근원을 설명한다. 글자를 풀어보면, 남의 마음을 나의 마음의 빛으로 받아들인다는 뜻이다. 우리 생명 자체가 사랑의 결실이며 인(仁)한 것이다. 모든 사람의 생명은 고귀하고 모든 사람은 생명으로서 살아갈 가치를 가지며 무한한 가능성을 가지고 있다.

또한 인은 심(心) 작용의 초기상태이다. 모든 생각은 발생하기 전에는 어떤 것인지 모른다. 형체는 없지만 존재한다는 걸 아는 가운데 새싹이 나듯이 불현듯 생각이 시작되는 것이다. 그러므로 마음의 작용은 인(仁)한 것이다. 인은 생(生)의 본(本)이다. 생각의 성장점(成長點), 생장점(生長點), 자람점을 통하여 생명이 자란다. 세계에 대한 공간인식범위가 확대되고 개념네트워크가 커질수록 더 깊은 사고활동을 할 수 있게 된다. 이 모두가 생명활동이며 인(仁)한 것이다.

의(義)는 큰 뜻을 품고 바르게 살아가는 생의 의의와 실천궁행(實踐躬行)의 지향점이다. 우리 인생의 의의와 마음의 작용인 생각의 정당성을 반성하게 한다. 주로 인생의 궁극적 목적의식으로 작용하여 우리나라 부모의 교육지침이 되기도 한다. "의롭게 살아라", "바르게 살아라", "큰 뜻을 품고 살아라." 성장하면서 누구나 한 번쯤은 들어봤을 것이다.

이처럼 의(義)는 교원 및 학생 전체가 가르치고 배우는 근본 목적을 제공한다. 큰 뜻을 품고 의롭게 살아가는 민족은 역사가 유구하며 반드시 세계를 지도(指導)하는 위치에 서게 된다. 개인 삶에 있어서도 올바른 생활자세와 실천행위에 대한 기준으로 작용할 수 있다. 희망의 근원이라는 의미에서 보자면 의(義)는 내면(內面)의 정직함, 성실함, 정의감 등의 올바름의 기준으로 작용한다.

예(禮)는 사람들끼리 서로 존중하는 데서 비롯되며 나를 존중하는 것도 포함한다. 즉 '너'와 '내'가 '우리'라는 공통된 인성(人性)을 자각하고 상대방을 존중하며 귀하게 여기는 마음씨가 몸으로 표출되는 것이 예이다. 예는 정해진 절차에 따라 표현되며 예법과 예절을 지키는 것, 약속된 규칙과 사회의 질서를 지키는 것, 법과 규범을 잘 지키는 것을 말한다. 외면(外面)의 형식을 상식적으로 정함으로써 도리에 따라 살아가는 것이다. 또한 부끄러움에 대한 자각을 주며, 염치를 알게 하여 방만해질 수 있는 개인행동의 반경에 한계를 정해 준다. 예는 의에서 나오며 인에 바탕을 둔다. 내면의 의와 함께 외면의 형식인 예도 중요한 것이다. 그리고 한편으로는 사람들이 모여 문명을 이루어 살면서 생긴 것이므로 문명의 외적 수준을 나타내기도 한다.

지(智)는 인생을 슬기롭게 살아가는 내용과 방식에 관한 것이다. 포용할 줄 아는 것이며, 나서야 할 때와 물러갈 때를 아는 것이다. 그리고 지지(知止)할 줄 아는 것, 이해심(理解心)이 많으며 배려(配慮)할 줄 아는 것, 옳고 그름에 있어서 보편적(普遍的) 기준에 따라 판단(判斷)할 줄 아는 것이 바로 진정한 지(智)라고 말할 수 있다. 그러기에 상당한 양의 지식 축적이 요구된다. 지(智)를 알기 위해선 많이 배워야 하며 수십 년의 학문적 반성이 요구된다. 다음 세대에게 삶의 모든 면을 전수할 때 지(智)의 진면목이 드러나기 때문이다. 논어(論語) 자한(子罕) 편(篇)에는 다음과 같은 글이 있다.

子曰 後生可畏 焉知來者之不如今也…

공자께서 말씀하셨다.

"우리 후대 젊은이들을 두려워할 줄 알라.
후손들이 우리 세대만 못하리라 어찌 알겠는가?…"

공자의 말씀은 후대인들이 이전 세대의 본을 받아 더 많은 지덕(知德)과 지력(智力)을 쌓아 정신문명에 있어 큰 진보(進步)를 이룰 것이란 믿음을 바탕으로 한다. 더불어 앞섰던 자들이 후손에게 모범(模範)을 보여야 하는 이유를 생각하게 만든다. 모범이 저절로 되는 것이 지(智)다. 문명의 본 혹은 사람의 본이란 먼저 가는 세대의 지(智)에 대한 명확한 본보기가 다음 세대에게 전해져 더 높은 지력(智力)으로 문명을 쇄신(刷新)하는 그 발전과정에 있는 것이다. 여기서 중요한 점은 먼저 가야 할 세대가 제대로 된 지력(智力)의 기초를 승계하는데 진력해야 한다는 것이다. 그리고 물러갈 때 물러가야 하며 때를 아는 것이 중요하다 하겠다.

지(智)는 젊은이들에 대한 믿음을 전제로 하며 인류가 계속 발전해 나갈 것이란 큰 믿음을 바탕으로 한다. 즉 다음 세대의 존경을 받게 되는 먼저 가는 사람의 삶의 모습이 배어 있는 것이다. 자신의 일에 즐거움을 찾고 인생에 있어 미련(未練)이 없으며 일상생활의 소소(小小)한 일에 대한 소중함을 아는 사람, 바로 그런 사람이 지를 갖추었다고 말할 수 있을 것이다. 이렇게 개인의 지(智)가 사회적으로 확장되면 사회 전체의 지력(智力)이 된다. 지력은 사물을 헤아리는 능력으로, 세계문명국가들은 국민들의 지력 향상을 공교육의 목적으로 두고 있다. 고급지식전승 분야인 대학교육의 명백한 목적이기도 하다. 그러므로 교사는 자라는 학생들의 좋은 점을 이루게 하는 존재로서 먼저 본(本)이 되어야 하는 것이다! 인의예지의 모든 점을 골고루 갖춘 교사만이 학생을 가르칠 자격이 된다. 교사의 품격(品格)은 사람을 보는 안목(眼目)에서 나오며 그것이 가능할 때야 학생들을 자신의 품격 이상으로 키워낼 수 있는 것이다.

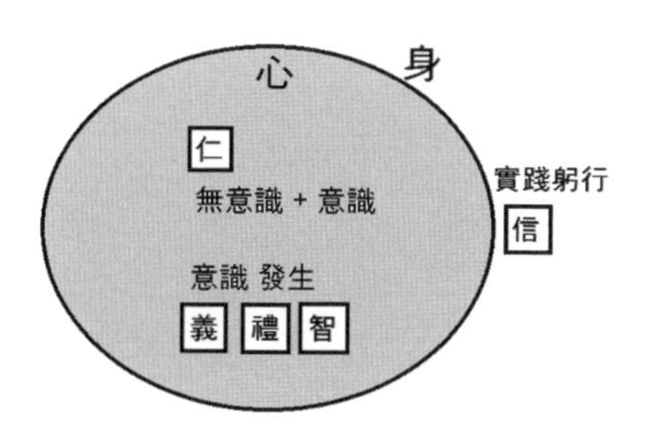

〈그림107〉 오상 도식도

사단은 마음속에서 작용하며 신(信)은 마음속 바른 생각과 같은 언행을 의미한다.

인의예지를 다른 말로 사단(四端)이라 한다. 동아시아 문명이 수많은 외래사상으로 물들어 있어도 그 본래의 기본정신이 지속되는 데에는 인간 본성에 대한 인식이 오래전부터 확립되었기 때문이다. 서구인들이 가장 부러워하는 점이 여기에 있다. 우리 대한민국인의 인간 본성에 대한 정립(正立) 자체가 진정한 경쟁력이 되는 것이다. 근본에 대한 개념 정립을 바탕으로 오늘날 성실히 살아가는 한국인은 반드시 세계적 문명을 건설하게 된다. 우리의 본질적인 것을 자랑스럽게 배우고 실천하기만 하면 되는 것이다. 그러니 인간 개개인과 문명의 근본에 대한 교육을 게을리하면 안 된다.

신(信)은 증험(證驗)을 뜻한다. 인의예지에 기반을 둔 마음속의 생각이 겉으로 드러나는 언행과 서로 일치하느냐에 대한 검증활동이다. 심(心)에서 도리(道理)가 생기는 것이지만 그 도리가 밖으로 표출될 때는 자연의 원리와 사회의 순리에 맞아야 마음이 편해지고 몸도 피곤해지지 않는다. 나의 마음 밖의 순리를 따르는 것은 사실과 사실관계 파악을 통하여 인의예지에 근거한 마음속 생각을 올바르게 이끄는 것이라 할 수 있다. 신은 사람을 뽑고 평가하는 중대한 일에 작용한다. 오늘날 우리 사회는 사람을 있는 그대로 보고 제대로 평가하지 못하기 때문에 국가적으로 정해진 시험을 중시한다. 서로 믿을 수 없기 때문이다. 대부분 단 한 차례의 시험을 거쳐 한 사람의 인성과 본심에 상관없이 사람을 뽑는다. 선진국에서는 보기 어려운 광경이다.

오상은 개인의 내면공간에서 출발하는 인성의 실천행위 검증을 강조하는 것이다. 이는 오늘날 타인의 생명과 행복을 짓밟는 몰염치한 범죄행위를 법적으로 정당화하는 사람들이 늘어나고 있는 것을 볼 때 시사점이 많다.

오상을 실제로 그 개념을 널리 실천할 수 있는 사람이 누구인지가 중요하다. 과거에는 임금뿐이었다. 오늘날의 민주주의 시대에는 모든 사람이 오상을 실천할 수 있다. 오상은 심(心)의 일상적 모습이며 정상적인 일상에 자연과 사회의 순리를 따른다는 합리적 사고의 기준을 제공한다. 모든 개인의 일상에서 정상적 모습을 유지하는 것은 곧 세계적이라 할 수 있다. 논어 옹야(雍也) 편에 다음과 같은 구절이 있다.

子曰 齊一變 至於魯 魯一變 至於道

공자께서 말씀하셨다.

"제나라가 한 번 크게 개혁하면 노나라 수준에 이를 수 있으며,

노나라가 한 번 크게 변혁되면 선진문명(先進文明)을 이룬다."

위의 말은 당시의 지리적 상황을 알아야 제대로 이해할 수 있다. 제나라는 오늘날 공산중국과 같은 강대국이지만 노나라는 대한민국과 같이 인구수나 영토크기 면에서 비교가 되지 않을 정도로 작은 국가였다. 공자께서 말씀하시고자 한 것은 모든 인류가 가지고 있는 한마음이라는 근본에 가까운 삶을 살아갈 때, 그 어떠한 강대국의 물적 조건도 성취하기 힘든 수준의 선진문명을 이룬다는 진리이다. 오상은 한마음에 근거한 정신의 실천강목이기도 하다. 정신은 신(神)의 정수(精髓)를 의미한다. 이 정신이 오상에 따라 작용한다면, 상대방의 마음을 받아들이고 아끼는 마음이 된다. 다문화정책에 있어서도 우리는 이 오상개념을 적용할 수 있다. 우리 스스로가 오상에 기반을 둔 마음가짐을 가지고 언행을 할 때 우리나라로 귀화(歸化)한 외국인(外國人)들도 자연히 우리들의 삶의 방식을 받아들이게 되는 것이다. 타국에 와서 그 나라의 일원이 되었다는 자부심은 그 나

라 문화의 정수를 마음 깊이 느끼고 감동을 받았을 때 가능한 것이다. 이것이 바로 오상에 대한 투철한 이해와 일상에서의 실천이 중요한 이유가 된다. 자유평화통일 역시 인간의 본성인 따뜻한 마음으로 실현할 때야 비로소 진정한 평화통일이 가능한 것이다. 이처럼 오상개념의 교육적 의의는 세계화 시대에 무한하게 적용될 수 있다. 오상은 마음의 작용에 관한 것이며 모든 개인의 정신적 성숙을 가져오기 때문이다. 바르게 살자. 의롭게 살자. 품격 높은 삶을 살자! 다시 말해 외국인들이 우리 문화 및 생활방식에 대하여 깊은 이해를 주는 우리 문화의 핵심인 것이다.

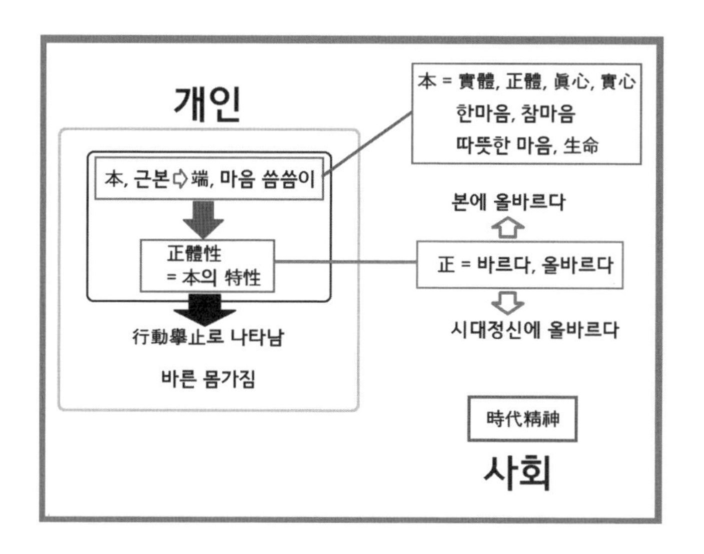

〈그림108〉 정체성의 역할

정체성에서 '정(正)'은 개인 내면의 마음가짐이 올바르다는 뜻과 시대정신에 따라 행동한다는 뜻을 나타낸다. 차가운 시대정신은 개개인 모두의 따뜻한 마음에 대한 각성으로 변화한다.

오상은 본의 단(端)으로 마음씨이며, 정체성은 행동거지(行動擧止)로 표출된 마음씨의 겉보기 현상으로 정리할 수 있다. 오상은 시간과 공간에 따라 변함없는 마음자리에 관한 것이다. 즉 모든 사람들이 인식하지 않아도 살아가면서 공통적으로 가지는 따뜻한 마음에 관한 것이다. 정체성은 시간과 공간을 반영하는 시대정신(時代精神)에 따라 변한다. 왜냐하면 정체성의 정의에서 '바르다'라는 의미는 개인 내면의 본을 따르는 것뿐 아니라 개인 외부의 사회적 관계 속에서의 행동으로도 정의되기 때문이다. 시대정신이란 어느 시대의 사회에서 널리 지배하고 특징짓는 정신으로 사회의 규범 및 법질서 등으로 표출되며 매우 차가운 성질을 가진다. 시대정신도 시간의 경과에 따라 변하며 시대정신의 근본적인 변화는 인간본성에 대한 새로운 각성을 바탕으로 한다.

(깊이 생각할 점)

전통무예, 전통무술 등을 학교 공교육에서 실시하는 것을 정체성 형성 교육으로 볼 수 있지 않을까? 검도, 활쏘기, 창술, 태권도 등을 통하여 올바른 몸가짐을 가질 수 있다. 단 전통무예는 한자를 기반으로 설명되어 있으므로 한자공부가 꼭 필요하다. 그런 면에서 전통무예는 국제적 경쟁력도 분명히 가지고 있다. 동양화 교육, 서예 교육, 전통음악 교육 및 전통악기 교육(국악), 다도(茶道) 교육도 정체성 형성 교육활동의 일환으로 볼 수 있는 것이다.

(정체성에 대한 부가 설명)

정체성은 본질적 특성, 근본(根本)이 가지는 성질이다. 즉 본성(本性)을 말한다. 본성은 본마음의 성질이다. 본은 사람들이 공통적으로 가지는 것으로 본마음, 한마음, 참마음, 진심(眞心), 실심(實心), 따뜻한 마음이며, 인(仁)이며 생명 그 자체를 말한다. 이는 곧 실체(實體)이며 실체는 사물의 본바탕, 본체(本體), 정체(正體)로서 자기자신(自己自身)을 뜻한다.

본성은 실성(實性), 천성(天性), 자성(資性)과 같은 뜻이다. 여기서 실(實)은 열매, 씨, 속(내용), 참을 의미하며 천(天)은 하늘과 임금을 뜻한다. 정체성이란 실과 천으로 설명되는 본(本)에 대한 특성이자 본성(本性)에서 겉으로 드러나는 행위 중 올바른 것을 말한다. 우리가 어떤 사람의 인간성에 대하여 평가하는 것은 그 사람이 따뜻한 마음을 가지고 있어 자신과 타인의 생명을 존중하고 한결같이 인(仁)하게 대하는가를 따져보는 것이다. 인한 행동에서 우리는 그 사람의 정체성을 알 수 있다. 또한 정체성은 순전히 개인의 행동에 관한 것이다. 그런데 '우리'라는 공통적 특성을 확대하여 민족, 국가, 문명 개념들과 결합해서 사용하는 경우가 많다. 이는 우리라고 불리는 사람들 모두가 가지는 공통된 한마음을 바탕으로 한다. 민족의 정체성, 국가 정체성은 각각 민족의 특성, 국가의 특성이 그것이다. 여기서 민족과 국가는 장소나 공간을 가지고 있는 인간집단이라 할 수 있다. 민족의 정체성, 국가의 정체성 개념들은 지역의 특성, 혹은 지역성의 일종으로 지역의 인문지리적 특성으로 볼 수 있다.

정체성 문제는 자기 자신에 대한 평가문제다. 내가 생각하기에 나 자신이 당당한가? 떳떳한가? 자랑스러운가? 에 대한 질문이다. 자신만이 아는 자신의 실력문제인 것이다. 자신의 정체성에 대하여 설명을 하지 못한다면 뭔가 내세울 게 없거나 실력이 없다는 뜻이 된다. 다른 이유가 있는가? 당당하고 떳떳한 개인들이 많을수록 문명은 확고해진다.

5. 본받는다는 것에 대하여

본(本)받는다는 것은 장점 또는 좋은 것을 따른다는 것이다. 또는 남의 삶의 방식에서 좋은 점을 받아들이고 개선하여 우리의 삶을 향상시키는 것이기도 하다. 품격 높게 사는 사람을 본받아 격조(格調) 있게 살기 위한 것, 다른 문명의 좋은 점을 본받아 우리 문명의 수준을 높이려는 것 모두 행복하게 살기 위한 본의 행위이다. 본보기는 덕(德) 개념과 직결되어 있다. 덕은 悳이 원래의 모양으로, 마음 위에 바로잡을 직(直)이 자리 잡은 형태다. 흔히 학생들의 본보기가 되는 선생은 마음을 올바르게 잡은, 된 사람을 의미한다. 바른 마음가짐과 바른 언행에서 선생의 권위(權威)가 나오는 법이다. 즉 본을 보인다는 관념은 교사의 경쟁력과 직결되어 있다.

근본(根本)은 고급문화지식으로 체계적으로 전승된다. 문명의 근본이란 문명의 본 모습이다. 문명의 근본을 전승받지 못한 사람은 정체성 혼란에 빠지며 세상을 삐딱하게 본다. 대표적으로 공산주의를 신봉하는 자들에게서 나타나는데 그들의 특징은 삶의 본보기에 대한 근본적 반성이 없기에 이 세상을 아무렇게나 산다는 것이다. 남의 생명을 아무렇게나 여기며 자기 자신도 그릇된 생각과 몸가짐으로 불성실하게 살아간다. 뚜렷한 특징은 문명의 본에 대한 반성활동이 없기에 문명적일 수 없다는 점이다. 공산주의자들의 사고 수준이 100년 전에 머물러 있다는 사실만으로도 충분히 짐작되는 부분이다.

민족이나 국가차원에서 문명의 근본개념이 중요하게 생각되는 계기는 국가(國家)의 멸망과 그로 인한 노예(奴隸) 경험에서다. 노예는 사람으로 칭할 수 없다. 그러니 근본과는 전혀 상관없는 존재다. 대한민국 사람들이 일제를 미워하는 것은 왜인들이 우리의 근본을 없애버리고 우리를 노예로 만들었기 때문이다. 일제의 가장 큰 잘못은 자신들의 근본이 우리 민족에게 있었다는 것을 숨기고, 똑같은 근본을 통하여 풍요를 공동으로 발전시키지 못했다는 데에 있다. 이는 그들의 문명수준이 한참 뒤떨어져 있었다는 것을 방증(傍證)하며, 오늘날에도 그들은 문명의 본이 되지 못하고 있다. 그러나 이에 대하여 우리가 일본인들에게 무엇인가를 가르칠 수 있다고 생각한다면 오산이다. 오늘날 우리나라의 문제점은 아직도 '당한 것만 따진다'는 것이다. 우리는 잘못한 것이 없는데 일제가 나빠서 당한 것이란 생각이 밑바탕에 깔려 있다. 이 생각에서 되도록이면 빨리 벗어나는 게 우리 정신건강에 좋다. 우리들이 잘못한 것은 없었다! 정말인가?

우리나라 수능시험일의 풍경은 온 세상에 회자(膾炙)되곤 한다. 그 옛날 조선시대 과거장은 수능시험일처럼 난리법석을 떠는 건 물론이고 짜고 치는 고스톱판이었다. 백성의 삶의 질 향상에 이바지할 수 있는 실력 있는 인재를 뽑는 것도, 문명의 본에 대한 투철한 정신상태를 평가하는 것도 아니었다. 그저 놀고먹는 높은 자리를 나눠먹기 위한 형식적 수단일 뿐이었다. 우리 조상들은 스스로 뭔가를 하지 않았으며 현실에 안주하는 버릇이 뿌리 깊게 자리 잡혀 있었다. 그러니 우리의 문명요소를 세계지역으로 전파하거나 우리 영토를 확장하는 일은 꿈도 꿀 수 없었다. 문명의 근본이 무너졌는데 퍼뜨릴 문명요소가 어디 있겠는가? 비록 대한제국 멸망으로 우리 민족은 커다란 시련을 겪게 되었지만 우리 문명의 근본에 대한 반성의 계기가 되었다. 그러나 생각해볼 필요가 있다. 정말로 반성했는가?

(생각할 점)

정체성을 정립(正立)한 사람은 그의 언행(言行)이 바를 수밖에 없다. 정체성이 정립된 어른에게서 본을 받은 어린아이들은 그들의 언행이 예쁠 수밖에 없다. 오늘날 우리 초·중등학교의 어린 학생들이 말하는 것을 들어보았는가? 어른들이 본을 잘못 보인 탓이다.

(생각할 점)

일본에는 가가호호(家家戶戶) 신단(神壇)이 있어 출퇴근할 때나 집안에 일이 있을 때 신단에 절을 올리는 풍습이 있다고 한다. 그러나 이것은 본래 우리나라의 풍습으로 전해지고 있다. 요즈음 우리나라 가정에서는 함께 사는 가족에게조차 인사를 제대로 하지 않는 경우가 많다. 도대체 어떻게 된 일일까?

6. 문명과 미개

문명(文明) 대 야만(野蠻) 혹은 문명 대 미개(未開)의 구도는 도시국가가 형성될 때부터 있었다. 이는 세상일을 평가할 때에도 일반적인 잣대로 사용된다. 인간의 가치척도는 인간에게만 통용되는 것으로 문명으로부터 나온 것이며, 이 문명을 기준으로 세워진다. 자기가 속한 문명이 평가기준으로 작용한다는 건 정체성과도 관련이 있다는 의미가 된다. 우리나라 사람이 세운 건축물을 문명 대 미개의 구도로 생각해 보자. 우리는 세계 각 지역의 선진문명의 증거인 초고층 건물을 멋지게 잘 짓는다는 칭찬을 받는다. 그러나 우리나라에서 가장 위험한 건물들은 학교에 있고 하자(瑕疵)가 없는 공공건물을 찾기가 어려울 정도라고 한다. 우리가 건설하고자 하는 문명은 도대체 뭘까?

국제관계에서도 문명기준은 작동하고 있다. 반문명적인 집단행동은 국제적 제재(制裁)가 따른다. 국제사회의 문명기준은 인류 보편적 가치에 기반을 둔 국제적 규범, 국제적 기준과 규칙, 국제법이다. 반문명적 집단행동에는 반인권행위, 무력침략 및 학살행위를 들 수 있다. 국제적 기준은 개인의 활동에 대한 평가 기준으로도 작용한다. 왜냐하면 국제적 수준은 인류가 보편적으로 생각하는 가치척도에서의 최소기준이기 때문이다. 그렇다면 일상에서 국제적 문명수준의 실제모습은 어떤 것일까? 세계 전체공간으로 공간인식범위를 습관적으로 확장하려는 태도, 반대되는 입장도 그대로 받아들일 줄 알고 여러 대안들 속에서 올바른 선택을 하려는 자세, 다각도로 사물과 세상을 바라보는 태도, 정의를 위해 행동하기 전에 정의로운 것에 대한 반성적 활동을 하는 자세 등이 아닐까? 또한 대화를 할 줄 알며 여러 사람들과 같이 문제를 해결할 줄 아는 태도도 국제적 문명수준의 실제모습일 것이다. 문명은 공유된 이성적 질서, 합리적인 일반규칙, 합의된 기준이기도 하다. 문명을 태도의 준거로 볼 때 가치판단의 기준으로 작용할 수 있는 것이다.

문명개화(文明開化)는 참으로 어려운 일이다. 세계적 문명기준에 대한 인식이 우선되어야 하기 때문이다. 세계적 문명수준의 행동양식을 몸에 익히는 일 역시 어렵다. 먹는 것, 차려입고 행동하는 것에도 국제적 기준이 있다. 이 기준이 가장 잘 적용되고 있는 것은 아무래도 세계공용어인 영어일 것이다. 우리나라는 영어를 배움에 있어 다른 어떤 나라보다도 학구열이 대단한 나라다. 그런데 문제는 이 영어를 배우기 위해 몸과 마음을 혹사하면서도 자기 생의 본질과 자신의 정체성을 보여주는 한자(漢字)는 공부하지 않는다는 점이다. 자신의 한자 성명(姓名)도 제대로 쓰지 못하면서 영어만 능숙하다면 그것은 과연 문명이 개화된 것이라고 볼 수 있을까?

사람이 살아가는 겉모습은 다양하다. 전쟁의 포화 속에서 길거리를 전전긍긍(戰戰兢兢)할 때는 누구라도 비루(鄙陋)하지만 그러한 삶의 겉모습에 주저앉지 않고 미래의 희망을 가지고 현재의 삶에 충실하게 사는 모습 자체가 문명적인 것이다. 그리고 인간답게 살아간다는 근본정신이 살아 있는 것이다. 우리는 피난길에도, 나라를 빼앗겨 외국에서 방랑(放浪)할 때도 학교부터 지어 우리의 정체성을 가르쳤고 우리의 근본을 지켰다. 이스라엘인들도 수천 년간 떠돌이 신세였지만, 한시라도 자신의 정체성을 잊은 적이 없었고 언제나 자신의 역사를 교육했으며 역사의 내용대로 살아왔다.

전문가가 되는 것은 최소한도의 교양수준을 바탕으로 전문분야에 집중하여 최적의 방식으로 문명적 수준을 달성하기 위한 것이다. 그러나 우리나라는 현재 이상하게 돌아가고 있다. 예를 들면 임용고사 합격이 우리나라 교원양성기관의 교육성과로만 그치는 것이다. 교육대와 사범대 입학은 임용고사에 응시할 수 있는 자격이며, 대학교에서 공부하고 졸업하는 것과 임용고사의 결과 사이에는 아무런 연관관계가 없다. 정체가 불분명한 교육수험서가 대한민국 교사양성기관의 바이블이 된 것이다. 시험하고 상관없는 교과목 시간이 되면 일부 학생들은 당연한 듯이 잔다. 강의실에서 불편하게 자는 것도 우리나라에서는 하나의 경쟁력으로 봐야 할 것이다.

우리나라 사람들이 추구하는 찬란한 교육문명이란 뭘까? 도대체 공부를 왜 하는 것인가?

오늘날 우리 교육계는 위의 질문에 답할 수 없다. 현재 우리 대학의 교육활동은 국제적이라는 프로파간다(propaganda)가 대대적으로 진행되고 있다. 우리 대학교육에 대한 선전구절(宣傳句節)의 남발은 우리 대학교육이 야만적인 상태에 있다는 것을 간접적으로 나타낸다. 우리는 보여주기 위한 프로파간다의 주장과 실제 간의 차이를 비교할 수 있다. 공산주의자들이 공산유토피아 프로파간다를 하면서도, 공산국 내부의 모습을 외부세계 사람들이 알 수 없도록 폐쇄시켰던 것도 프로파간다의 내용과 실제가 비교(比較)되기 때문이다. 살아가는 그대로의 모습을 외지인에게 적나라하게 보여주는 밀림(密林)의 벌거벗은 부족은 그들의 생활풍습일 뿐 야만적이라고 볼 수 없다. 그러나 프로파간다에만 열중했던 공산주의 국가들의 상태는 미개의 극치(極致)였던 것이다.

4대악의 하나인 불량식품문제는 우리 사회의 문명수준을 그대로 보여준다. 학교급식 식중독 사건이 매해 발생하지만 이를 해결할 방도는 여전히 지지부진한 상황이다. 음식문제는 모든 국민의 완전한 정신적(精神的) 개혁(改革)을 통해서만 해결된다. 그러나 정신개혁을 이루게 하는 역할을 해야 할 교원들은 학교급식 사고에 대해 책임을 지지 않으며 야만적 사건의 재발을 방지하는 교육활동도 실시하지 않는다. 이것은 우리 사회 전체와 교직사회에 진정한 스승이 없음을 시사하고 있다.

진정한 스승이 없는 사정(事情)은 예비교사들의 공부태도를 보면 알 수 있다. 우리나라 사람들의 업무수행 효율성은 업무의 강도에 비해 낮다고 한다. 자신이 맡은 일을 할 수 있는 실력이 부족하다는 뜻이다. 왜 그런가 하면 우리나라 사람들은 일 때문에 받은 스트레스를 마치 큰일이라도 하는 양 포장하여 일을 꼼수로 처리하는 우리 사회의 관행(慣行)을 당연시하도록 부추겼기 때문이다. 일은 차일피일 미루거나 적당히 하면서 개선의 여지를 꽁꽁 숨기다가 얼마 지나지 않아 대형사고가 터지는 식이다. 관행에 의해 발생했기에 아무도 책임지지 않는다. 오히려 성실히 일한 사람이 소위 배경이 없다는 이유로 책임을 뒤집어쓴다. 사고 수습이 허겁지겁 끝나고 나면 또다시 일처리가 대충대충 이루어지기 십상이다. 그러나 이제는 적당히 살아도 되는 시대가 끝나가고 있다. 빅데이터 시대와 기계가 생각하는 시대가 이미 눈앞에 펼쳐져 있기 때문이다. 결론적으로 보자면 세상의 실상에 근거한 끊임없는 개인적 반성활동과 전체 국민의 지력 향상만이 이 모든 문제의 해결책이라 할 수 있다.

7. 한자

한자(漢字)는 동북아(東北亞) 문명의 상징(象徵)이다. 한자는 오래전에 지역화되었고 점차 세계화되는 글자체계다. 한자사용의 공간적 발전은 한국이 세계적 문명국으로 발전하는 데 결정적 역할을 한다. 그러나 전 세계에서 오랜 기간 사용해 왔던 한자 글자체를 그대로 사용하고 있는 나라는 우리나라뿐이다. 한자의 원래의 뜻과 음도 우리 국어가 지키고 있다. 이는 한자가 우리 글자라는 것을 단적으로 나타낸다. 한글의 세계화가 가능하려면 결국 한자를 바탕으로 할 수밖에 없다. 한글만으로는 우리 국어의 멋을 제대로 전달할 수 없기 때문이다.

한자는 고급지식전승체계의 핵심역할을 한다. 여기서 고급지식은 다루는 지식의 정도 및 품질이 세계적 수준을 가지는 걸 의미한다. 고급지식개념들은 일상용어가 아닐뿐더러 모두 머릿속에 존재하기 때문에 뜻글자인 한자(漢字)가 고급지식개념을 표기하는데 위력을 발휘하는 것이다. 서양의 고급지식개념도 한자로 간단히 번역되며 한자가 가지는 풍부한 뜻 역시 서양의 개념을 모두 포용할 수 있다. 한자는 새로운 단어구성력에서 세계적으로 뛰어난 글자임이 틀림없다.

우리나라의 역사서도 한자로 기록되어 있다. 오늘날 우리에게 전해진 역사서(歷史書)는 우리들의 삶 자체가 문명적이라는 구체적 증거를 나타낸다. 또한 역사기록물은 오늘날 영토(領土) 지배(支配)에 대한 정당성(正當性)을 제공한다. 이스라엘이 아랍 전체국가와 치열하게 싸우면서도 세계적으로 영토지배의 정당성을 인정받는 것은 그들의 구약 또는『토라』라는 역사서 때문이다. 그러므로 역사서는 영토 소유의 핵심적 증거물이라 할 수 있다.

모든 문화 분야에서의 경쟁력은 국제적 수준이 되는데 부족함이 없어야 한다. 고급지식 전승분야는 언제나 최상의 경쟁력을 갖춰야 다른 문화 분야 모두가 경쟁력을 유지할 수 있다. 현재 우리나라는 우리 글자인 한자(漢字)를 익히는데 충분한 교육활동을 하지 않고 있다. 심지어 배우기 어렵다는 이유로 한자를 쓰지 말자는 황당한 주장까지 등장했다. 고급학문을 배우는데 쉽지 않은 건 당연한 일 아닌가? 그리고 고급학문을 하려면 한자를 쓸 수밖에 없다. 혹자는 한글사용이 많아져서 근본 형성과 자아정체성이 저절로 형성될 것이라고 아무런 근거도 없이 주장하곤 한다. 그러면 서구 선진국에서는 무슨 이유로 고대 그리스어나 라틴어를 가르칠까? 고대 그리스어나 라틴어 글자들은 이미 죽은 글자들이며 서구국가의 문자(文字)도 아니다. 그래도 자신들의 국어만큼이나 열심히 가르친다. 그에 비하면 오늘날 한자는 완전히 살아 있는 우리 국어의 중대한 뼈대 글자이며 유구한 선진문명의 증거임에도 애써 쓰지 않으려고 한다. 다시금 묻고 싶다. 도대체 한국인에게 문명이란 무엇일까?

한글은 겉치레적인 성격이 강하다. 이런 겉치레는 우리 문화에서 작동되는 근본과 우리들의 정통성 및 정체성이 세계적 표준으로 받아질 때 자동적으로 따라가는 것이다. 영어가 세계화된 것은 라틴글자를 학문의 표기어로 세우고 꾸준히 서양문명을 세계화하였기 때문이다. 결과적으로 전 세계로 퍼진 글자는 알파벳이며 그것을 기반으로 하는 게 영어라는 언어인 것이다. 그러므로 이제는 문화의 모든 면이 세계적 수준이 된다는 그 근본에 대하여 문명적 생각을 도출해낼 시기이다.

8. 역사 기술에서의 지리적 검증

역사서에 등장하는 각종 지명들과 사건들의 전개를 지리공간법칙으로 증명할 수 있을 때 비로소 그것을 역사기록이라 할 수 있다. 오늘날이나 옛날에도 사람들은 특정 공간을 소비하였으며 공간이동을 하였는데 그 양식과 방법만 다를 뿐 기본적으로 오늘날과 유사한 공간법칙을 따랐을 것이란 가정을 할 수 있다. 세상에는 어떤 사건이나 현상에 대하여 많은 얘기가 존재한다. 모두가 '설(說)'이라고 가정하며 당장의 이해를 위하여 사용된다. 그런데 사실(史實=歷史的 事實)과 사실(事實=事件의 實際)은 물리법칙에 지배되는 이 현실 세계에서는 단순(單純)하게 설명되는 것이며, 오직 하나만 존재한다. 그리고 지리법칙과 지리적 해석으로 자세하게 기술되고 설명될 수 있다. 즉 지리공간적 설명이 되지 않는 역사기록에 대한 해석은 모두 거짓이다. 오늘날 우리 국사책의 내용들에서 지리적으로 실증된 부분이 얼마나 되며 제대로 공간분석적으로 연구를 한 적이 있는가? 이는 우리 영토에 대한 정당성에 관한 것으로 우리의 생존과 번영의 문제와 직결된 연구과제가 아닐 수 없다.

9. 인권과 자유평화통일

대한민국의 정체성인 헌법 4조에 따르면 '자유민주적 기본질서에 입각한' 평화통일을 명시하고 있다. 매우 상식적이며 인류의 보편적 가치를 따르는 것을 알 수 있다. 이런 헌법조항은 우리 대한민국을 국제적으로 경쟁력 있게 만든다. 인권(人權) 개념은 진보(進步)의 활동근거를 제공해 왔다. 우리 대한민국 국민은 경제력을 키워 선진복지사회를 건설하고자 열망하며 기필코 자유민주적 기본질서에 입각한 평화통일을 달성하려 한다. 또한 북한동포들의 인권이 우리 대한민국 사람과 동등하게 보장받기를 원한다. 그런 면에서 보자면 우리나라 국민들이 이 세상에서 가장 진보적인 셈이다.

우리 민족의 통일은 인간 본성에 대한 재정립(再正立) 운동이라 할 수 있다. 우리는 한마음이라는 우리의 본에 대한 자각과 실천으로 진짜 통일을 이룩할 것이다. 인권이란 한마음의 실제 실천행위에 관한 것이다. 한마음에 우리의 본이 있다. 그 본은 오상이라는 마음씨로 나타난다. 자유민주적 기본질서에 입각한 평화통일을 하려는 것은 전체 한민족에게 따뜻한 마음을 되살리려는 것이다. 우리 민족의 통일은 품격 높은 삶, 문명적 삶으로 같이 가려는 문명운동이라 말할 수 있으며 한마음, 오상이라는 근본정립이 이 문명운동의 핵심이다. 그리고 이 이념은 통일된 자유민주국가 대한민국에서 정신적 지주로 작용할 것이며 통일된 대한민국을 세계적 선진문명국으로 반드시 만들 것이다. 그런데 어찌 오늘날의 북한 인권문제를 가만히 둘 수가 있겠는가?

10. 개방된 시장

오늘날의 세계 공간은 개방되고 통합된, 단일한 시장을 원하고 있다. 그 바라는 바의 실현이 FTA, 자유무역협정이다. FTA는 소비자의 '소비권리' 문제로 봐야 바르게 이해가 되며 관련 문제들의 해결점이 보인다. 또한 새로운 세상에 대한 비전으로 세계 각국이 서로 간 신뢰를 하지 않으면 실현될 수 없다.

모든 사람은 생산자이자 소비자다. 생산조차도 소비며 소비하기 위해 생산하는 것이다. 그러니 소비자가 원하는 것에 대한 이해가 중요하다. 오늘날 우리 인류는 질적으로 수준 높은 소비를 원하고 있다. 생산활동은 그러한 소비자의 높아진 소비의 질적 수준에 맞출 수밖에 없다. 소비의 대상은 가시적인 것과 비가시적인 것으로 나눌 수 있는데 정치, 문화 등 비가시적인 분야도 소비의 대상이 될 수 있다.

완전 개방된 시장체제는 민주시민성 및 세계시민성이 동시에 요구된다. 이들의 구체적 행동특성 중 하나로 informed action(정보에 근거한 행동 또는 의사결정)을 들 수 있다. 비교와 선택의 자유가 보장된 자유시장에서 완전한 소비권을 행사할 수 있는 소비자는 정보에 근거하여 자신의 소비활동을 최적으로 할 수 있다. 민주시민 또는 세계시민이 항상 하는 일상생활인 것이다.

예를 들어 우리 동네 근처의 슈퍼마켓이 세계화되었다면, 전 세계에서 수입해 온 상품들이 매장에 진열될 것이다. 소비자는 이제 우리나라에서 생산된 상품과 전 세계 국가에서 생산된 상품을 마음대로 고를 수 있게 된 것이다. 모든 것을 비교할 수 있기 때문에 정보에 근거한 소비행동이 가능해진다. 오늘날의 소비자는 정보네트워크의 발달, 교통운송체계의 발전, 유통체계의 혁신, 정보 접속 및 공유체계의 개방성과 신속함 등으로 세계화된 시장에서 여러 상품들을 비교할 수 있게 되었고 여러 대안들 중 자신이 최대로 만족할 수 있는 것을 소비할 수 있게 되었다.

시장의 세계화는 소비자를 실질적 경제주체로 만들었다. 소비행위 자체는 순전히 소비자 개개인의 행위지만 소비자들 전체의 소비활동 특성을 중심으로 경제를 봐야 되는 시기가 도래한 것이다. 소비자 개개인이 여러 상품들을 비교하고 선택하여 소비할 수 있기에 최고의 명품(名品)만이 꾸준히 세계시장에서 존속하게 되며 기업들은 그런 명품을 생산해야만 하는 불가피한 상황(狀況)이 되었다. 명품은 희소가치(稀少價値)가 있는 고가(高價)의 상품만을 의미하지 않는다. 실용적(實用的)이면서도 싼값에 비해 높은 품질과 소비만족도를 지닌 상품이 명품인 것이다. 다시 말해 이런 명품(名品)을 만드는 기업이나 그것을 소비할 줄 아는 소비자의 명품소비문화(名品消費文化)가 가지는 고품위(高品位)의 선진문화(先進文化) 코드가 세계화의 진정한 실현이라 할 수 있다.

시장을 완전히 개방할 수밖에 없는 것은 인터넷 가상공간의 발달과 밀접하게 관련된다. 과거에는 상품의 생산자는 가만히 있으며 소비자나 유통업자가 상품을 구하러 다녔다. 그러나 오늘날 인터넷 가상공간에서는 생산자들과 소비자들, 그리고 유통업자들까지 모두가 상품을 구하거나 팔려고 한다. 이제는 경제의 주체 모두가 완전경쟁을 하는 것이다. 여기서 제일 중요한 것은 소비자의 소비품격이 높아졌다는 점이다. 오늘날 개방된 세계시장 환경에서 소비자는 자신의 소비활동에 대한 판단과 실천 행위에 있어서 과거의 소비자와는 완전히 다른 환경에 있다는 것을 자각할 수밖에 없다. 시장의 정보는 이미 넘쳐나고 있다. 시장에서의 물건값뿐만 아니라 지구촌의 여러 지역에서 발생하는 문제 상황, 국내외의 정치 · 경제 · 사회 · 문화 등의 모든 면에서 연동되어 소비 활동을 할 수밖에 없는 것이다. 그래서 똑똑한 소비실력을 키우고 진작시키려는 소비자들의 '시민운동'이 절실히 요구되는 시기이기도 하다. 시민 각자의 소비실력이 국가경쟁력으로 부상하고 있는 상황이다 보니 일반시민단체의 계몽운동과 함께 일선 교육계에서 소비실력을 향상시키는 교육을 집중적으로 교육할 수밖에 없다. 과거에는 극소수의 우수대학생에게만 어려운 경제학적 지식이 제공되었지만, 오늘날에는 일반인도 다 알 수 있는 교양수준의 경제서적이 범람하고 있다. 누구든 관심을 가지고 읽어 보면 세상의 시장 경제물정을 잘 알면서 본인이 원하는 소비활동을 신나게, 똑똑하게, 그리고 즐겁게 할 수 있는 현명하고 세계적인 소비자가 될 수 있는 것이다.

(조사활동)

구글에서 'FTA 종합지원포털' 또는 'FTA강국 KOREA'를 입력하고 관련 웹 내용을 읽은 다음 FTA에 대해 개념도로 정리해 보자.

문명론적 시각

文明論的 視角

우리는 문명기준을 통해 남의 좋은 점을 본받으려 하며, 학의 지향으로 둔다

세계를 문명론적 시각으로 보는 역사는 고지도(古地圖)에서도 확인될 정도로 상당히 오래되었다. 인류가 문명론적으로 세계지역을 바라보는 것은 일반적이자 세계적인 현상이다. 선진문명국들은 수 세기 전부터 문명론에 기초하여 세계지역을 구분해 왔다. 선진문명대국을 지향하는 우리나라 사람들도 세계를 문명론적으로 바라볼 줄 아는 실력이 절실하다고 본다. 한편 제국주의 시대의 문명론은 다른 나라와 민족을 지배하려는 명분론(名分論)이었다. 지배의 정당성과 함께 지배할 수 있는 실력이 강조되었다. 제국주의가 사라진 오늘날은 세계 각국의 문명적 역량으로 자유경쟁하고 있으며, 각국의 국민들이 가지는 문명론적 시각은 국가경쟁력의 일환으로 볼 수 있다. 대한민국은 세계와 무역활동을 통해 경제영토를 확장해 왔는데도 세계지역에 대한 문명론적 정리는 거의 이루어지지 않았다. 그러나 일상에서 우리는 세계지역을 문명론적으로 대한다. 외국에 갔다 온 한국인은 지위고하(地位高下)를 막론하고 다른 나라의 문명에 대하여 직설적인 말을 내뱉는다. 이때는 다분히 감정적인 면이 강하다. 왜냐하면 타 국가의 문명을 따질 때에는 우리 문명을 준거(準據)로 삼지만 문명수준에 대해서는 정확히 어느 정도 차이가 나는지 잴 수 없기 때문이다. 국내에 체류하는 외국인, 다문화가족 일원들, 외국유학생들에 대해서도 마찬가지로 우리식의 문명의 잣대를 들이댄다. 우리의 문명론적 시각에 대한 반성을 할 필요가 있는 것이다. 타 문명에 대한 얘기는 곧 우리 문명의 현 상태에 대한 각성(覺醒)과 반성(反省)을 가져오기 때문이다.

세계지역에 대한 문명론적 연구는 서구학계에서는 오래전부터 있었으며 서구문명의 선진성에 대한 논리로 정립(定立)되었다. 그러나 세계 지역문명에 대한 서구의 평가는 비하(卑下) 경향이 강하다. 그런데도 세계지역 사람들은 체계적인 평가 없이 단지 서구 문명론이라 하여 자신들의 문명평가기준으로 삼는 경우가 많다.

우리나라의 경우에도 일본인의 세계문명론에 대하여 주의할 필요가 있다. 일본의 문명론은 일제의 서구화에 대한 정당화로 이용되었으며 미개한 동양을 지배해야 한다는 논리로 작동되었다. 후쿠자와 유키치의 『문명론의 개략(文明論之概略)』은 일본인들의 세계에 대한 문명론적 시각을 잘 보여준다. 대한제국시절 우리 민족의 문명론적 시각에서 세계를 바라본 적이 있었던가? 대한(大韓)의 역사에도 우리 민족의 문명론에 입각하여 세상을 평가했던 선각지식인이 있었다. 바로 이승만이다. 그의 저서인 『독립정신』을 보면 세계지역에 대한 우리의 문명론적 시각을 엿볼 수 있다. 그렇다면 후쿠자와 유키치의 『문명론의 개략』과 이승만의 『독립정신』을 읽어 보고 우리 민족이 세상을 바라보는 관점과 일본인들이 세상을 보는 관점에서 어떤 차이가 있는지 비교해 보자.

세계지역을 문명론적 시각으로 보는 것은 많은 논의(論議)를 가져온다. 이는 대학교양 과목인 세계지리 시간에 깊이 있는 토의를 할 수 있는 계기가 될 것이다. 자신이 생각하는 세계지역에 대한 자신의 생각을 논하면서 그 견해에 대한 근거를 열심히 찾아보는 것이다. 바로 이런 과정을 통해 우리 대한인(大韓人)의 문명론에 대한 자각(自覺)이 가능해지고 우리나라 사람들이 세계지역을 바라보는 관점에 집중하게 된다. 그리고 세계의 여러 지역들에 대한 문명론적 사고를 통해 우리 대한민국 문명의 본(本)을 명확하게 인지(認知)하게 된다. 문명론적으로 세상을 본다는 것은 문명도(文明度)라는 잣대를 사용하여 다른 문명을 재단(裁斷)하는 것이 아니라, 다른 문명에서 배울 점과 본받을 만한 것을 살피는데 그 의의가 있다. 우리는 문명기준을 통해 남의 좋은 점을 본받으려 하며, 학(學)의 지향(志向)으로 둔다. 그러므로 우리 대한인의 문명론에 대한 본체(本體)를 명확히 하고자 한다면 한자(漢字)로 기록된 역사서, 지리서 및 고전(古典)을 읽지 않으면 안 된다. 남에 대한 생각을 가지려면 내 것에 대한 철저한 지식체계가 있어야 하는 것이다. 즉 세계화 시대에 다시금 부상한 지피지기(知彼知己) 문제는 궁극적으로는 우리의 본(本)에 대한 정립(正立) 문제와 마찬가지인 것이다.

동아시아

동아시아는 한자문명권(漢字文明圈)을 이뤄왔다. 그러나 오늘날 한자문명은 크게 중요하지 않는 듯하다. 서구사상의 침투가 한자 중심의 전통문명을 약화시켰기 때문이다. 달리 보면 한자 중심의 전통문명을 어떻게 계승하는가에 따라 동아시아 문명을 선도하게 된다고도 볼 수 있다. 요는 누가 동아시아 문명의 본질이냐는 문제인 것이다.

중국의 인구는 현재 13억 명이다. 이 숫자는 중국이 거대한 내수시장(內需市場)을 가진 것을 나타낸다. 중국에서 성공하면 세계 어디에서도 성공할 수 있다는 말이 괜히 나온 말이 아니다. 공산주의 국가인 중국은 경제적인 측면에서 자본주의를 받아들임으로써 급속한 경제성장 중이다. 많은 인구수는 강력한 성장동력(成長動力)으로 작용하지만 식량 및 에너지 자원(資源)을 많이 소비한다는 약점도 있다. 중국은 천연자원을 많이 수입하고 있으며 오늘날 아시아 전체의 경제적 중심으로 성장하려 한다. 서부 대개발과 실크로드 경제지대 등의 내륙개발사업이 그 예다. 그러나 내륙개발은 막대한 에너지를 소비한다. 그러므로 중국 내수시장 개발에 따라 대륙의 시장이 확대될수록 그만큼 우리나라의 항구와 공항이 가지는 유통거점으로서의 역할이 커질 것으로 본다.

중국인은 대부분 중화사상(中華思想)을 가지고 있다. 그리고 이 중화사상은 공산주의와 만나 이웃국가에게 그 파괴력을 보여준 바 있다. 오늘날 중국은 중국 영토 내에 여러 민족들의 정치적 자유를 억압하며 과거 문명대국(文明大國)이었던 찬란한 역사와는 반대방향의 길을 걸어왔다. 그러나 중국이 자국 내의 여러 민족들의 정치적 자유를 완전 보장할 수 있다면 그 자체적으로 하나의 거대한 소세계(小世界)를 구축할 수 있다. 중국은 아직까지 세계적으로 통용되는 보편적인 가치를 세운 적이 없다. 국제관계에서도 중국이 약속한 규칙을 국내외 상황에 따라 부지불식간에 마음을 바꾼다. 이는 공산주의자들의 특징이기도 하다. 그리고 이 점이 현 중국문명의 가장 두드러진 문제라 볼 수 있다.

오늘날 중국은 문명대국이 되기 위해 이미 단절된 과거문명을 세계 각국으로 전파하고 있다. 대표적으로 '공자학원(孔子學院)'을 들 수 있다. 그런데다 중국은 가까운 나라나 먼 나라의 힘없는 인민들을 무시하거나 마음대로 휘두르려는 경향이 있다. 반대로 자국의 이익이 보장되는 나라에 한해서는 전혀 다른 분위기를 띤다. 최근 경제성장을 하면서 중국은 영토문제를 일으키고 있다. 본인들이 일으킨 문화혁명(文化革命)을 인접국가에 강요하지 않는다는 보장을 하지 않는 이상 이웃국가와는 사이가 좋을 수가 없는 것이다.

한편 우리나라에서는 중국을 긍정적으로 포장하여 중국의 성장 가능성을 과장하는 사람들이 늘어나고 있다. 대신 미국에 대해서는 중국만큼 자세하게 말하지 않는다! 미국은 여유자원(餘裕資源)이 가장 풍부한 국가이며 유럽이라는 문명적 기초를 공유하고 있다. 그리고 다양한 세계 문명의 존재를 인정하고 있다. 중국 공산당은 다양한 세계문명을 진실로 인정하고 있는가?

일본은 과거의 일제(日帝)가 아니다. 그러나 전범국가(戰犯國家)로 아직도 인식되고 있다. 그 이유는 일본인들이 역사적으로 동아시아 이웃국가들에게 문명적인 태도를 보인 적이 없기 때문이다. 루스 베네딕트의 『국화와 칼』을 보면 서양문화에서부터 원시 부족문화까지 공통적으로 보이는 인류의 생활양식과는 완전히 다른 독특한 일본인 문화를 기술하고 있다. 일본 사람들이 과거의 신분을 철저히 숨기기 때문에 외국 사람들은 일본문명의 근원에 대해 알 방법이 없다. 특히 일본은 자신들보다 강한 상대가 나타나면 스스로 무릎을 굽히는 습성이 있다. 강한 자와 동맹을 맺어 살아왔던 과거의 생존전략에 따른 것이다. 한마디로 그들이 동맹을 맺는 것은 선린우호(善隣友好)를 위한 길이 아니라는 걸 알 수 있다.

일본 지도층이 잘하는 분야는 국가 이미지 관리다. 그들은 서구적 행동양식을 준수하여 서구 강대국이 일본을 문명적으로 보도록 행동하며 현재 할 수 있는 것을 바탕으로 일본의 국익을 위해 치밀하게 계산된 언행을 한다. 과거 일제의 만행으로 골머리를 앓는 일본인은 오늘날 없다! 그것은 일본 지도층이 현재적 상태의 국력을 토대로 국제적으로 고단수(高段數)의 언행을 해 왔기 때문이다. 이제 우리도 현재의 일본을 똑바로 볼 시기가 되었다. 폭력을 동원하지 않고도 우리 조상들은 수천 년 동안 왜인들을 문명적으로 다스려 왔다! 국력(國力)을 문명의 수준으로 본다면, 우리가 일상에서부터 국제무대에 이르기까지 국력과 국익에 근거한 언행을 보여주는 것은 중요한 의미가 있는 것이다.

國力과 國益에 根據한 發言

〈그림109〉 국가문명의 번영을 가져오는 기본자세

왜(倭)에서 일제(日帝)로 성장하고 서구 열강과 전쟁을 해서 패망(敗亡)한 뒤 다시 경제강국으로 발전해온 일본의 경제발전사를 보면 배울 점이 많다.

우리나라는 일본 해양문명의 영향을 받아왔다. 오늘날 일본문명은 서구 고급지식을 번역(飜譯)하면서 사전(辭典)이라는 데이터베이스를 만들 때부터 시작되었는데 일본 지식인들은 서양의 고급학문용어를 철저하게 이해하고 그 이해한 것을 바탕으로 동양고전(東洋古典), 역사서 및 지리서를 조사한 후 가장 적합한 한자단어를 사용했다. 이것이 일본이 고급지식 분야에서 동아시아를 제패(制覇)할 수 있었던 실질적 방식인 것이다. 일본인들은 공자의 말까지 철저하게 비판하고 새로운 시대에 걸맞도록 그들 나름대로 동양문명을 계승했다. 오늘날에도 한자(漢字)를 사용한 단어를 누가 많이 구축하는가에 따라 동아시아의 문명주도권을 쥐게 된다. 공산중국과 북한은 한자를 간소화(簡素化)하거나 버렸으며, 대한민국은 별별 희한한 이유를 내세워 반문명적 교육을 실시하여 한자 병기(倂記)를 방치(放置)해 왔다.

대한민국 문명이 식민지의 무지한 상태에서 서구학문 세계를 급속도로 받아들일 수 있었던 것은, 일본인들이 심혈(心血)을 기울여 만든 서구의 고급지식

한자사전을 통해 쉽게 우리의 학문용어로 사용할 수 있었기 때문이다. 그런 연유로 우리나라는 아직도 일본식의 막강한 한자번역 문명에 지배당하고 있는 실정이다. 그런데 이런 상황에서도 국어에서 한자를 아예 없애버리려고 안달하는 한글전용론자들과 마주치게 된다. 한글전용론자들은 우리 문명을 수천 년간 기록한 한자를 사용하여 서구고급학문지식을 번역하는 작업을 하려 들지 않는다. 어쩌면 한자로 기록된 우리 문명의 기록물을 해석할 능력이 부족한지도 모른다. 간혹 대학수업에서 한심한 현상을 목격할 때가 있다. 도북(圖北)을 그냥 한자로 적으면 될 것을, 한글로 '도북'이라고 적고는 '지도상의 북쪽'이라고 적거나 설명해야 한다. 현재의 책과 교과서를 보면 모든 고급학문용어들을 한글로 쓰고는 각 글자의 원래 한자 뜻을 설명하는 식으로 가르치게 되어 있다. 도저히 학문적으로 발전할 수 없는 지경이다. 이처럼 우리 대한민국은 문명적 기초가 아주 허술하다. 우리는 남의 것을 우리 것이라고 착각하고 있으며 우리 것마저도 갖다 버린다. 또한 서구의 고급학문지식에 대한 철저한 검증도 없고 우리 문명체계로 만들기 위해 선행되어야 할 우리 문명의 기록물들에 대한 자세한 정리체계도 없다. 오늘날의 우리나라는 남의 것을 우리 것처럼 흉내 내어 잘난 체만 잘하는 따라쟁이에 불과한 것이다. 이런 상태에서는 일본조차 극복할 수 없다.

"일제 때 우리 민족에겐 나라가 없었다!" 라는 말이 있다. 정말 한반도에 살던 우리 민족에게 나라가 없었던가? 어떤 이유로 사실(史實)이 아닌 말이 버젓이 유통되었을까? 그런 특수한 사정을 무시하게 되면 역사 날조(捏造) 및 왜곡(歪曲)이 비일비재(非一非再) 발생하게 된다. 인간의 잘못과 실수를 용서(容恕)할 수 있다는, 가장 인간적인 능력도 키울 수 없다. 진실에 근거하지 않고 아무렇게나 생각하기에 당시의 피지배 한민족이 가졌던 삶의 의지에 대해 따뜻한 마음을 가질 수가 없는 것이다. 대저 인간적이란 것은 용서할 줄 안다는 큰 틀에서 시작된다. 우리 자신의 치욕적 삶을 우리가 먼저 용서할 줄 알자!

오늘날 대한인(大韓人)들은 일제(日帝)에 당한 치욕(恥辱)을 다시는 당하지 않겠다는 각오로 살아왔다. 그런데 도대체 그 구체적 방법은 무엇이란 말인가? 대한민국의 문명 발전을 가져온 근대적 요소의 대부분은 일본이 먼저 개척하고 걸어간 좋은 부분들임을 부정할 수 없다. 왜(倭)가 일제로 성장하던 그 과정에 대하여 치밀(緻密)하게 따져 본받을 점을 명확히 하여야 나라를 빼앗겼던 수모(受侮)를 다시는 겪지 않게 되는 것이다. 그러나 안타깝게도 이 부분에 대한 반성적 활동이 지금 우리에겐 없다. 놀랍게도 과거에는 우리 선조가 왜(倭)를 우수한 문화적 역량으로 지배했다는 사실(史實)이 있는데도 말이다. 그러니 선조들의 훌륭한 역량을 우리 스스로가 죽였던 과거의 패악(悖惡)한 악습(惡習)을 현재에 와서 처절하게 비판할 수밖에 없는 것이다. 그렇다면 한번 생각해 보자. 현재 대한민국 문명에서 나타나는 자유민주시민의 문명적 역량 발전과 지력(智力) 향상 과정에서 타파(打破)하고 극복(克服)해야 할 야만적 관행은 없는가?

우리 조국의 땅을 영속(永續)으로 유지하는 문제는 우리의 국력과 국민들의 지력(智力) 문제일 뿐이다. 우리와 인접한 국가들보다 압도적으로 강대한 선진 경제력과 문명적 역량만이 우리 영토를 영구토록 지키게 한다. 영토는 정당성(正當性)이거나 의인(義人)의 활동으로 지켜지지 않는다. 현실적으로 드러나는 국가의 경제적 능력, 국력으로 접근하여야 영토가 지속되는 전략이 나오는 것이다. 그러니 이제 우리는 대한민국을 일류 선진문명국으로, 국민 모두가 세계갑부(世界甲富)인 경제대국(經濟大國)으로 발전시켜 나가야 할 것이다. 한국인은 할 수 있다!

(조사활동)

1. 구글에서 '북일 납치문제 재조사'를 입력하고 관련 기사들을 읽고 정리해 보자.

2. 중국의 '여유법'에 대해 조사해 보고 중국인들의 문제점을 토의해 보자.

3. 중국, 일본, 한국의 전통명절, 세시풍속(歲時風俗)의 유사성을 조사해 보자.

4. 중국의 음식문화 또는 요식산업을 조사해 보고 우리 음식의 중국 음식시장 진출 가능성에 대하여 토의해 보자.

5. '중국 서부 대개발'에 대해 정리하고 동아시아 전체에 미치는 영향을 정리하여 보자.

6. 중국, 대만, 홍콩의 경제통합정책이 가지는 시사점을 정리해 보자.

7. 일본과 우리나라의 고령화 현상을 비교 조사해 보자. 일본의 인구피라미드를 조사해 보고 우리나라의 인구피라미드와 비교해 보자. 왜 그러한 형태를 가지는지 인문사회적 특성을 통해 상세히 설명해 보자.

8. 미·일간 군사동맹 강화에 대하여 자세하게 정리해 보자.

9. '조어대군도(釣魚台群島)' 또는 '조어도(釣魚島)'를 찾아보고 이 섬과 관련된 자료들을 정리해 보자. 이 지역이 우리나라에게 어떤 중요성을 가지는가?

10. 북핵에 대한 국제적 대처에서 중국과 일본, 그리고 미국의 입장 차이를 자세히 조사해 보자. 북핵(北核)의 심각성을 토의해 보자.

11. 일본사회의 subculture 또는 오타쿠의 현황과 그 중요성을 토의해 보자.

12. 일본기업들의 부품소재 산업과 우리나라 산업 간의 관계를 조사하고 정리해 보자.

13. 대한민국 자유통일에 대한 이해관계자들의 입장을 정리해 보자.

14. '동북공정'은 무엇이며 동북공정의 근거가 되는 역사책들을 조사해 보자.

15, '워싱턴 벚꽃축제'에 대하여 자세하게 조사하고 정리해 보자.

16. 공자학원(孔子學院)에 대하여 상세하게 조사해 보자.

17. 중국의 소수민족 분포에 대하여 조사해 보자. 회교(回教)들에 대한 중국 정부의 대처는 어떠한지 자세하게 조사해 보자.

18. APEC(http://www.apec.org/)과 ASEAN(http://www.asean.org/)에 대하여 자세하게 조사해 보자. 일본의 역할을 중점적으로 살펴보고 동아시아 및 동남아시아의 국제협력문제에 있어서 호주의 역할에 대해서도 조사하고 정리해 보자.

19. 중국의 토지제도에 대하여 조사해 보자.

20. 실크로드 경제지대에 대하여 조사해 보자.

21. 아시아 인프라 투자은행에 대하여 조사해 보자.

22. '한일군사정보포괄보호협정(GSOMIA)' 전문을 인터넷에서 찾아 그 내용을 읽으면서 개념도로 그려보자.

23. 구글에서 '푸른아시아' 를 입력해보고 푸른아시아 웹페이지(http://www.greenasia.kr/)의 내용을 정리해 보자.

북아메리카

세계의 모든 나라들은 미국과 같은 경제부국을 꿈꾼다. 미국은 오늘날 인류문명의 선도적 요소들을 창조했고 석유기반문명과 자주독립국 시대를 가져온 초강대국이다. 미국은 공정성, 신용, 공평한 평가체계와 기회 제공 등에서 세계적 기준을 제시하고 있다. 또한 독립기념일과 현충일 등을 세계에서 가장 열성적으로 지키고 추수감사절과 크리스마스 등 국가적 세시풍습(歲時風習)을 통해 자신들의 문화전통을 지키는 문명대국이기도 하다.

그러나 미국도 한때는 식민지(植民地)였다! 그들은 현실에 굴하지 않고 도시(town)를 중심으로 자치적 정치체계를 형성하였고 독립전쟁에서 기필코 승리를 쟁취할 수밖에 없는 토대를 만들었다. 그리고 건국과정에서 삼권분립(三權分立)을 헌법에 명시하여 법에 의한 통치를 확립하였다. 오늘날에도 이 법치주의(法治主義)가 미국시민들 간의 모든 약속과 관계에 있어 철저하게 지켜지고 있다. 약속과 규칙을 지키는 습관을 외국과의 군사동맹, 경제적 협약 등 국제간 상호교류의 원칙으로 만들어 미국인들 스스로 기록된 약속 내용대로 행동하고 끝까지 준수한다. 그래서 미국인들이 약속한 것에 대한 세계인의 신뢰도는 높다. 이는 규칙을 철저하게 준수하는 습관으로 이미 수백 년이나 되는 역사기간 동안 점진적인 방식으로 사회의 부조리와 부정을 개선하고, 시골마을의 학교에까지 법치주의에 대한 교육을 강력하게 실시한 결과다. 미래세대가 더 잘 살 수 있도록 미국의 선조들은 그들의 물질적 유산을 국가와 사회로 환원하는 시스템을 구축하였다. 미국사회는 시민의 지력(智力)이 계속 성장하는 구조로 발전해 온 것이다.

미국에서는 전문직업을 가진 사람이 최적의 조건에서 근무할 수 있는 환경이 조성되어 있다. 이기적인 사람도 게임의 규칙만 공정하게 따른다면 그가 할 수 있는 모든 능력을 발휘할 수 있도록 한다. 중요한 것은 약속된 규칙을 준수하는 데에 있다. 이를 위해서는 정해진 규칙이 보편적 가치에 기반을 두는 사회적 합의가 있어야 하고 윗선들이 모든 인생의 게임에 있어서 공정하게 처신하도록 법이 체계적으로 발전되어야 한다. 미국은 민주적 절차에 따라 사회전반을 공정한 규칙이 지배하도록 만들어 왔다. 우리나라 속담처럼 윗물이 맑으니 아랫물도 차츰 맑아졌던 것이다. 남에게 피해를 주지 않는 이상 시민 개인의 인권은 절대적으로 보호된다. 인류의 보편적 가치인 인권 신장을 위해 미국이 적극적으로 나선 것은 노예해방(奴隸解放) 시민전쟁을 통해서도 알 수 있다.

또한 미국은 이민자(移民者)들의 국가(國家)다. 건국의 아버지부터 시작해서 오늘날 절대다수의 미국인들은 세계의 여러 지역에서 바다를 건너 이민을 온 사람들의 후예들이다. 미국인들은 새로운 문명적 삶을 꾸준히 추구해 왔다. 세계 전쟁을 일으키거나 엄청난 해외 식민지를 경영하여 선진강대국이 된 것이 아니다. 이민자들이 미국이라는 새로운 공간에서 최대한의 부를 끌어내도록 적극적인 개발과 투자를 했기 때문에 이루어진 것이다.

미국 시민들은 먼저 중산층(中産層)을 형성하였다. 어떤 계급적 구도나 지배논리가 아니라, 순수하게 경제적 창의력과 성실성을 바탕으로 하는 새로운 계층을 탄생시키고 전 세계로 그 개념을 확대 및 보편화시켰다. 중산층은 기본적으로 가진 게 있어 주인의식이 강하고 자기 자신의 일생을 스스로 책임질 줄 아는 진정한 시민들이었다. 그리고 이런 시민들이 노력한 만큼 경제적 성취를 이루도록 사회 전반의 제도들이 효율적으로 구축되었다. 경제적 성취수준에 맞는 물질적 소비욕구가 생겼으며 그 욕구는 대량상품 생산과 유통, 대량소비의 네트워크를 건설하며 충족하였다. 이렇게 유기적이며 체계적인 경제시스템이 완성되어 미국의 부를 확장시킨 것이다.

강력한 부가 형성된 곳에는 문화적 활동도 진작(振作)된다. 미국처럼 부강한 국가가 되려고 하는 세계국가들은 자신들의 국민들을 미국의 중산층처럼 만들려고 노력한다. 미국과 동맹을 맺고 유지하는 건 물론 미국과 적대적인 국가들조차도 미국과 선린 관계를 유지하려고 애쓴다. 국제연합 등의 각종 국제기구가 설립된 자체로 이미 미국은 세계의 중심이기 때문이다. 미국은 아직도 많은 이민자들을 받아들이고 있다. 전 세계의 우수한 인재들을 받아들여 국가의 경제발전에 기여하며, 유능하고 재기(才氣)가 뛰어난 인재를 적극적으로 키우기 위함이다. 주목해야 할 점은 그들이 법에 의해 동등한 기회를 제공받고 있다는 것이다. 미국은 전 세계 과학기술의 선도국가이며, 돈이 되는 거의 모든 경제 분야에서 세계적으로 뛰어난 전문가를 제일 많이 보유하고 있다. 세계적 인력을 완전 자유경쟁의 대학교육을 통하여 키우고 교육 및 연구 분야에 막대하게 투자한다. 그야말로 사람을 키우는 데에 집중적으로 투자하는 것이다. 그러므로 이 시스템이 와해되지 않는 한 미국은 앞으로도 주도적인 세계문명 건설자가 될 것이며 세계 경제의 주도권을 계속 쥘 것이다.

우리의 일상(日常)에서도 미국 문명요소들을 곳곳에서 찾아볼 수 있다. 미국 문명요소의 특징(特徵)은 일상에서의 실용성과 편리성(便利性)에 있는데 특히, 미국 중산층의 실용적인 일상생활방식은 세계의 거의 모든 나라에 퍼져 있다. 그러나 우리나라에서는 미국에 대하여 심도 있는 연구가 이루어지지 않는다. 특이한 현상이 아닐 수 없다. 동맹에 대해 더 빨리 더 많이 알아야 하는데 그렇지 않기 때문이다. 어쩌면 우리가 이미 미국적으로 변했기 때문에 미국에 대한 연구의 필요성을 느끼지 못하는지도 모른다. 아닌 게 아니라 오늘날 우리나라는 보편적인 일상과 상거래 관계는 물론 공교육과 종교에 이르기까지 거의 전반적인 면에서 미국식이 되었다고 할 수 있다. 그러나 미국 본토의 것과는 질적으로 차이가 난다. 우리는 미국식으로 산다는 것만으로도 미국 문명의 본질을 알고 있다고 착각하고 있는 것인지도 모른다.

한국전쟁 직전의 1950년 애치슨 라인 선언을 통하여 미국은 한반도에 전략적 관심이 없음을 전 세계에 보여주었다. 미국의 한반도에 대한 무관심을 국제적 문제로 되살린 사건이 소련 앞잡이들이 일으킨 한반도 적화전쟁이다. 대한민국은 자유민주진영의 최전선에 위치한 것이 확인되었으며, 미국은 한미상호방위조약과 한미연합사라는 군사동맹관계를 통하여 자유와 평화의 최전선을 지키게 되었다. 그렇게 오늘날까지 미국은 70여 년 동안 우리나라의 안전을 충실히 보호해 준 것이다. 주변 강대국인 중국, 러시아, 일본은 가까운 미래에 미국이 한반도에서 손을 뗄 것을 가정하고 각자 나름대로의 한반도에 대한 전략을 구체화하고 있다. 이런 상황에서도 우리나라는 미국의 효용가치에 대한 수지타산(收支打算)을 계산하지 않고 있다. 더 문제는 한국인들이 세계적 시야에서의 한반도 주위 사정에 대한 판단력이 부족하고 엄청난 변화를 가져올 미국의 생각을 제대로 알지 못한다는 점이다.

주한미군(駐韓美軍)은 한반도 주변지역 전체가 안정되고 평화롭게 살아갈 수 있는 분위기를 형성해 왔다. 미군이 진주(進駐)하고 지켜준 곳, 미국 중심의 자유시장경제원리에 입각한 경제블록을 형성했던 국가들이 번영할 수 있었던 것이다. 국제사회에서 약소국은 강대국의 보호를 받아야 처신할 수 있는 공간이 생긴다. 우리가 국제무대에서 최초로 돈을 벌 수 있던 지역은 친미국가였다. 우리 스스로의 피땀 어린 노력이 필수지만, 동맹관계가 없는 국가에 가서 경제적 거래를 시작하기는 힘든 게 현실이었다. 우리가 서구의 선진 과학기술로 대학교육을 바꿀 수 있었던 것도 건국 초기부터 우수한 우리 인재들이 미국의 대학교육을 받을 수 있었기 때문이다. 국제법률문제나 국제적 협약 분야에서도 미국의 소개로 우리의 우수한 인력들이 국제무대로 나갈 수 있었다. 먹고 살아야 한다는 절박한 문제에서부터 국가 고급인재의 교육과 양성, 세계무대로의 기회제공에 있어서까지 우리는 골고루 미국의 혜택을 받았다. 한때 영국의 식민지였던 국가들이 영연방의 일원으로 남고자 했던 것은 영국이라는 강국이 국제무대로 자신들을 소개해 줄 수 있었기 때문이다. 다시 말해 선진강대국의 일원 혹은 친분관계를 통해서만 국제무대에서 인정받을 수 있는 것이다.

국제적 문제는 여러 형태로 발생한다. 그러나 모든 국제문제를 해결할 수 있는 전담 국제기구는 없다. 대신 초강대국의 개입에 의한 강제적인 해결책이 마련된다. 초강대국이 끝장을 보아야 어떤 형태로든 국제적 문제가 해결되는 것이다. 대한민국은 이웃나라 간의 문제에 있어 미국이 우리 손을 들어줌으로써 해결된 일이 많았다. 주위 강대국이 단순히 우리나라만을 보고 타협하는 게 아니란 뜻이다. 주한미군 때문에 중국과 일본이 우리나라에 함부로 대할 수 없는 건 분명한 사실이다. 우리는 이웃나라의 간섭으로 불안하게 살지 않아도 되는 평화로운 시절을 반세기가 넘도록 누리고 있다. 그래서 이웃나라의 간섭이라는 뜨거운 맛을 잊어버렸는지도 모른다.

한미연합사는 서구 선진국과 일본이 꿈에도 소망하는 것이다. 미국과 군사혈맹관계라면 그 국가의 안보는 보장되기 때문이다. 사실 미국의 입장에서 보면 독일과 일본에 비해 한국은 친구의 순위가 낮다. 단지 여러 동맹국 중 하나인 것이다. 미국도 동맹으로서 많은 이익을 가져다주는 우호국가에 도움을 더 줄 수밖에 없다. 다시 말해 우리가 미국에 동맹국으로서 가치는 있지만, 이웃 일본에 비하면 그 수준이 높지 않다는 얘기다. 그러나 우리나라는 국제적 시야에서 우리 자신을 객관적으로 볼 줄 모른다. 독일과 일본이 미국과 친밀한 관계를 굳게 유지하려는 이유는 뭘까? 그 이유 중에 하나는 미국이 가진 국부(國富) 가운데 식량자원과 연료자원이 세계 최고수준이고 가장 믿을 수 있으며 안정적인데다가 가장 여유롭기 때문이다.

미국의 동맹국들끼리도 경쟁을 한다. 미국에 대한 동맹의 기여도에 따라 공식방문, 외교관계에 있어 그만큼의 대접을 하는 것이다. 약소국이 강대국에 어떤 대접을 받느냐에 따라 그 나라의 국제적 관계가 결정된다. 독일과 일본이 이 점에 있어서는 아주 주도면밀(周到綿密)하게 행동한다고 보면 된다. 동아시아의 미국이 가지는 이해관계에서 최우선인 국가는 일본이다. 우리가 미국에게 기분 나쁜 신호를 보내면 당연히 일본도 기분이 좋을 리 없다. 이런 동맹관계를 제대로 파악할 필요가 있는 것이다. 우리 한반도에 대한 강력한 영토적 야욕이 있는 나라는 러시아, 중국, 일본으로 초강대국 미국만이 한반도 주변 강대국의 영토적 간섭을 차단할 수 있다. 이처럼 대한민국은 현재까지 미국을 너무 잘 이용해 왔다. 지금의 경제적 풍요와 자유는 미국을 너무 잘 이용해서 가능했던 것이다.

오늘날 미국은 지금까지 맡아오던 지역 안정자로서의 역할을 동맹국에 넘기려하고 있다. 세계 각 지역에서 그 지역의 안정을 전적으로 책임질 수 있는 국가들이 성장했다고 미국은 판단하고 있는 것이다. 미국 시민들은 세계 지역의 갈등과 분쟁에 직접 개입하여 젊은 미국인을 보내 희생하는 것을 원치 않고 있다. 미국은 시민이 원하는 방향으로 국가정책이 결정된다. 공산종주국 소련 멸망 이후 전 세계가 미국이 구축한 자유민주주의 및 시장경제체제로 돌아서는 것을 경험했다. 미군을 파견하여 강제적으로 국제문제를 해결하는 방식을 사용하지 않더라도 점차적으로 인류가 지력을 스스로 성장시킨다는 것을 알게 된 것이다. 서둘러서 자유민주질서를 강제하기보다는 세계 각 지역별로 그 발달 정도에 따라 진보하도록 추켜세워 주기만 하면 된다는 것을 깨달은 것이다. 이는 더 이상 두고 볼 수 없는 최악의 인권유린사태 등에만 관여하겠다는 뜻이 된다. 미국은 이미 몇 년 전부터 국제문제에 대한 새로운 대처전략을 강조하고 있다. 최근에는 대규모의 지상군을 파견하여 전쟁에 직접 참여하는 것을 삼가겠다고 선포하였다. 대신에 세계 주요지역마다 지역강대국을 지원해주겠다는 뜻을 밝혔다. 동아시아의 경우에는 일본이다. 그래서 일본 재무장, 일본의 해외 군사적 개입에 대한 권한을 강화시킨 것이다. 또한 동아시아 및 동남아시아와 밀접히 관련된 호주와도 강력한 군사동맹을 구축했다. 호주는 현재 열심히 지역적 군사강대국이 되기 위해 많은 국방투자를 하고 있다. 그러나 그렇게 되면 우리나라가 일본의 세력권 안에 들어갈 것이므로 우리 입장에서 보면 좋은 소식이 아니다. 그러나 바다의 길이 우리나라의 생명줄이기에 이 길의 대부분을 차지하고 있는 일본과의 동맹 또한 중요하다. 국제관계는 이해관계(利害關係)가 최우선이며 우리 국익과 동맹의 이익이 일치되는 방식으로 일관된 행동을 항상 보여야 한다. 약소국인 우리의 국익이 초강대국과 동맹국들의 이익이라는 것을 확실하게 보여줘야 하는 것이다. 이해관계란 그야말로 돈을 따지는 것이다. 동맹은 돈이 될 때 확고해진다. 국제관계는 현재의 일이며 실제적이다. 오늘의 관계는 오늘 일이며 내일의 관계는 내일의 것이 된다. 우리가 미국의 국제전략 변화에서 배울 수 있는 교훈은 우리 대한민국 사람들이 현재의 동맹관계를 충실하게 발전시켜 나가는 태도에 집중해야 한다는 점이다.

(조사활동)

1. '마샬 계획'이란 무엇이며 그 계획의 영향은 어떠했는지 조사해 보자.

(참고 : https://history.state.gov/milestones/1945-1952/marshall-plan)

2. 북미자유무역협정에 대해 조사해 보자.

3. 미국의 대선과정에 대하여 조사해 보자.

4. 국제통화기금(IMF), 세계은행(World Bank), 제네바관세협정(GATT), 세계무역기구(WTO) 등을 조사해 보자.
(참고 : 국제통화기금 http://www.imf.org, 세계은행 http://www.worldbank.org/,
세계무역기구 http://www.wto.org/)
5. H-1B Visa에 대하여 자세하게 조사해 보자.
6. 미국 기원의 다국적 기업들을 조사해 보자. 이들 기업의 글로벌 생존전략을 토의하여 보자.
7. 북미지역의 셰일가스 부존량 및 개발상황에 대해 조사해 보자. 미국에서 생산되는 셰일가스의 의의를 토의해 보자. '셰일가스 혁명' 용어처럼 셰일가스가 세계경제에 어떤 영향을 미칠 것인지 상세하게 정리해 보자.
8. 미국에 기원한 다국적 기업의 '기술'이라는 보이지 않는 자산과 운용실태를 조사해 보자.
9. 초미세먼지에 대해 조사해 보자.
10. 미국이 운용하는 인공위성 및 원격탐사 센서들을 조사해 보자.
(예 : http://modis.gsfc.nasa.gov/)
11. 마이크로소프트사, 오라클사 등의 소프트웨어 회사들의 위치와 그들의 주요 사업전략을 살펴보자.
12. IBM이란 회사는 현재 어떤 사업을 하고 있는가?

영화 "미션(The Mission)"은 스페인과 포르투갈 간의 영토경계 설정으로 고향 땅에 대한 원주민들의 권리가 없어지는 역사적 내용을 배경으로 한다. 노예 노동력 착취문제와 대단위 토지개발문제가 관련된다. 중남미는 식민지 역사가 오래되었다. 대니얼 디포의 『로빈슨 크루소』에서도 남미의 대단위 토지에 대한 언급이 나온다. 물론 소설이기는 하지만 당시의 남미 전역을 바라보는 유럽인의 시각을 잘 보여준다. 중남미 전체가 유럽에는 천연자원 및 식량 생산 공급기지였던 것이다.

중남미 식민지 개발은 중남미 지역 자체의 복리(福利)를 위한 것이 아니었다. 토지는 대단위 생산과 상업적 영리 목적으로 개발되었다. 바로 이 점이 남미의 문제로써 오늘날에도 작동되고 있다. 중남미 전체가 대규모 토지단위로 관리되며, 대농장 소유주들은 막대한 정치경제적 지배력을 행사한다. 이들은 매우 극소수 지배층을 형성하고 있으며 수많은 임시노동자들과 분리된 사회를 형성하고 있다. 사회통합은 이런 환경에서는 이루기 힘들다. 아마존의 열대우림 파괴과정(구글에서 '아마존의 열대우림 파괴과정'을 입력 또는 http://www.joongang.ca/bbs/board.php?bo_table=g400t500&wr_id=110&page=4)에서 토지가 없는 자들이 열대우림지역에서 농토를 개간하지만, 결국 자본 집약적인 농장소유주들이 그 지역 전체토지를 장악하는 과정이 묘사되어 있다. 토지가 없는 자들은 대규모로 대도시의 빈민으로 내몰려 도시빈민촌을 형성하거나 더 깊은 열대우림지역으로 들어간다. 중남미지역을 이해할 때에는 토지소유에 대한 이해와 이원화된 사회구조를 고려할 필요가 있다. 이 지역의 국가적 발전은 대단위 토지소유자들에게 달려 있지만, 문제는 이들 대토지 소유자들이 어떠한 개혁을 할 필요성을 느끼지 못한다는 것이다.

(조사활동)

1. 구글에서 “아마존 열대우림 파괴과정”을 입력하여 연결링크의 영어 본문을 영어식으로, 미국인이 말하는 것처럼 큰 소리로 입에 익숙해지도록 읽어 보자.

2. 라틴아메리카통합연합(Latin American Integration Association, LAFTA)과 남미공동시장(Mercosur, the Southern Cone Common Market)에 대하여 조사해 보자.

3. 엘니뇨는 어떤 현상인가? 엘니뇨와 반대되는 현상은 있는지 조사해 보자. 각 현상으로 인해 벌어지는 자연재해에 대해서도 조사해 보자.

4. 라틴아메리카의 불량주택문제를 조사해 보자.

5. 남미의 대농장에 대하여 자세하게 조사해 보자.

6. 마킬라도라(maquiladora)에 대하여 조사해 보자.

7. ‘니카라과 운하’ 개발계획에 대하여 자세하게 조사해 보자.

8. 미주개발은행(IDB)와 미주투자공사(IIC)에 대하여 조사해 보자.

아프리카 및 서남아시아

아프리카는 고유한 문명이 존재하지 않는다고 한다. 수백 년 동안 식민지였던 역사로 인해 그 이전에 존재했던 아프리카 본래의 모습과는 완전히 단절되었고 순수 아프리카 문명은 찾아보기 힘들게 된 것이다.

1995년에 설립된 남아공의 진실화해위원회(주한남아공대사관, http://www.southafrica-embassy.or.kr/kr/aboutsa/overview_5_2.php#3)는 수백 년 동안 식민지적인 삶 속에서 각종 핍박을 당하였지만 근본적으로는 아프리카인들이 문명적으로 성숙해질 수 있는 자질을 갖추고 있음을 보여주었다. 그들은 자신들의 본성을 찾을 것이며 고유문화와 전통을 되찾고 자신들이 바라는 생활양식을 다시 확립할 것으로 본다. 하지만 현실적으로는 갈 길이 멀다. 자신들의 정체성을 찾기보다는 당장의 먹고 사는 문제가 절박(切迫)하기 때문이다.

아프리카 사헬지대와 같이 외부의 도움이 절실한 지역에서는 지금까지 굶주림과 헐벗는 것에 대한 생필품 중심의 지원형식이 주를 이루어 왔다. 이제는 아프리카 사람들이 스스로 잘살 수 있는 방식을 형성하도록 도와주는 원조형식으로 전환되고 있다. 우리나라의 새마을운동이 가장 모범적인 예가 되고 있다. 새마을운동을 통하여 우리나라가 선진국으로 진입하였다는 역사적 사실이 있어 아프리카의 가난한 나라들이 새마을운동의 구체적 방식을 많이 도입하려 한다. 누군가를 진정으로 돕는다는 건 그 사람이 자립할 수 있도록 실용적인 수단과 도구를 갖춰주는 일이라 할 수 있다. 아프리카 사람들이 살아가는 그 지역의 여건에 적합하며, 당장의 빈곤 문제를 해결하면서 성장의 기반을 다질 수 있도록 필요한 기술을 지원하는 방식이 최선인 것이다. 그러니 현재 적정기술 개발이 가지는 의의는 매우 크다고 볼 수 있다. 아프리카는 적정기술 개발과 보급에 대한 외부의 지원이 시급하게 필요하며 '주민 참여' 방식의 개발이 실질적으로 중요하다. 그러나 그중에서도 주민 스스로가 잘살겠다는 의지가 가장 중요하다. 이는 지역사람들에 대한 교육사업지원이 필요하다는 걸 의미한다.

영토문제는 모든 이의 생존과 직결된다. 땅이 없는 사람은 인생이 불안정하다. 땅이 있어야 개인의 삶도 안정적으로 확고해지며 다른 큰일을 할 수 있다. 국가가 땅이 없으면 국가라 할 수 없으며 영토가 없는 민족과 집단은 자신의 영토를 갖기 위해 목숨을 걸고 싸워야 한다. 그렇지 않으면 멸절(滅絶)된다. 이스라엘은 아직도 영토전쟁 중이다. 그들은 2천 년 이상의 세월 속에서 영토가 얼마나 중요한지를 뇌리(腦裏)에 각인(刻印)시켰고 이를 후손들에게 철저하게 교육시켰다. 유태인들은 자신들의 영토를 지키기 위해 기꺼이 죽을 각오(覺悟)가 되어 있다. 그래서 이스라엘이 지역의 강소국으로 자리 잡을 수 있었던 것이다.

게다가 이스라엘의 해외동포들은 어떤 식으로든 똘똘 뭉쳐 조국(?)의 영토를 지키는데 아낌없이 투자한다. 그리고 수천 년을 자기 땅 없이 살아도 매일매일 역사교육 활동을 해왔으며 지금도 하고 있다.

우리나라와 서남아시아는 경제적으로 밀접한 관계에 있다. 우리 대한민국은 석유수입국이지만 첨단원유정제기술을 가진 석유수출국이기도 하다.(참고:http://blog.skenergy.com/8) 서남아시아의 큰 손 사우디아라비아와 미국은 동맹관계에 있다. 우리 대한민국은 미국의 동맹으로 쉽게 서남아시아의 석유를 얻을 기회를 가질 수 있었다. 물론 우리나라 사람들이 열심히 일한 결과이기도 하다. 최근 아랍에미레이트의 한국형 원전수주, 담수화시설 준공 등을 통한 우리 기업들의 적극적인 활동은 우리 대한민국이 서남아시아 지역과 얼마나 밀접한 경제적 관계인지를 다시금 확인시켜주었다. 이 모두가 우리 아버지 세대가 피땀 흘려 쌓은 우리나라와 우리나라 사람에 대한 긍정적 이미지가 서남아시아에 기억되고 있기 때문일 것이다. 이 지역의 수에즈 운하는 유럽과의 무역에 있어 우리나라에 절대적으로 중요한 전략해로지역이다.

(조사활동)

1. 노마(Noma) 병이란 무엇이며 어떻게 발생하고 있으며 그 병에 대한 국제적 대처는 어떻게 진행되고 있는가? 에이즈가 아프리카에 미친 영향에 대해 조사해 보자. 그리고 사헬지대의 사막화에 대하여 조사해 보고 사헬지대 아프리카 국가들의 인구피라미드는 어떤 형태인지 위의 세 가지 현상과 관련하여 피라미드의 모양을 해석해 보자.

2. 이슬람교의 출현과 확산과정에 대하여 조사해 보자.

3. Millennium Village Project에 대하여 조사 및 정리해 보자.

4. United Nations Millennium Development Goals에 대하여 조사 및 정리해 보자. (http://www.un.org/milleniumgoals/)

5. "www.ubuntuparty.org.za"를 찾아보고 이들이 무엇을 하는지 조사해 보자. 이들이 바라는 세상은 무엇이며 실현 가능한 것인가? (주의할 점: 어떤 유토피아로 상상하지 말 것)

6. 이스라엘의 독립과 성장과정 및 아랍 국가들과의 관계를 상세하게 조사해 보자.

7. 저개발 세계지역의 경제사회발전을 위하여 도입되는 적정기술의 구체적 예를 정리해 보자. 우리나라의 새마을운동 당시 사용되었던 적정기술에는 어떤 것들이 있었는지 조사해 보자.

8. '할랄'이라는 이슬람 율법에 대하여 조사해 보자.

유럽연합

유럽은 서구풍 전 지구화의 모범으로 선진문명국이 많은 곳이며 전문분야에서의 최고의 실력을 갖춘 전문가들을 키우는데 최적의 정치경제사회문화 체계가 형성되어 있다. 그리고 전문가들을 키우는데 들어가는 많은 재원(財源)을 충당할 경제력도 가지고 있다. 유럽의 전문가 형성체계는 세계의 여타 문명들이 꼭 본받을 만하다.

한자동맹(Hansa同盟)은 13세기 이후 북해 및 발트해의 무역과 상권을 독점하기 위해 독일 북부 상업도시들이 연합한 것으로, 11세기부터 12세기까지 중세 유럽도시의 상인들과 수공업자들의 동업자 조합인 길드(guild)의 형성과 밀접하게 관련된다. 그리고 이 상인들과 수공업자들의 조합된 전통이 오늘날 유럽의 직업세계에 지속되고 있다.

길드는 전문분야별 분업체계가 특색이다. 각 직업마다 상당한 기간의 도제(徒

弟) 과정을 두었으며 각 분야의 최고기술과 전문 기법을 승계했다. 이런 고급전문기술의 전승체계는 전 산업 분야로 확대되어 체질화되었다. 즉 오늘날 유럽연합의 실질적 주도국인 덕국(德國)은 길드의 전통을 잇고 있다고 볼 수 있는 것이다. 이처럼 유럽연합 사회를 전문가들이 이끌어간다는 점은 선진문명을 지향하는 우리나라에 많은 시사점을 던져준다. 또한 덕국식(德國式) 사회복지 및 유럽 제국(諸國)의 선진적 사회보장제도가 유럽인들의 지력(智力)과 실력(實力)으로 이루어졌다는 사실도 눈여겨볼 만하다.

제국주의 시대는 유럽제국들에게도 상당히 힘든 시기였다. 다른 대륙을 식민지로 만들고 지배하는 것은 보통 신경 쓰이는 일이 아니었으며 식민지 경영은 타 유럽제국과의 끊임없는 영토 경쟁으로 이어져, 전쟁이 발생한 식민지와 제국 본토의 신민들을 힘들게 만들었다. 당장 죽고 사는 문제가 달린 만큼 제국의 인적 자원을 세계적 수준으로 키워내는 일을 체계적으로 만들 수밖에 없었다. 세계를 지배할 수 있는 실력을 갖추도록 제국 본토인들을 교육시켜야 했던 것이다. 이는 체계적인 공교육을 통한 것으로, 이때의 공교육 제도가 현재 전 세계에서 실시되고 있는 국민형성교육, 보통교육체계이다. 이는 세계적 수준이 되었고, 국제적 기준으로 작용하게 되었다. 그러나 유럽의 제국들은 고급지식에 대한 접근에 있어 식민지인들을 제한했다. 제국 본토 교육기관에서 실시되던 교육수준을 받은 식민지인들은 제한되었으며, 보통은 교육을 받은 뒤 자기 고향으로 돌아가 식민지의 고위관료가 될 수 있었다. 본토와 식민지 간의 이중교육정책은 식민지에서도 제국의 기준을 문명의 기준으로 받아들이도록 만들었다.

오늘날에도 이러한 제국시대에 형성된 국제적 기준과 수준이 적용되고 있다. 어떤 것들이 있을까?

(조사활동)

1. 유럽연합과 우리나라와의 자유무역협정에 대하여 자세하게 조사 및 정리해 보자.

2. 유럽연합형성과정을 자세하게 조사해 보자. 유럽통화동맹(유로랜드)에 대하여 조사해 보자. 북대서양조약기구(NATO)에 대하여 조사해 보자.

3. 독일의 교육제도에 대하여 조사해 보고 독일교육의 특징을 정리해 보자. 독일에서 사교육이 활성화되어 있는가?

4. 독일의 '히든챔피언'에 대하여 조사하여 정리하고, 진정한 세계적 기술 강소국으로 한국을 키우기 위한 한국교원들의 구체적 교육활동을 독일의 경우를 비교하여 토의해 보자.

5. 독일의 통일과정에 대하여 정리해 보고, 대한민국의 통일과정에 어떤 교훈이 될 수 있는지 토의해 보자. 또 이것이 초중등학교 교육활동에 어떻게 활용될 수 있을지 토의해 보자.

남아시아 및 동남아시아

인도에는 신들에 관한 수많은 설화가 있다. 그런데 인도인들이 이 설화를 역사처럼 자세하게 기록하면서 우리 문명에도 많은 영향을 끼쳤다.

동남아시아는 동아시아의 주요 무역 해상로가 있어 예로부터 동아시아 문명권과 많은 교류를 해왔다. 동아시아와는 역사적으로 하나의 무역권에 속한다고 할 수 있다. 싱가포르와 남중국해는 오늘날 세계에서 가장 중요한 전략지역 중에 하나다. 이 지역은 화교(華僑)와 회교(回敎) 세력권으로 크게 나눌 수 있는데 화교와 회교세력들은 자신들만의 경제권을 이루며 고유의 거래질서를 형성하고 있다. 그리고 이 지역에 대한 일본의 영향력은 매우 크다.

공산주의자들은 항상 남의 나라를 강탈하려는 시도를 하고 있다. 오늘날 중국은 동남아시아의 전략적 이익을 자신들이 독차지하려는 속셈을 드러내고 있다. 현재 남중국해에 대한 중국의 영토적 야욕은 이 지역에 군사적 긴장을 고조시키고 있다.

(조사활동)

1. 인도 아대륙(亞大陸)의 2차 대전 이후의 국가들 형성에 대하여 조사해 보자.
2. 말레이시아의 경제적 부흥 상황을 조사해 보자.
3. 동남아의 세계적 중개무역항과 동남아시아 해역의 전략적 중요성을 토의하여 보자.
4. 베트남 투자환경 및 현황에 대하여 알아보자. 특히 우리나라와 베트남 간의 대규모 투자사업에 대하여 조사해 보자.
5. 동남아지역의 지상낙원 같은 관광자원에 대하여 조사해 보고 우리나라의 투자여건과 개발 참여 가능성에 대하여 토의해 보자.
6. 이슬람 금융에 대하여 조사해 보자.
7. '남사군도 영유권 분쟁'과 '파라셀 제도'에 대하여 자세하게 조사해 보자. 남중국해 지역이 대한민국에게 왜 중요한가?
8. 대한민국이 인도네시아(印度尼西亞)와 '포괄적 경제동반자 협정'을 체결한 것에 대하여 조사해 보고 그 의의를 토의해 보자.
9. 인니(印尼)를 비롯한 동남아에 이슬람교의 전파과정을 자세하게 조사하고 정리해 보자.

10. 태국(泰國)의 자주독립역사를 자세하게 조사해 보자.

11. 중국과 스리랑카의 전략적 동맹관계에 대하여 조사해 보자. 또한 중국의 '진주 목걸이' 전략에 대하여 여러 국가들의 입장을 자세하게 조사해 보자.

러시아 및 중앙아시아

러시아의 역사는 몽고(蒙古)와 관련된다. 대제국을 건설한 몽고가 가장 직접적으로 지배했던 곳이기 때문이다. 13세기 몽고 대제국은 동유럽에까지 그 영향력을 확대했다. 몽고는 문명적이지 않았으며 세계 문명적 가치기준과 질서를 구축하려는 시도조차 하지 않았다. 그리고 부족적 범위의 가치기준을 몇 백 배나 되는 전 세계로 확대 적용하면서 폭압적 수단을 사용할 수밖에 없도록 만들었다. 설상가상 소수 몽고인들에 비해 타민족들의 수(數)가 압도적으로 많은 탓에 반문명적으로 폭력적인 지배를 할 수밖에 없었던 것이다. 그러나 문제는 피지배 민족에게 어떤 영향을 주었는가에 있다.

제정 러시아는 유럽문명을 모방하면서 성장하였다. 그러나 극소수의 귀족계급에게만 문명적 혜택이 주어졌다. 귀족들이 유럽식 유행 따라 하기에 온갖 낭비를 하는 동안 절대다수의 피지배 계급은 비참한 삶을 살았다. 절대다수 삶의 질적 향상에 대한 생각은 지배계급에서는 있을 수 없었다. 같은 국가이지만 완전히 다른 세상이 존재했으며 소수가 다수를 착취하고 억압하는 사회를 당연시 여겼다. 이런 환경은 공산주의가 가장 손쉽게 이용할 수 있는 사회환경을 조성한다. 볼셰비키 혁명은 절대다수의 무지몽매(無知蒙昧)한 사람들을 이용하여 달성된 것이다. 공산주의자들은 권력을 장악하자 절대다수의 피지배층을 외부와 단절시켰고 러시아를 폐쇄시켰다. 공산당도들은 봉건귀족의 위치로 올라서고는 피지배 계급을 완전히 가축처럼 만들어 버렸다. 소련은 소련 내부가 외부로 알려지는 것을 철저하게 차단했으며, 외부세계에는 소련이 지상천국인 것처럼 선전광고를 했다. 소련은 쇼를 보여주는 거대한 무대와 같았다. 무대 앞의 좋은 것만 집중하여 빛을 투사하니 관객들은 소련이 마치 지상낙원인양 여겼다. 그러나 강한 빛에 가려진 무대 옆이나 무대 뒤쪽은 수많은 인민들이 하루하루를 힘겹게 견뎌내야 한다는 절박한 야만적 상태에 놓여 있었다. 이후 소련의 멸망으로 인해 피압박 인민들은 해방이 되었지만, 아직도 그들은 공산당 지배시절의 비문명적인 요소를 완전히 버리지 못했다. 오늘날의 세계 각 대륙의 주도적 문명국가들은 자신만의 문명적 가치를 세계적 수준으로 발전시키려고 한다. 러시아의 경우 어떤 가치를 세계 보편적으로 만들려고 하는지 궁금해진다.

한편 중국의 '서부대개발'은 중앙아시아에 많은 영향을 줄 것이다. 그런데 중앙아시아에서 공산주의는 이미 멸망했다. 공산중국이 만약 이데올로기로 이 지역에 접근하거나 영토적 야욕으로 이 지역을 바라본다면 커다란 문명적 충돌이 예상된다.

(조사활동)

1. 러시아와 몽고와의 역사적 관계를 조사해 보자.

2. 러시아와 우크라이나 관계를 상세하게 조사하고 정리해 보자.

3. 러시아에서 인기 있는 우리나라 식품은 어떤 것이 있는가? 우리나라 식품의 국제화에 대하여 토의하여 보자.

4. 동아시아에서의 러시아 관련 에너지수송체계 및 계획 등에 대하여 조사해 보자.

5. 구소련에 의한 '고려인 강제이주'에 대하여 자세하게 조사하여 보자.

6. 일본과 러시아 간의 '쿠릴열도 분쟁'에 대하여 조사해 보자. 이 지역이 앞으로 대한민국에 어떤 전략적 이해관계를 내포하고 있는지 논의해 보자.

7. 중앙아시아의 국가들을 조사해 보자. 우리나라와 중앙아시아 제국 간의 대규모 사업활동에 대하여 조사해 보자.

정리

모든 인간사에서는 믿을 수 있는
약속체계와 행동기준이 존재한다

우리는 세계적 문명을 이룰 수 있다. 그렇다면 구체적인 방법은 무엇일까? 바로 우리의 공간인식범위를 세계적으로 넓히고 세상사를 있는 그대로 받아들일 수 있는 그 단순한 방법에 있지 않을까 한다. 이는 '우리'를 이루는 사람들 자신의 머릿속 생각과 세상일을 끊임없이 증험하는 과정으로 설명될 수 있다.

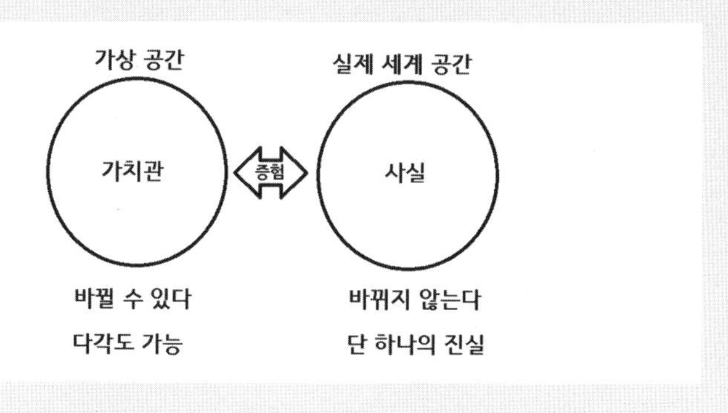

〈그림110〉 쌍안경의 양쪽을 동시에 본다

머릿속 가상공간의 가치관과 실제세계를 끊임없이 증험하는 과정을 쌍안경을 보는 것에 비유할 수 있다. 쌍안경은 양쪽을 같이 보아 초점이 목표물에 맞추어질 때 제대로 볼 수 있다. 공간인식범위의 확장 전반에서 언제나 유용하게 쓰일 수 있는 장치로, 세계에 대한 확고한 지식을 형성시키며 실력이 되는 것이다.

개인 내부의 눈이란 당위의 세계를 구축할 수 있어 내 눈에 차지 않으면 아무리 중대한 세상일이라도 별 볼일 없게 된다. 눈앞의 일인데도 전혀 인지하지 못하는 것이다. 이처럼 당위적 사고를 하는 사람은 남의 얘기를 들을 줄 모른다. 세상일에 대하여 허심탄회한 대화를 하며, 사실관계에 근거한 끊임없는 증험활동을 하여 자신의 내면세계를 객관적으로 볼 수 있는 자만이 자신의 실력을 알 수 있다. 그들은 이 세상에서 자신의 꿈을 실현하는 방식을 알게 되며 당당하게 살게 된다.

오늘날 교육선진국들은 교사에게 많은 지식량(知識量)과 수준 높은 교육실력을 요구하고 있다. 인적 자원만이 풍부한 나라에서는 교사들의 실력이 세계 최고여야 한다. 세계적인 교육강국의 대학수업은 가르치는 자와 배우는 자 간에 대화가 많이 이루어진다. 학생들이 머릿속에 떠올리는 의문 그대로를 말로 표현하는 것이다. 그들은 대화와 토론을 통하여 자신의 감정을 다스리고 상대방이 이해할 수 있도록 올바르게 자신의 생각을 펼치는 진짜 공부를 하며 상대방의 의견이 옳으면 자신의 입장도 바꿀 줄 안다. 또한 보다 새로운 문제해결점을 공동으로 찾는 것도 가능하다.

『세계지리 노트』는 세계로의 개인 인식공간의 확장과 세상사에 있어서 개인의 능동적(能動的) 실천을 강조해 왔다. 또한 세계에 대한 공간인식(空間認識)의 질(質)을 높이고 현재의 공간 속에서 최대한의 소비를 하며 즐기는 방식을 다루어 왔다. 세계화는 근본(根本)에 관한 것이며 정체성(正體性) 확립과 관련되기도 한다. 자신의 본(本)을 중심으로 일상에서도 세계적 수준의 삶을 영위할 수 있는 실력과 경쟁력이 세계화의 바탕이기 때문이다. 세계화는 관심영역(關心領域)의 확장(擴張)을 의미하기도 한다. 이 관심영역의 확장은 개인의 정신적(精神的) 개혁(改革)에 기초하며 실제세계의 지리사실(地理事實)과 사실관계(事實關係)를 통한 증험(證驗) 활동을 수반하며 확고한 지식체계를 형성하게 한다.

아직까진 인간활동에서의 모든 경쟁은 국가단위로 이루어지고 있다. 국민의 지력(智力)이 곧 국가의 실력임을 자각할 수밖에 없으며, 국민의 지력을 국제적 수준으로 향상시킬 수밖에 없다. 국익(國益)과 국부(國富)는 세계화 시대에서도 중요한 개념이다. 교육활동을 내실(內實)있게 하지 않을 수 없다. 모든 문명적

이슈는 교사들의 실력에 의해 해결되는 것이다.

사람들은 세상일을 나름대로 진단(診斷)한다. 대부분은 데이터베이스 구축과 꾸준한 업데이트의 결과가 아니며, 알고 있는 일에 대해서도 자세히 알지 못하는 경우가 많다. 그런데 간혹 학문하고는 거리가 먼 노동자들이 세상일에 대한 올바른 판단을 하는 것을 발견할 때가 있다. 그들은 실제세계와 직접 충돌하기 때문에 자신이 직접 경험하는 바에 따라 자신의 세계 이미지를 변화시키고 자신의 생각에 대한 반성적 활동을 했기 때문이다. 자기 자신의 반성은 상대방에게 깨달음으로 직접 전달된다. 즉 이 세계에서 우리나라 사람들이 떵떵거리며 살고자 한다면 개인의 세계관에 대한 반성적 활동을 할 줄 아는 사람들이 많아져야 하는 것이다.

세상일에 대한 자초지종(自初至終)을 밝히는 것은 참으로 즐거운 일이다! 사람은 관심이 가는 곳에서 즐거움을 찾을 수 있다. 이 즐거움은 반드시 이 세계에 존재한다. 관심분야(關心分野)와 관심지역(關心地域)에 대한 꾸준한 데이터베이스 구축 작업과 업데이트 작업만 통하면 가능한 것이다.

세계화란 실천행위와 관련된다. 허심탄회한 대화는 세계의 다양한 사람들을 만나게 해준다. 많은 사람을 만날수록 다양한 분야에서 활약하고 있는 인재들도 만나게 되며 우리의 삶이 그들과의 교류를 통해서 의미가 생긴다. 이 모든 단계를 위해 우선 개인의 실력을 세계적으로 키워야 하는 것이다. 대화를 할 줄 아는 사람은 반대의견을 가진 사람의 얘기를 잘 경청한다. 진정한 삶의 고수로서의 면모이다. 다시 말해 사실과 사실관계를 보면서 나의 의견과 상대방의 주장을 동시에 비교 검증할 때, 논쟁에 대한 해결의 실마리를 찾게 된다. 이것이 가능하기 위해서는 대화방식에 대한 기초실력과 대화의 내용에 대한 기본교양지식이 필요하다. 젊은 시절 고전(古典)을 다독(多讀)하는 이유가 바로 여기에 있다. 그러니 동서양 가리지 않고 무조건 많이 성실하게 읽도록 하자. 그리고 놀 때는 즐겁게 놀 줄 알며 공부할 때는 즐겁게 공부할 줄 알며 대화할 때는 즐겁게 대화하는 법을 기르자. 이것이 가능해지면 우리가 세상일이나 남의 일을 대할 때 자신이 하지 않는 일을 남에게 강요하지 않게 되며 자신이 실천함으로써 좋은 본보기를 보여줄 수 있다. 그야말로 세상을 당당하게 살아갈 수 있는 것이다. 세상이 얼마나 살만한가!

마지막으로 인간끼리의 믿음 문제를 생각해 본다. 텔레비전 속 다큐멘터리를 보면 초식동물 무리가 포식자가 나타나자마자 혼비백산(魂飛魄散)하는 것을 볼 수 있다. 사람들도 위기에 갈팡질팡한다. 그러나 사람들끼리 서로 신뢰감만 형성되어 있다면 적어도 갈팡질팡하지는 않는다. 사람들이 모두 스스로를 주인(主人)이라 여길 때 상대방도 믿을 수 있는 것이다. 또한 모든 인간사에서는 믿을 수 있는 약속체계와 행동기준이 존재한다. 그러므로 약속한 것을 지키는 방식을 대화로 배우며 교육받는 것이 중요하다. 자신의 믿음에 확신이 생기면 인류 모두를 믿을 수 있다. 믿을 수 있는 능력은 오로지 자신의 실력에서 나온다. 모든 일은 사람이 하는 것이며 '사람들'이 일을 할 때 더 많은 성취를 이룬다. 그런 단순한 인생의 깨달음을 얼마나 실천하는가에 따라 세상일이 해결되고 모두가 행복해 질 수 있는 것이다. 누구나 다 그렇게 할 수 있다.

〈참고문헌〉

공자, 2012, "논어: 세상의 모든 인생을 위한 고전", 김원중 옮김, 글항아리

권혁재, 1987, "자연지리학", 법문사

권혁재, 김우관, 문승의, 오건환, 장재훈, 1991, "인간과 자연", 한국방송대학교출판부

기세춘, 2007, "성리학개론: 묵점 기세춘 선생과 함께 하는, 상하", 바이북스

김대식, 노영기, 안국신, 1993, "현대 경제학원론", 박영사

김부식, 1996, "삼국사기, 상하", 한국사 사료 연구소 편역, 한글과컴퓨터

김영구, 2003, "21세기 국제사회의 이해", 해인출판사

김용옥, 2000, "도올논어(1): KBS도올의 논어이야기와 함께 하는", 통나무

김용옥, 2008, "논어한글역주 세트", 통나무

김용복, 2002, "엔블록과 동아시아 경제", 책세상

김용삼, 2013, "이승만과 기업가 시대: '성공한 나라' 대한민국의 기초가 닦인 피와 땀의 15년", 북앤피플 · 연세대학교 이승만연구원

김우숙, 이민수, 2008, "세상을 바꾼 항해술의 발달: 별 찾기에서 인공위성항법까지", 지성사

김은주, 2007, "생각하는 나의 발견 방법서설", 르네 데카르트 원저, 아이세움

김인, 1986, "현대인문지리학", 법문사

김인, 1991, "도시지리학원론", 법문사

김정운, 2011, "노는 만큼 성공한다", 21세기북스

김정운, 2014, "에디톨로지: 창조는 편집이다", 21세기북스

김정태, 홍성욱, 2011, "적정기술이란 무엇인가: 세상을 바꾸는 희망의 기술", 살림지식총서 395

김주환, 권동희, 1992, "환경재해", 신라출판사

김준성, 2007, "한미FTA 후 직업의 미래", 살림지식총서 288

김태완, 2013, "글로벌 시대의 교육: 인성과 창의적 사고력의 개발", 학지사

김택환, 2012, "넥스트 코리아: 우리들이 꿈꾸는 나라", 메디치

까를로 로제티, 1996, “꼬레아 꼬레아니: 백 년 전 이태리 외교관이 본 한국과 한국인”, 서울학 연구소 역, 숲과나무
네이트 실버, 2014, “신호와 소음: 미래는 어떻게 당신 손에 잡히는가”, 이경식 옮김, 더퀘스트
노자, 2013, “노자: 버려서 얻고 비워서 채우다”, 김원중 옮김, 글항아리
대니얼 디포, 2008, “로빈슨 크루소”, 윤혜준 옮김, 을유문화사
대촌평, 2002, “미분과 적분에 대한 이야기: 변화와 결과를 알 수 있는 기법”, 이원 역, 진영사
로르 셰메리, 2011, “세계의 기후지도: 우리가 꼭 알아야 할 세계의 모든 문제”, 전혜영 옮김, 현실문화
로버트 비 라이시, 1994, “국가의 일: 21세기의 자본주의와 국가와 개인의 관계를 조망하는 현대의『국부론』”, 남경우 등 옮김, 까치
루스 베네딕트, 2008, “국화와 칼: 일본 문화의 유형”, 박규태 옮김, 문예출판사
루치르 샤르마, 2012, “브레이크아웃 네이션: 2022 세계경제의 운명을 바꿀 국가들”, 서정아 옮김, 토네이도
마루야마 마사오, 가토 슈이치, 2000, “번역과 일본의 근대”, 임성모 옮김, 이산
마이클 켈러, 2010, “그래픽 종의 기원”, 이충호 옮김, 랜덤하우스
마크 게이어존, 2010, “당신은 세계시민인가: 국가, 대륙의 경계를 넘어 세계시민으로 살아가는 네 가지 단계!”, 김영규 옮김, 에이지21
막스 베버, 1996, “프로테스탄티즘의 윤리와 자본주의 정신”, 박성수 옮김, 문예출판사
매일경제 IoT혁명 프로젝트팀, 2014, “사물인터넷: 모든 것이 연결되는 세상”, 매일경제신문사
맹자, 2005, “맹자”, 박경환 옮김, 홍익출판사
민영빈, 정명진, 민재식, 1984, “High School English I”, 문교부 검정 83.7.29 84-4165, 시사영어사
민영빈 정명진, 민재식, 1985, “High School English II-1”, 문교부 검정 83.7.29 84-4166-1, 시사영어사
민영빈, 정명진, 민재식, 1986, “high School English II-2”, 문교부 검정 83.7.29 84-4166-2, 시사영어사
바즈켄 앙드레아시앙, 장 마르가, 2006, “물 부족 시대가 정말로 올까?: 물 문제와 함께 생각해 보는 환경이야기”, 이수지 옮김, 민음in

박광섭, 2008, “세계화시대 해외지역연구의 이해”, 도서출판 대경
박덕규, 권낙원, 권오정, 이화국, 권이종, 이중석, 박정도, 변규용, 1989, “국내외 교사 양성 제도에 관한 연구”, 한국교원대학교 교육연구원
박승규, 2009, “일상의 지리학: 인간과 공간의 관계를 묻다”, 책세상
박은영, 2012, “나는 세계로 출근한다: 국제법률가가 말하는 글로벌 인재의 길”, 21세기북스
박이문, 1998, “문명의 미래와 생태학적 세계관: 전 지구적인 문명의 위기 앞에서 생태학적 세계관과 미학적 이성은 새로운 대안이 될 수 있는가?”, 당대
박정애, 2011, “세계지리: 한 권으로 끝내는 만화”, 조명원 그림, 주니어김영사
박찬석, 장보웅, 이종문, 1997, “인간과 문화”, 한국방송대학교출판부
방용호, 2012, “물과 하천의 이야기”, 북산책
변종철, 2005, “빛과 색: 자연이 빚어내는 연금술”, 살림지식총서 215
손인수, 1987, “교육사 교육철학 연구”, 문음사
손인수, 정태범, 이병진, 권이종, 권낙원, 단현국, 1986, “교육학개론”, 정민사
송재환, 2014, “부모는 무엇을 가르쳐야 하는가: 동양고전에서 깨닫는 참된 부모노릇”, 글담출판
스트븐 핑커 등, 2012, “마음의 과학” 이한음 옮김, 와이즈베리
쓰치야 겐지, 2007, “괴짜교수의 철학강의”, 김현영 옮김, 문학수첩리틀북
아리스토텔레스, 2009, “정치학”, 천병희 옮김, 숲
아사이 노부오, 1996, “민족분쟁지도”, 윤길순 옮김, 자작나무
아만다 리플리, 2014, “무엇이 이 나라 학생들을 똑똑하게 만드는가: 미국을 뒤흔든 세계 교육 강국 탐사 프로젝트”, 김희정 옮김, 부 · 키
애덤 스미스, 2007, “국부론 (상), (하)”, 김수행 역, 비봉출판사
애덤 스미스, 2009, “도덕감정론”, 박세일, 민경국 공역, 비봉출판사
야노 토루 외, 1999, “지역연구와 세계단위론”, 부산외대 아시아지역연구소 옮김, 전예원
얀 칩체이스, 사이먼 슈타인하트, 2013, “관찰의 힘: 평범한 일상 속에서 미래를 보다”, 야나 마키에이라 옮김, 위너스북
에드워드 글레이저, 2011, “도시의 승리: 도시는 어떻게 인간을 더 풍요롭고 더 행복하게 만들었나?”, 이진원 옮김, 해냄
에드워드 L. 로우니, 2014, “운명의 1도: 에드워드 로우니 장군의 한국전쟁 회고록”, 후아이엠

오호택, 2012, "우리 헌법 이야기", 살림지식총서 403
우수근, 2008, "중국을 이해하는 9가지 관점", 살림지식총서 334
와쓰지 데쓰로우, 1993, "풍토와 인간", 박건주 옮김, 장승
유광호, 김신웅, 서광조, 최용호, 임정덕, 주학중, 1989, "현대한국경제사", 한국정신문화연구원
유민호, 2014, "일본 내면 풍경: 한국은 일본을 너무 모르고, 일본은 한국을 너무 잘 안다", 살림
유진 오덤, 1995, "생태학: 환경의 위기와 우리의 미래", 이도원, 박은진, 송동하 옮김, 민음사
이규환, 2010, "주요국의 교육제도: 비교교육학적 기초", 배영사
이대근, 1990, "한국경제의 구조와 전개", 창작과 비평사
이도원, 2001, "경관생태학: 환경계획과 설계, 관리를 위한 공간생리", 서울대학교출판부
이상철, 2012, "한반도 정전체제: 한반도 군사질서를 규율하고 있는 국제규범", 한국국방연구원
이석호, 1998, "데이타베이스론", 정익사
이승만, 2008, "풀어쓴 독립정신", 김충남, 김효선 풀어씀, 청미디어
이시카와 준이치, 1996, "종교분쟁지도", 윤길순 옮김, 자작나무
이재기, 2004, "세계지역연구", 한올출판사
이전, 1994, "라틴아메리카 지리: 문화와 역사 그리고 정치 시사를 중심으로", 민음사
이종문, 이민부, 1997, "환경교육", 한국방송대학교출판부
이주영, 2008, "우남 이승만 그는 누구인가?", 배재학당총동창회
이혜은, 김일림, 안재섭, 이승철 (편저), 2005, "변화하는 세계와 지역성: 인문지리학의 탐색", 동국대학교출판부
이희수, 2003, "이슬람 문화", 살림지식총서016
이희연, 1989, "지리통계학: 지리자료분석기법", 법문사
이희연, 1994, "경제지리학 - 공간경제의 이론과 실제 -", 법문사
이희연, 1995, "지도학 - 주제도 제작의 원리와 기법-", 법문사
일연, 1993, "삼국유사", 김봉두 편역, 교문사
임덕순, 1988, "정치지리학 원론", 일지사
자크 엘루, 1996, "기술의 역사", 박광덕 옮김, 한울
장영근, 2005, "인공위성: 21세기의 눈과 귀", 살림지식총서216
장우석, 2012, "수학, 철학에 미치다", 페퍼민트

장우석, 2007, “수학멘토: 논리를 통해 자유로워지기”, 통나무
장인성, 2007, “메이지 유신: 현대 일본의 출발점”, 살림지식총서 292
장 자크 루소, 2003, “에밀”, 김중현 옮김, 한길사
장 지글러, 2012, “굶주리는 세계, 어떻게 구할 것인가?”, 양영란 옮김, 갈라파고스
장 지글러, 2013, “왜 검은 돈은 스위스로 몰리는가: 조세피난처의 원조, 스위스 은행의 비밀”, 양영란 옮김, 갈라파고스
장자, 2010, “장자”, 안동림 역주, 현암사
작끄 제르네, 1985, “동양사통론”, 이동윤 역, 법문사
전경수, 1999, “지역연구, 어떻게 하나”, 서울대학교출판부
전미영, 2001, “김일성의 말, 그 대중설득의 전략”, 책세상
전종한 등, 2015, “세계지리: 경계에서 권역을 보다”, 사회평론
정상호, 2013, “시민의 탄생과 진화: 한국인들은 어떻게 시민이 되었나?”, 한림대학교 출판부
정서환, 1997, “세계를 움직이는 미국의 싱크탱크”, 도서출판 모색
정진농, 2013, “오리엔탈리즘의 역사”, 살림
정창훈, 2008, “만화: 갈릴레이 두 우주체계에 대한 대화”, 유희석 그림, 주니어김영사
조지 오웰, 2009, “1984”, 김기혁 옮김, 문학동네
조지 오웰, 1998, “동물농장”, 도정일 옮김, 민음사
조한욱, 2000, “문화로 보면 역사가 달라진다”, 책세상
좌승희, 2015, “박정희, 살아있는 경제학”, 백년동안
주희 엮음, 2005, “대학 · 중용”, 김미영 옮김, 홍익출판사
차하순, 1987, “서양사총론”, 탐구당
최순우, 1994, “무량수전 배흘림 기둥에 기대서서”, 학고재
최웅, 김봉중, 1992, “미국의 역사 – 그 맥락과 현대적 조명 –”, 소나무
최재봉, 2013, “단어만 알면 거침없이 영어되는 비법책”, 애로우 잉글리시
최한기, 2012, “기측체의: 기 철학과 서양과학의 행복한 만남”, 이종란 풀어씀, 풀빛
프레데리크 들루슈 편, 1995, “새 유럽의 역사: 유럽 공동의 역사 교과서”, 윤승준 역, 까치
플라톤, 2005, “플라톤의 국가 · 정체”, 박종현 역주, 서광사
필 거쉬멜, 2011, “지리교수법”, 백영기 옮김, 푸른길

허균, 2009, "홍길동전", 김탁환 풀어 옮김, 민음사
허만호, 2012, "인민의 천국에서 벌어지는 인권유린: 북한인권", 살림지식총서 412
헤더 알렉산더, 2011, "초등학생이 꼭 읽어야 할 세계지리", 이승숙 옮김, 사계절
황기원, 2011, "경관의 해석: 그 아름다움의 앎", 서울대학교출판문화원
후쿠자와 유키치, 2012, "문명론의 개략:文明論之概略", 임종원 역, 제이앤씨
후쿠자와 유키치, 2011, "학문을 권장함", 양문송 옮김, 일송미디어
힐 마골린, 2013, "공부하는 유대인: 하버드를 지배한 유쾌한 공부법", 권춘오 옮김, 일상이상
Arthur N. Strahler and Alan H. Strahler, 1987, "Modern Physical Geography" Third Edition, Wiley
Babara W. Murck, Brian, J. Skinner, and Stephen C. Porter, 1999, "환경지구과학", 정교철 등 공역, 시그마프레스
C.H. 스이로프, 1988, "러시아의 역사: 고대 루시에서 볼쉐비끼 혁명까지", 기연수 역, 동아일보사
EBS다큐프라임 〈빛의 물리학〉 제작팀, 2014, "빛의 물리학", 해나무
Edward A. Keller, Robert, H. Blodgett, 2007, "자연재해와 방재", 이동우 외 옮김, 시그마프레스
H.J. 슈퇴릭히, 1978, "세계철학사 상권, 하권", 임석진 역, 분도출판사
H. Lautensach, 1990, "한국의 기후지", 김종규 옮김, 한울아카데미
John R. Jensen, 2005, "원격탐사와 디지털 영상처리", 임정호, 박종화, 손홍규 옮김, 시그마프레스
John R. Jensen, 2009, "환경원격탐사", 채효석 등 옮김, 시그마프레스
KBS인사이트아시아 유교 제작팀, 2007, "유교 아시아의 힘", 예담
Les Rowntree, Martin Lewis, Marie Price, William Wyckoff, 2012, "세계지리: 세계화와 다양성", 안재섭 등 옮김, 시그마프레스
Odum, 1993, "기초 생태학", 정재춘 옮김, 자유 아카데미
Robert W. Christopherson, 2012, "지오시스템", 윤순옥 등 옮김, 시그마프레스
Takahashi Mana, 2006, "만화로 쉽게 배우는 데이터베이스", 홍희정 역, 성안당
US Army, 1987, "Map Reading and Land Navigation", FM 21-26